ALLEN COUNTY PUBLIC LIBRARY
DISCARDED
S0-BWT-288
RU FI
Sala,
Koroleva

ШАРОН СЭЙЛ

Королева

Москва
2000

ББК 84 (7США)
С97

Серия основана в 1996 году

Sharon Sala
QUEEN
1994

Перевод с английского Г.П. Байковой

Серийное оформление А.А. Кудрявцева

*В оформлении обложки использована работа,
предоставленная агентством «RUPIN».*

Печатается с разрешения автора
и литературных агентств Meredith Bernstein и «Мэтлок».

Сэйл Ш.

С97 Королева: Роман/Пер. с англ. Г.П. Байковой. — М.: ООО «Издательство АСТ», 2000. — 352 с. — (Страсть).

ISBN 5-17-002053-8

Рыжеволосой красавице Квин Хьюстон с детства приходилось заменять мать двум младшим сестрам. Казалось, встреча с Коди Боннером, вдовцом с тремя сыновьями, не может ничего изменить в ее жизни. Однако именно эта встреча распахнула перед ней врата в неведомый прежде мир — мир неистовых, всепоглощающих чувств, мир, где она ощутила себя настоящей женщиной — любящей, любимой и желанной...

Эта книга посвящается моей семье, с членами которой меня связывают самые теплые отношения: моему мужу Биллу, сыну Крису, его жене Кристи-Энн, их дочери Челсии и моей дочери Кэтрин. Я знаю, что, даже если чьи-то чувства будут невольно мной задеты, меня всегда простят, так как мы связаны не только родством, но и любовью.

Свою работу посвящаю также: семье Вестера и Кэти Смит и их потомкам, семье Кристофера и Мейбл Шере и их потомкам, семье Эриста и Агнессы Сэйл.

Эта книга для вас. Читайте, наслаждайтесь... и помните, что всех нас объединяет любовь.

Глава 1

Легкий ночной ветерок обдувал лицо Квин Хьюстон, трепал волосы и охлаждал ее разгоряченный лоб. Она взяла ружье на изготовку и еще теснее прижалась к стене дома, надеясь, что тьма скроет ее.

Квин плотно сжала рот и прищурилась, взяв на мушку человека, который притаился в аллее неподалеку от «Бара Уайтлоу». Интересно, как часто он развлекался таким вот образом?

Квин знала, что внимание Мортона Уайтлоу приковано к комнате ее сестры Лаки. По всей вероятности, Лаки раздевалась. Глядя на Мортона, Квин мысленно представляла, что именно снимает сестра в данный момент. Щелкнув затвором ружья, она вдруг ясно осознала, что на выстрел потребуется гораздо меньше усилий, чем на расстегивание «молнии» голубых джинсов... гораздо меньше времени!

Услышав короткий отчетливый звук, Мортон прервал свое занятие. Человеку, рожденному в горах Теннесси, этот щелчок, громкий и устрашающий, был отлично знаком. Он означал, что патрон уже послан в патронник ружья. Мортон Уайтлоу мигом очнулся, стоило лишь ему услышать в темноте:

— Ты еще пожалеешь об этом, сукин сын! Будь Джонни жив, он пристрелил бы тебя на месте.

Мортон побледнел. Квин Хьюстон! Даже в темноте он узнал ее по копне непослушных рыжих кудрей. Боже, лучше бы его застигла на месте преступления любая другая дочь Джонни Хьюстона! Эта же питала какую-то странную ненависть к мужчинам, причин которой он никогда не понимал. Теперь ему наверняка предстоит долгий разговор по поводу того, чему она была свидетельницей.

— Выходи на свет! — приказала Квин. — Ты уже достаточно насмотрелся.

Он невольно вздрогнул. Спокойный, лишенный каких-либо эмоций голос напугал его. Да к тому же ружье она нацелила прямо ему в промежность. Он опустил глаза и только сейчас осознал, что все еще продолжает мастурбировать. Она прошипела:

— Оставь! Ты так долго этим занимался, что ему не мешает поостыть.

— Это совсем не то, что ты думаешь, Квин... — начал Мортон. — Неужели не понимаешь? Я шел к вам домой, чтобы отдать деньги, и вдруг почувствовал естественную потребность. Я только хотел...

— Знаю я, чего ты хотел! Слышала твои стоны, ублюдок! Ты мастурбировал, глядя на мою сестру.

— Тьфу, — пробормотал Мортон, опуская руку. — А как насчет денег за дом? Ты не раздумала его продавать? — спросил он.

Квин указала ружьем на его карман.

— Вытаскивай деньги и убирайся к черту, пока я не застрелила тебя как вора. Сам знаешь, все вокруг решат, что произошло досадное недоразумение, несчастный случай. Ты не забыл, что мы совсем недавно похоронили Джонни? Никто не обвинит сестер Хьюстон в том, что они переусердствовали, защищая себя.

— Вот сука! Когда ты получишь деньги, дом перестанет быть твоей собственностью.

— Вполне вероятно, — ответила Квин, — но ты покупаешь дом и участок, а не нас с сестрой.

Вздохнув, Мортон потянулся за конвертом.

— Нет! Стой! — приказала Квин, как только он залез в карман, в котором находились чеки.

Уайтлоу застыл на месте, испугавшись ее грозного голоса и зловещего темного дула. Сейчас она целилась ему прямо в лицо.

— Лучше левой, Уайтлоу, — бросила она, вспомнив, чем была занята его правая рука минутой раньше.

Он покраснел и выругался, но это не помогло: Квин Хьюстон стояла на своем. Изрыгая проклятия, он вытащил конверт из кармана, бросил его на землю и, повернувшись, зашагал прочь, желая, чтобы она провалилась в преисподнюю.

Только когда дверь бара захлопнулась, Квин перевела дыхание и, наклонившись, подняла конверт, брошенный Мортоном Уайтлоу прямо в грязь.

Повесив ружье на плечо, она выбралась из засады и задержалась на крыльце, чтобы прочитать имена, проставленные на вложенных в конвертах чеках. Благодаря ярким красным огням рождественской гирлянды, висевшей над входом в бар независимо от времени года, здесь было достаточно светло, чтобы рассмотреть проставленную на чеках сумму.

Пять тысяч долларов! Трудно поверить! И все это заслуга ее сестры Даймонд. Вспомнив об отъезде Даймонд, она чуть было не заплакала, но это было не в ее правилах. Квин сунула чеки в конверт и еще раз оглянулась.

В ней все еще жило воспоминание: Даймонд уходит прочь под руку с Джессом Иглом, самым известным певцом Нашвилла. Даймонд покинула Кредл-Крик с блеском в глазах и мечтой в сердце. Квин ненавидела ее оптимизм, так как сама давно уже ни на что не надеялась и ни о чем не мечтала. Уж слишком она была занята воспитанием младших сестер и повседневными заботами.

Но сейчас, впервые в жизни, у нее появился шанс на личное счастье. К сожалению, всем трем сестрам неизбежно приходилось расставаться. Даймонд уже уехала, а Лаки «сидела на чемоданах». Со вчерашнего дня билет на автобус лежал у нее в кармане, и ей оставалось только дождаться денег, которые Мортон Уайтлоу заплатит за дом.

Неожиданно все поплыло у Квин перед глазами, и она с удивлением поняла, что плачет. Поразительно, она и не знала, что может плакать!

Высоко в горах залаяли собаки, и Квин, замерев, прислушалась. Должно быть, кто-то из местных жителей выгуливал своих питомцев. Она сделала глубокий вдох, надеясь уловить запах дыма от костра, вокруг которого расположились их владельцы, со смехом рассказывая друг другу байки о том, как их четвероногие любимцы берут след. Но воздух полнился лишь угольной пылью, зловонием выхлопных газов да сигаретным дымом из «Бара Уайтлоу».

Громкий хриплый смех мужчин вернул ее к действительности. Она вспомнила о своей полной беззащитности, вспомнила злобное лицо Мортона и быстро взбежала на крыльцо. Рывком открыв дощатую дверь, девушка ворвалась в дом, дрожащими пальцами повернула ключ в замке и сунула ружье в расположенную рядом кладовку.

— Квини... это ты? — донесся до нее голос Лаки, и не подозревавшей о том, что она побудила Мортона Уайтлоу заняться рукоблудием.

Прислонившись к дверце кладовки, Квин постаралась взять себя в руки. Никто не должен видеть ее слабости! Спустя минуту она откликнулась — громко и уверенно, как всегда:

— Да, Лаки, это я. Догадайся, что я получила? Я получила наши деньги.

На следующее утро сестры собирали свои скудные пожитки.

Стоя в дверях комнаты Лаки, Квин наблюдала, как младшая сестренка летала от шкафа к кровати и обратно, укладывая свою одежду в вещевой мешок, купленный на распродаже военного имущества несколько лет назад.

— Ты отошлешь Даймонд чек по почте? — спросила Лаки, сунув в мешок последнюю тряпку.

Квин кивнула.

— Представляю, как она обрадуется, — продолжала Лаки, не замечая напряжения в лице и позе старшей сестры. — Бьюсь об заклад, что через год пять тысяч долларов покажутся ей крохами. К этому времени она станет очень знаменитой. Я просто уверена!

Молчание Квин заставило Лаки посмотреть на сестру. Только сейчас она почувствовала всю горечь их расставания, и слезы потоком хлынули у нее из глаз. Лицо ее сморщилось, она зарыдала в голос.

— Не печалься, Квини, — наконец сквозь рыдания произнесла она и бросилась сестре на шею. — Но как я смогу уехать, если ты выглядишь такой несчастной!

Квин крепко обняла сестру и закрыла глаза. Лучше уж не думать о грядущем одиночестве. Столько лет она заботилась о младших сестрах, и вот сейчас, всего за какую-то неделю, она теряет их обеих, как несколькими днями раньше потеряла отца, Джонни Хьюстона. Сердечный приступ подкосил его совершенно неожиданно. Впрочем, все в его жизни происходило неожиданно.

— Я рада за тебя, — ответила она и еще крепче прижала к себе Лаки. — Просто мне грустно расставаться. Так бывает со всеми родителями.

Из глаз Лаки снова хлынули слезы.

— В этом-то и весь ужас, Квини, — всхлипнула она. — Никакая ты мне не родительница, а просто сестра. — Она отвернулась и вытерла лицо полотенцем, которое протянула ей Квин. — У тебя даже не было нормального детства. Ты только и делала, что заботилась об отце и о нас. Я порой даже забывала, что ты всего на четыре года старше. — Она снова обняла Квин и порывисто поцеловала в щеку.

Пять минут спустя Лаки опять занялась своим багажом.

Квин прерывисто вздохнула. Да уж! Любовь и привязанность к сестрам она ощущала всегда, но только сейчас они впервые заговорили об этом. Расставание пугало ее. А что, если они никогда больше не увидятся?!

— Напиши мне, как только приедешь в Лас-Вегас, — попросила Квин.

Лаки оторвалась от своего занятия и удивленно посмотрела на сестру:

— А куда я пошлю письмо? Ты ведь тоже уезжаешь.

Квин побледнела. Взъерошив свои темно-рыжие кудри, она принялась ходить по комнате, стараясь что-нибудь придумать. Наконец ее осенило.

— Будем держать связь через Даймонд! Джесс Игл дал мне свою визитную карточку. Я воспользуюсь ею, чтобы отослать Даймонд чек. На ней указан адрес и номер телефона. Мы с тобой будем посылать письма Даймонд, а она будет поддерживать связь между всеми нами.

Лаки заулыбалась, страх моментально исчез. Конечно, ее Квини всегда найдет выход из положения. Так было и так будет.

Внезапно Квин выскочила из комнаты. Лаки поспешила за ней и увидела, что сестра судорожно перебирает одежду в шкафу в поисках блузки, которую надевала вчера.

— Я не могу найти ее! — в панике воскликнула Квин.

— Что не можешь найти?

— Визитку! Визитную карточку Джесса Игла! Она же у меня была! — выкрикивала Квин, разбрасывая свой скудный гардероб по постели. — Вчера на почте я воспользовалась его адресом. Я отчетливо помню... Господи! Какое счастье! Я забыла ее на столе. Надо скорее бежать на почту. Наверняка она лежит там, где и лежала. Мейрин никогда не убирается.

Лаки попыталась остановить сестру, схватив ее за руку.

— Но ведь это было вчера, — напомнила она.

Квин резко выдернула руку.

— Да хоть две недели назад! Какое это имеет значение? Мне надо найти ее, иначе мы потеряем друг друга.

Она выскочила из дома и мигом оказалась у ворот.

Лаки медленно двинулась следом — не могла же она бросить сестру в беде. Они всегда держались вместе, потому что были дочерьми игрока. Так им было легче противостоять миру, который относился к ним с презрением.

Квин свернула за угол, а затем ее фигура в потертых синих джинсах и линялой, в коричневую клетку кофте замаячила далеко впереди — она бежала, ведь до почтового отделения еще пять кварталов! Лаки же в последний раз окидывала взглядом город, который, сколько она себя помнила, был ее единственным домом.

Вскинув голову и щурясь от яркого солнца, она на миг представила себя одетой сногсшибательно. Никаких линялых джинсов и желтой рубашки! Ведь она едет в Лас-Вегас и собирается там сразить всех наповал! Она снова вспомнила данную когда-то себе клятву: вернуться в злосчастную Неваду — туда, где отец, играя в покер, потерял все, в том числе и семейную реликвию.

Эту детскую мечту Лаки вынашивала годами и сейчас, повзрослев, чувствовала, что обязана разыскать фамильную ценность — золотые карманные часы и привезти их Джонни. Тот факт, что Джонни Хьюстон уже в них не нуждался, не имел никакого значения. Главное — выполнить свою клятву.

Проходя мимо одного из домов, Лаки услышала детский плач. Она отвернулась, стараясь не обращать внимания на шум и звуки шлепков. Надо выбросить из головы мысль, что бедность — это не просто отсутствие денег, это крушение всех жизненных планов и надежд, которое ведет к жестокости.

Да, бедность в Кредл-Крике была ужасающей. Основным источником рабочих мест в городе служила угледобывающая компания, которая цеплялась за свое существование с таким же упорством, с каким горцы оберегали свое уединение. Большинство домов обветшало, их серые, покрытые угольной пылью или вымазанные грязью стены почти сливались с таким же серым, однообразным ландшафтом.

Лаки знала: нет ничего унизительного в бедности там, где все так живут. Унизительно было то, что мужчины здесь стали зарабатывать себе на жизнь карточными играми. Конечно, тяжкий труд под землей за гроши способствовал этому, и тем не менее...

Она остановилась в нескольких шагах от почтового отделения, наткнувшись взглядом на Квин, которая беспомощно оглядывалась вокруг, словно пыталась что-то отыскать.

— Пропала, — выдавила Квин. — Мейрин убирает на этой проклятой почте раз в месяц, и надо же такому случиться именно сейчас!..

Растерянность на ее лице сменилась страхом. Она не знала, что теперь делать: то ли кричать на всю улицу, то ли сесть на ступеньку и заплакать. Нет, нельзя позволять себе ни то, ни другое. А потому Квин спустилась по лестнице и направилась обратно к дому.

— Как же мы теперь свяжемся друг с другом? — с недоумением спросила Лаки, глядя на охваченную отчаянием сестру.

— Все будет хорошо, — тотчас овладела собой Квин и взяла Лаки под руку. — Должно быть хорошо. Главное —

устроиться на месте, а там наведем справки и свяжемся с Даймонд через студию Джесса или придумаем еще что-нибудь. Вряд ли это так уж трудно. И поторапливайся, — добавила она. — Твой автобус скоро отходит, мне тоже надо собираться. Я обещала Уайтлоу к завтрашнему дню освободить дом.

Стоя посреди улицы, Квин еще долго махала вслед автобусу. Наконец пыль осела, улыбка слетела с ее лица. Перевернулся и весь ее мир. Впервые за всю свою жизнь она осталась одна. Это было ужасно и в то же время возбуждало.

Пора. Она похлопала по карману и, убедившись, что чек на месте, направилась в банк. Подойдя к единственному кассовому окну, Квин легонько подтолкнула чек вдоль стойки.

За окошком восседал Тилман Харгер. Тот самый, что учился с Квин Хьюстон в одной школе. Он, как и остальные ребята их класса, когда-то держал пари, что первый переспит с этой рыжеволосой, с соблазнительными формами девчонкой. И, как и все, проиграл. Если Квин Хьюстон когда и назначала свидания, то делала это незаметно и с кем-то не из местных. А потому Тилман, подобно остальным мужчинам их города, ненавидел ее за такое пренебрежение.

— Чем могу быть полезен? — спросил он, взяв в руки чек и самодовольно ухмыльнувшись. — Или лучше сказать... как бы ты хотела, чтобы я был полезен?

Квин улыбнулась.

По телу Тилмана пробежала дрожь. Улыбка была недружелюбной, и он понял, что его грязная шутка не имела успеха.

— Две сотни долларов наличными, а остальное в дорожных чеках, — ответила она.

Брови Тилмана поползли вверх:

— А что ты будешь делать с дорожными чеками?

— Путешествовать. — Квин так посмотрела на кассира, что он моментально заткнулся.

Несколькими минутами позже она покинула банк с конвертом в руке и направилась к автозаправке, которая одновременно служила и автобусной стоянкой. Квин хотела купить билет.

Еще через час, уже в своей комнате, она упаковывала оставшуюся одежду. Завтра в это время она наверняка будет в Арканзасе, а может, даже в Оклахоме. Она не имела ни малейшего представления о том, как долго придется ехать до Аризоны, но это ее не беспокоило. Главное — добраться до такого места, где на ясном голубом небе сияет солнце, а пропитанный дымом воздух и угольная пыль станут лишь страшным воспоминанием о прошлом.

Впрочем, она не закончила еще одно дело. При мысли о встрече с Мортоном Уайтлоу ее чуть ли не выворачивало, но деваться некуда... Она взяла с кровати документ. На сей раз ее посещение «Бара Уайтлоу» будет последним.

Стоило Квин появиться на пороге, как Мортон тотчас заметил ее. Перед ее же мысленным взором всплыла ласка, на которую он был похож своими маленькими черными, близко посаженными глазами и заостренным, вечно принюхивающимся носом. Только вот зубы подводили — потемнели от многолетнего жевания табака.

— Что тебе здесь надо? — прорычал Мортон, забрасывая на плечо грязное полотенце, которым протирал стаканы.

Подтянув брюки на отвислом животе, он нервно пробежал пальцами по редким седеющим волосам.

— Ничего, — ответила она. — Я пришла, чтобы отдать купчую. Завтра в шесть утра я уезжаю, а до тех пор не вздумай даже приближаться к дому. И не рассчитывай поиграть со мной в свои игры, зная, что я всю ночь буду одна. Мне не хотелось бы нарушать покой отца, укладывая тебя на том же кладбище за заправочной станцией.

При упоминании о кладбище Мортон побледнел, затем покраснел от злости.

— Неужели ты думаешь, что какой-либо мужчина в здравом уме и твердой памяти захочет тебя, ведьма? Ты отвратительна, как змея, и слишком высокого о себе мнения. У тебя мозги набекрень. Мужчины ложатся в постель с женщинами, а не с такими суками, как ты.

Улыбнувшись, Квин бросила купчую на пол точно так же, как совсем недавно он бросил на землю их деньги.

— Запомни, Мортон: пока я там, чтобы ноги твоей не было на моей земле, иначе горько пожалеешь!

Она покинула бар так же неожиданно, как и появилась. Какое-то время Мортон молча смотрел на бумагу под ногами, словно ожидая, что она взорвется. Тишина, стоявшая в баре, постепенно вытеснила страх, и он, сорвавшись с места, схватил документ и сунул его в карман. Поскорее бы наступило завтра! Он бы пошел туда и первое, что сделал, — взорвал бы этот проклятый дом. Мортону уже давно была нужна земля, чтобы расширить стоянку для машин.

Сейчас не хотелось вспоминать, что жадность дорого ему обошлась. Годами он уговаривал Джонни Хьюстона продать ему дом за десять тысяч долларов, но все было напрасно.

Когда же игрок, который большую часть жизни проводил за карточным столом в комнатах его бара, неожиданно умер, он рассчитывал, что дочери Хьюстона, оставшись без средств к существованию, продадут ему дом за полцены. Надеяться им было не на что, и Мортон сделал им предложение о покупке.

Их гнев потряс его, но еще больше потрясла угроза Даймонд Хьюстон отдать дом и землю фанатичной секте баптистов. Уайтлоу прекрасно понимал, что тут уж его бизнесу придет конец: не пройдет и месяца, как он лишится не только бара, но и крыши над головой. Мортон был вынужден заплатить им втрое больше, лишь бы они убрались из его жизни.

Звук хлопнувшей двери заставил его подпрыгнуть и выругаться. Он осторожно подошел к окну, чтобы убедиться, что Квин не собирается палить в его дом. Но на улице было пусто, и он разглядел лишь занавешенные окна и серые стены дома Джонни Хьюстона.

Ее никто не провожал, да она и не рассчитывала на это. Кого волновал ее отъезд? Уставившись в спинку переднего сиденья, Квин старалась не думать о склоне холма за автобусной стоянкой. Просто нет смысла размышлять о том, что Джонни Хьюстон остается в Кредл-Крике совсем один. К тому же если есть Бог, в существование которого она свято верила, то ее отец сейчас не там, а на небесах.

Вот появился шофер автобуса, на ходу застегивая ремень. Квин поняла, что настало время отъезда. Еще немного, и она уедет отсюда. Просыпаясь по утрам, она никогда больше не будет дышать угольной пылью. И никогда больше не поймает на себе косых взглядов и не услышит злобного шепота за спиной...

Запах выхлопных газов ударил ей в нос, когда шофер завел мотор и стал осторожно выруливать на шоссе. Несмотря на данное себе обещание не смотреть в окно, Квин прилипла носом к стеклу, отыскивая взглядом одинокий белый крест в дальнем конце кладбища.

Автобус набирал скорость и двигался все быстрее, быстрее. Внезапно она вскочила с места, встала на сиденье на колени и стала неотрывно смотреть на холмик свежевскопанной земли — могилу своего отца. Взгляд Квин затуманился, подбородок задрожал, но слезы так и не появились. Когда очертания Кредл-Крика наконец исчезли из виду, она села на свое место, не обращая внимания на любопытные взгляды пассажиров, сидевших на задних сиденьях.

Мысленно она попрощалась с отцом. Слова шли от сердца, и их не надо было произносить вслух.

Рядом, на пустом сиденье, лежал ее жакет, из кармана которого торчала карта. На ней она желтым карандашом начертила свой путь. И вот сейчас, достав карту, Квин провела по желтой линии пальцем, желая лишь одного: очутиться как можно дальше от городка Кредл-Крик, штат Теннесси, и поскорее.

Впереди у нее будущее.

Глава 2

Пейзаж за окном автобуса уже давил однообразием: серое шоссе и зеленые деревья по сторонам. С приходом ночи Квин потеряла всякий интерес к происходящему. Сказывалось напряжение последних дней. Она даже не заметила, когда автобус, миновав Арканзас, въехал на территорию Оклахомы. Впрочем, рано утром, когда водитель сделал очередную остановку, она поняла, что приехала в совершенно незнакомое место.

Граничащая с Техасом земля сильно отличалась от великих Дымных гор. Квин привиделось, что ночью по земле прошелся огромный каток и сгладил мир, который она знала. Исчезли высокие вершины в тумане и сочные, вечнозеленые растения. Пропали узкие извилистые дорожки поселков Теннесси, которые брали начало у подножия гор, а заканчивались прямо в каньоне. Уцепившись за спинку переднего сиденья, Квин смотрела в окно. Плоская коричневая земля, казалось, простиралась до бесконечности. Надо же, какие необъятные на самом деле Соединенные Штаты! Она подумала о сестрах и задалась вопросом: как они смогут найти друг друга в этой бескрайней стране?

— Стоим полчаса, — сказал, потягиваясь, водитель. — Можете выйти из автобуса, перекусить, осмотреть окрестности, но не опаздывайте. Я не могу нарушать расписание и не стану ждать отставших.

Снова взглянув в окно, Квин открыла рот, чтобы задать вопрос, но из застенчивости не стала. «Куда можно пойти? — подумала она. — Здесь некуда идти и нечего смотреть».

Впрочем, вместе с пассажирами, которых за ночь изрядно прибавилось, Квин вышла из автобуса, и все они направились к маленькой забегаловке, откуда пахло кофе и поджаренным беконом.

— Заходите, — пригласила официантка. — Занимайте места, я обслужу вас в долю секунды.

Квин предпочла столику единственный стул у стойки бара. Было слишком рано, чтобы вести светские разговоры, особенно с незнакомыми людьми.

После двух чашек кофе, яичницы с хлебом из муки грубого помола она заплатила по счету и вышла, намереваясь размяться за оставшееся до отъезда время.

Вокруг было тепло и сухо. Повернувшись, Квин подставила лицо ранним солнечным лучам. Тонкая хлопчатобумажная кофточка обтянула ее пышную грудь, когда она, закинув руки за голову, покрутила плечами из стороны в сторону, чтобы размять затекшие мышцы.

Водитель автобуса, сидевший в кафе, на миг застыл с чашкой кофе в руке, рассматривая ее изумительную фигуру. Она была красивой леди, но, как он заметил, редко улыбалась. По опыту он знал, что такие женщины ценят внимание противоположного пола, но эта, похоже, была исключением из правил.

Какая же она красивая! Огромные зеленые глаза, прямой, правильной формы носик, рот, который так и хочется поцеловать... Правда, упрямый подбородок и внутреннее напряжение девушки отнюдь не располагали к фривольному поведению. Ее темно-рыжие длинные волосы пламенели в лучах утреннего солнца. А походка, а эти длинные ноги! Представив, как хороша она в постели, он с трудом овладел собой.

Квин причесалась и почистила зубы. Хорошо бы теперь принять душ и переодеться. Увы, водитель уже просигналил. Пора отправляться в путь.

В салоне появились новые пассажиры: мать и маленький ребенок, и Квин затаила дыхание — не дай Бог, сядут рядом с ней. У нее не было ни малейшего желания вести пустые разговоры в дороге. К счастью, мать сразу же опустилась на переднее сиденье и взяла малыша на руки.

Через три часа Квин поняла, что рано радовалась. По всей вероятности, сидеть на коленях у матери ребенку надоело, и он решил погулять по автобусу. Вздрогнув от визгливого голоса матери, Квин уставилась в окно.

— Фрэнк, сейчас же вернись! Слышишь, что я сказала? Я тебя нашлепаю, если не вернешься, обещаю! — раздраженно кричала мамаша.

По-видимому, Фрэнк не раз уже слышал эту угрозу и перестал обращать на нее внимание. Он остановился рядом с Квин и беззаботно улыбнулся. Затем опустил глаза на карту, торчавшую у нее из кармана.

— Книга? — указал он пальчиком.

Квин добродушно усмехнулась, глядя на немытое личико ребенка: на его подбородке засохли остатки завтрака.

— Нет, это не книга, — ласково ответила она. — Это моя карта.

— Карта, — кивнув, повторил малыш и радостно засмеялся в ответ на ласковый голос и приветливую улыбку Квин.

— Фрэнк, оставь девушку в покое! Ты слышишь?

Фрэнк даже не оглянулся. Квин решила, что ему нет и трех лет. Огромные карие глаза мальчика, худоба и раздувшийся животик свидетельствовали о том, что он недоедает и недостаточно ухожен.

В кармане у Квин лежал пакетик с сушеными фруктами, который она захватила, чтобы жевать в пути. Пожалуй, сейчас самое время достать лакомство. Боясь вызвать негодование матери Фрэнка, Квин посмотрела в ее сторону, но женщина уже забыла о сыне. По всей вероятности, ей было безразлично, где он и что с ним.

Сунув руку в карман, девушка вытащила пакетик и поманила мальчика к себе. Открыв пакетик, она протянула малышу курагу. Он тотчас взобрался на сиденье рядом с ней.

В отличие от многих других детей, которые бы обязательно рассмотрели угощение, парнишка даже не взглянул на то, что ему предложили, а сразу проглотил. Квин мелодично рассмеялась.

— Вот тебе еще, — сказала она, — но сначала надо разжевать. Жуй, жуй, жуй, — повторяла она, показывая, как это делается.

Целых полчаса Квин доставала из пакетика фрукты, а Фрэнк тщательно их пережевывал. Когда все сушеные фрукты закончились, Фрэнк перевел взгляд с пустого пакетика на Квин. Она лишь пожала плечами и развела руками.

— Все съел, — добавила спустя мгновение она.

Фрэнк согласно кивнул и вдруг повторил:

— Съел, съел.

— Где ты был? — спросила мать сына, когда он вернулся. Тотчас раздался звонкий шлепок, и Квин невольно вздрогнула. Впрочем, Фрэнк не заплакал. Она сокрушенно покачала головой: какая же жизнь у этого ребенка, если он привык к лишениям и боли?!

О, как Квин хотелось броситься к матери малыша и отдубасить ее! К сожалению, это бесполезно. Таких матерей тысячи, всех не переделаешь. Оставалось только надеяться, что завтра в это время они разъедутся по разным штатам. С плеч Квин Хьюстон свалится всякая ответственность. Она не будет вмешиваться в чужие дела и никогда не станет воспитывать чужих детей.

— И когда же вы его почините? — спросил один из пассажиров, после того как автобус, заурчав и фыркнув, вдруг остановился в маленьком городке неподалеку от границы штата Нью-Мексико.

Водитель, сдвинув на затылок шляпу, нахмурился.

— Знаете, — сказал он, — я водитель, а не механик. Я уже позвонил на фирму, они отправили другой автобус. Часа через два-три он будет здесь. Подождите.

— Но мне надо быть в Лос-Анджелесе послезавтра! — возмутился мужчина. — В противном случае я могу потерять работу.

Водитель только плечами пожал.

Квин вздохнула. В ее планы задержка также не входила, но ей по крайней мере не надо было придерживаться строгого графика. Самое важное для нее — добраться до Аризоны, а там уж она решит, что делать дальше.

Прошло два часа, недовольство пассажиров, среди которых была и Квин, все усиливалось. Неизвестно, что произошло бы, но тут к остановке подкатил какой-то автобус.

— Это не ваш! — закричал водитель, прежде чем одобрительно загудевшая толпа бросилась к двери. — Это рейсовый, он идет только до Колорадо, а не в Калифорнию!

Последнее замечание было встречено тяжелыми вздохами и ворчанием. Квин нахмурилась, но через минуту морщины у нее на лбу разгладились.

— Не могла бы я сменить маршрут? — спросила она у водителя своего автобуса. — Мне не хочется ждать, я бы с удовольствием пересела на рейсовый.

— На нем вы не доедете до Аризоны. Если не ошибаюсь, автобус идет только до Денвера и поворачивает обратно на юг.

— Не имеет значения, — ответила Квин, — ведь я всегда могу пересесть на другой автобус, не так ли?

Водитель почесал затылок и наконец кивнул:

— Полагаю, вам лучше знать, как поступить, леди. Постойте здесь, я попрошу водителя подождать и принесу ваш багаж.

Квин заметно оживилась. Меньше чем через полчаса она снова отправится в путь, оставив раздраженных пассажиров ждать аризонского автобуса. Не важно, как долго она будет добираться до цели, главное — не сидеть и не ждать на одном месте.

По мере продвижения автобуса на север Квин замечала, что реки в окрестностях становились быстрее и глубже, деревья мощнее и зеленее, а на горизонте появились знакомые очертания гор. Небольшой придорожный указатель «Граница штата Колорадо» говорил сам за себя.

Взглянув на далекие, покрытие снегом вершины гор, Квин вдруг вспомнила Смоуки, которые окружали Кредл-Крик. Впрочем, она тут же нахмурилась: сейчас ей меньше всего хотелось ворошить прошлое.

Чем дальше они ехали, тем выше становились горы, а когда прибыли в маленький городок, расположенный у подножия самой высокой горы, автобус стал сбавлять ход.

Квин вздохнула. Ее ноги затекли и гудели. Сейчас она бы с удовольствием размялась.

— Кому в Сноу-Гэп, готовьтесь на выход. Через пятнадцать минут будем на месте. Это последняя остановка перед Денвером, так что имейте в виду...

Квин вышла из автобуса, потянулась и осмотрелась по сторонам. Ландшафт, возможно, и был другим, но автобусная стоянка ничем не отличалась от всех прочих. Решив, что нет ничего хуже, чем провести всю ночь с жестким гамбургером в желудке, Квин в поисках чего-нибудь полегче двинулась по узенькой тропинке на улицу, по обеим сторонам которой располагались магазины с красочными витринами. Потом она пожалеет об этом, но...

Тишину улицы внезапно пронзил детский крик. За ним последовал другой, и Квин, не раздумывая, направилась на голоса. Она увидела, как мужчина в форменной одежде безуспешно пытался затолкнуть в фургон трех детей разного роста и возраста. Прочитав надпись на двери фургона: «Социальная служба департамента Колорадо», Квин нахмурилась. Она с детства терпеть не могла тех, кто занимался благотворительностью по долгу службы.

— Нет, шериф, нет! — кричал старший мальчик, вырываясь. — Выслушайте меня! Клянусь, папа нас не бросил. С ним, должно быть, что-то случилось. Он никогда нас не оставлял. Не забирайте меня! Вы обязаны помочь мне его найти.

— Успокойся, Донни, — ответил шериф. — Поверь, я лучше знаю, как поступить. Вы все трое спустились с горы, чтобы сообщить нам, что ваш папа не вернулся вчера вечером домой. Неужели ты думаешь, что обратно я отпущу вас одних? Вы поедете с миссис Суттер. Она позаботится о вас, пока за вами не приедет кто-нибудь из родственников. Так будет лучше, неужели ты не понимаешь?

Донни вырвался из рук шерифа и вцепился в малыша, который безутешно плакал на руках женщины из социальной службы.

— Отпустите его! — пронзительно крикнул Донни и, выхватив ребенка из рук миссис Суттер, прижал его к себе. Малыш, уткнувшись лицом в шею брата, зарыдал.

Квин, охваченная чувством жалости, посмотрела на третьего ребенка, цеплявшегося за ногу Донни. По щекам его тоже катились крупные слезы.

Шериф укоризненно посмотрел на женщину, словно бы давая понять, что это дело скорее по ее части, он вовсе не специалист.

Женщина тотчас нахмурилась и попыталась забрать ребенка у Донни.

Квин потом не смогла объяснить, почему она *так* поступила. Возможно, на нее нахлынули воспоминания детства, которые как-то странно переплелись с судьбой этих трех мальчиков. Или, может быть, на нее подействовал полный ужаса взгляд Донни, в котором вдруг вспыхнула надежда, когда за спиной шерифа он увидел сочувствие в зеленых глазах Квин Хьюстон.

— Что здесь происходит? — спросила Квин, оттолкнув женщину и осторожно взяв ребенка на руки. Она ласково прижала его к себе, чувствуя, как он весь дрожит от страха. — Мой автобус только что прибыл, — продолжила она, импровизируя на ходу. — Я рассчитывала, что меня встретит ваш папа, а не вы, мальчики. Кстати, где он? — Она повернулась к мужчине, приветливо улыбнулась и протянула ему руку: — Шериф?..

— Миллер, — ответил он и пожал ей руку.

Квин, улыбаясь, кивнула:

— Квин Хьюстон. Донни как бы мой племянник. Семья есть семья, да вы и сами понимаете.

Она взглянула на изумленное лицо старшего мальчика, чтобы проверить, не усугубила ли она и без того ужасную ситуацию, но изумление на его лице тотчас сменилось радостью. Квин поняла, что из двух зол он выбрал меньшее.

— Господи! — тут же воскликнула она, приглаживая волосы на головках младших братьев. — Вы так сильно выросли, что теперь я даже не знаю, кто из вас кто. Впрочем, вы, конечно же, тоже не узнаете вашу тетю Квин!

Донни сразу понял намек и без колебаний откликнулся:

— Тот, который цепляется за мою ногу, Уилл, а у вас на руках Джей-Джей.

— Я бы никогда их не узнала, — покачала головой Квин и, присев на корточки, заглянула в лицо Уилла, которому на вид было лет десять. — Вы, ребятки, слишком высоки для вашего возраста.

— Все мужчины в роду Боннер отличаются высоким ростом, — поспешно добавил Донни, — мой папа, Коди, все равно выше всех!

Квин выпрямилась и заглянула поочередно в три пары голубых глаз разного оттенка. Она, должно быть, совсем свихнулась. Выкинуть такой номер! Впрочем, она бы не смогла жить спокойно, бросив мальчиков на произвол судьбы.

Квин решила пока пожить здесь и дождаться их отца, чтобы как следует пропесочить его. Спешить ей особенно некуда, продолжить путь всегда успеет.

— Черт возьми! — воскликнула она, услышав клаксон автобуса: водитель приглашал пассажиров занять места. — Я оставила там свою сумку. Подождите меня, шериф. Я сейчас вернусь, и мы решим, что делать дальше.

Квин с быстротой молнии рванулась к автобусу и через минуту вернулась с багажом.

— Насколько я понимаю, у нас проблема, — сказала она. — Интересно, где это носит моего сводного брата? Он звонил мне несколько недель назад и просил приехать, чтобы помочь ему.

Донни решил объяснить истинное положение дел, чтобы неожиданная спасительница не ошиблась, импровизируя дальше.

— Она приехала помочь нам, потому что наша мама умерла, — объяснил он шерифу. — Мы переехали в Колорадо всего несколько недель назад. Папа рассчитывал на ее помощь до тех пор, пока мы... не устроимся.

Его слова повергли Квин в шок, но волна жалости мгновенно захлестнула ее, поскольку свежи были воспоминания о том, что их с сестрами постигла такая же участь.

— Раньше я приехать не могла, — пояснила она. — Своих проблем пруд пруди. На прошлой неделе умер мой отец, Джонни Хьюстон. Только похоронив его, я сочла возможным уехать из Теннесси.

Шериф Миллер нахмурился. Все вроде бы вполне правдоподобно, но он обязан проверить изложенные факты. Он был шерифом в Сноу-Гэпе вот уже пятнадцать лет, а Боннеры приехали сюда совсем недавно, и ему ничего не известно ни о них, ни тем более об их родственных связях.

— Не нравится мне все это, — заявила женщина из социальной службы, которая представилась как Эдит Суттер. — Думаю, лучше забрать детей с собой, пока все не прояснится. Во всяком случае, нельзя оставлять их с совершенно незнакомой женщиной.

Квин, досадуя, тотчас привлекла к себе Донни.

— Весьма сожалею, мадам, — хмыкнула она, — но вы с шерифом для них большие незнакомцы, чем я.

Джей-Джей снизу вверх посмотрел на высокую женщину, обнимавшую его обожаемого Донни.

— Ты действительно моя тетя? — спросил он.

Квин кивнула, стараясь ничем себя не выдать. Бывает же ложь во спасение.

— Я хочу пойти с тетей Квини, — заявил Джей-Джей и, отпустив шею Донни, перекочевал на руки Квин. Он уткнулся заплаканным лицом ей в шею, чтобы таким образом спрятаться от сложившейся ситуации.

Повинуясь порыву, Квин крепко прижала к себе крошечное тельце. Она ласково погладила его по спинке и костлявым плечикам. Когда-нибудь они наверняка станут широкими и сильными, а сейчас еще слишком малы, чтобы все это выдержать.

— Так и будет, Джей-Джей, — ответила она, — и Уилл тоже пойдет с нами.

Протянув руку, она откинула со лба мальчика прядь черных волос. На его лбу выступила холодная испарина — Уилл, по всей видимости, был в панике и потому молчал.

Шериф Миллер вздохнул.

— Мне придется справиться о вас по телефону, — сказал он.

Квин кивнула:

— Позвоните в Кредл-Крик, штат Теннесси. Поговорите с кем угодно. Вам любой скажет, что мы жили бедно, но дочери Джонни Хьюстона всегда были честными и порядочными девушками. Там вам подтвердят, что наш отец умер. Другого выхода я не вижу.

— У вас есть водительские права? — спросил шериф Миллер.

Квин протянула ему права, радуясь в душе, что научилась водить машину, несмотря на то что отец давным-давно проиграл их автомобиль в карты. О том, чтобы купить другой, и речи быть не могло.

Целых пять минут «тетя» и мальчики Боннер топтались на улице под пристальным взглядом Эдит Суттер. Взгляд работницы социальной защиты не смягчился даже тогда, когда шериф, вернувшись из здания автобусной станции, приподнял шляпу и отдал Квин права.

— Теперь мне все ясно, — кивнул он. — Думаю, лучше оставить все как есть.

— А как же наш отец? — спросил Донни.

В голосе мальчика прозвучала неподдельная тревога. Возможно, отец семейства отсутствует по уважительной причине, но Квин лучше выяснить это самой. А пока не стоит делать поспешных выводов.

— Я думаю, нам надо подать заявление об исчезновении вашего отца, — сказала Квин. — Сейчас, мальчики, мы пойдем в офис шерифа Миллера, и вы поможете мне изложить ему все факты. Я мало что о нем знаю, так как мы годами не перезванивались. Мне кажется, за это время его роскошная шевелюра изрядно поредела. Готова спорить, что он здорово растолстел. Наверное, весь седой, поскольку всегда слишком любил сладкое.

Уилл отрицательно покачал головой:

— Папа совсем не толстый, и у него все еще черные волосы.

Квин улыбнулась. Сами того не понимая, дети давали ей столь необходимую в данной ситуации информацию об отце. Мальчики были удивительно похожи друг на друга: крепкие тела, курносые носы и упрямые подбородки. Она подумала, что ей еще никогда не приходилось видеть таких черных волос в сочетании с такими голубыми глазами, как у мальчиков Боннер. Все это они явно унаследовали от своего пропавшего папаши. И все-таки лучше бы перед ней был не его мысленный образ, а он сам во плоти. Она только что вступила в новую жизнь, и опекать брошенных детей не входило в ее планы.

Часом позже, взявшись за руки, все четверо вышли из офиса шерифа. Донни заметно нервничал. Ему наконец удалось убедить власти начать поиски Боннера-старшего, но в то же время он нарушил запрет отца: доверился незнакомому человеку.

Квин тем временем оглядывалась по сторонам, изучая маленький, расположенный в предгорье городок. Поймав устремленные на нее взгляды мальчиков, она спросила:

— Когда вы ели в последний раз?

Донни вздохнул: она хотя бы беспокоится о них.

— Сегодня утром, — ответил он.

— Но только кашу без молока, — добавил Уилл. — Мы уже проголодались.

— Папа должен был купить продукты, — поспешно вмешался Донни, обеспокоенный тем, что Квин осудит их отца: тот, мол, плохо о них заботится.

Квин в своей жизни столько раз слышала подобные слова, произнесенные виноватым тоном, что сейчас они не затронули ее сердца.

— Понятно, — кивнула она, отлично понимая, что за отца Донни будет стоять на смерть. Сунув руку в карман, Квин постаралась отогнать от себя мысль, что ей придется тратиться на чужих детей. — Где вы живете?

Все трое одновременно указали на горы.

— Наверху?!

Они закивали.

— Далеко?

Они снова закивали.

— Тогда как же вам удалось спуститься вниз?

Донни улыбнулся, и, несмотря на данное себе обещание не принимать все близко к сердцу, Квин смягчилась.

— Донни привез нас сюда на папином пикапе, — ответил Уилл, указывая на красного цвета автомобиль по другую сторону улицы.

— И ты сам его вел?! — изумленно воскликнула Квин.

Донни кивнул:

— Я вожу машину уже много лет.

— И сколько же тебе сейчас? — спросила Квин, пряча улыбку.

— Тринадцать.

Квин задумчиво вздохнула: ей оставалось только выполнять задуманное. Но сейчас главное — разобраться с пропитанием.

— Ты знаешь, где здесь магазин? — спросила она.

Донни кивнул.

— Тогда пошли. Купим продукты и поедем к вам домой. И давайте быстрее, у меня нет ни малейшего желания ехать по горным дорогам в темноте, да еще по незнакомой местности.

Все четверо дружно двинулись к машине. Джей-Джей сунул свою ладошку в руку Квин, и та непроизвольно сжала ее. Позже она будет размышлять, что заставило ее сделать это: необходимость перевести его через дорогу или подсознательное нежелание отпускать его?

Донни не знал, правильно ли он поступает, но решил, что так будет лучше, и потому, стоило лишь Квин поднять свой багаж, как парень красноречивым жестом остановил ее. Их взгляды встретились, зелень погрузилась в голубизну, и между ними моментально возникло взаимопонимание. Донни Боннер ей обязан, а Боннеры всегда платят по счетам.

Квин, выпрямившись, кивнула и стала переходить улицу. Донни поднял сумку и, подтолкнув Уилла, последовал за ней. Так началось их путешествие.

— Так, значит, здесь вы и живете?

Удивлению Квин не было предела. Крепкий, построенный из кедровых бревен дом, совсем не походил на жилище неудачника. Широкая веранда из красного дерева по всему периметру была приподнята над землей и придавала дому сказочный вид. На веранде стояла почти новая дачная мебель под красное дерево. Квин тотчас представила, какие приятные мысли, должно быть, приходят в голову под вечер, когда сидишь на этой веранде и любуешься закатом.

— Я хочу есть, — шепнул Джей-Джей.

Его слова прервали красивые мечты Квин.

— Тогда бери сумку и показывай дорогу, — скомандовала она, взъерошив его волосы. — Я тоже проголодалась.

Донни раздал братьям пакеты с продуктами, причем предусмотрел, чтобы вес был паренькам по силам. От Квин не ускользнула такая забота. Ясно, что он делает это по привычке, а не для того, чтобы произвести впечатление на нее. Девушка тотчас вспомнила себя в таком же возрасте, и вместе с этим воспоминанием пришла и злость на отсутствующего папашу. Судя по всему, такой же безответственный тип, как и Джонни Хьюстон! И куда он только запропастился, этот несчастный Коди Боннер!

Забрав оставшиеся продукты, Квин взбежала вверх по лестнице, прыгая через две ступеньки. У нее вдруг засосало под ложечкой. Конечно, прошло уже много времени с тех пор, как она завтракала, а неожиданное приключение еще больше разожгло аппетит.

Интерьер поразил ее не меньше. Такого она не могла себе и представить: везде чистота и порядок, лишь кое-где лежит неубранная детская одежда, да под лестницей одиноко стоят ботинки, словно ожидая, когда их отнесут наверх.

При виде этих ботинок внутри у нее все сжалось — ну и размер! Обувь, видимо, принадлежала пропавшему отцу.

Двигаясь вслед за братьями на кухню, Квин старалась не думать о том, каким огромным должен быть мужчина, который носит эти ботинки.

* * *

Донни замер у окна гостиной и всмотрелся в темноту. С наступлением ночи его радостное настроение, вызванное тем, что они вернулись домой, исчезло. Он зябко повел плечами, тяжело вздохнул и быстро заморгал, чтобы прогнать навернувшиеся на глаза слезы. Борясь с собой, он бросился на ближайшую софу и закусил губу — не хватало еще разрыдаться, как ребенок! Правда, никогда в жизни он не был так испуган, как теперь, если не считать дня похорон матери. Но тогда рядом с ним был отец, который взвалил все заботы на свои плечи. Сейчас же он совсем один... ну, правда, появилась еще эта рыжеволосая женщина.

Она была хорошенькой... для своего возраста, конечно. По мнению Донни Боннера, все, кому перевалило за девятнадцать, были людьми среднего возраста. Вытерев глаза, парнишка снова вздохнул, надеясь, что его никто не слышит. Если Джей-Джей и Уилл увидят его слезы, они моментально заплачут вместе с ним.

Квин остановилась на пороге комнаты, увидев, что мальчик напряжен. Плечи его опустились, голова поникла.

Заметив вдруг, что он украдкой вытирает глаза, она все поняла. Ей стало его жалко, но чем еще она могла ему помочь?

— Ты наелся? — спросила она, отвлекая его от грустных мыслей.

Вздрогнув от неожиданности, Донни быстро повернулся и опустил глаза, чтобы она не заметила слез.

— Наелся, — буркнул он. — А где братья?

— В ванной. Я велела им готовиться ко сну. Правильно? — уточнила она, не собираясь превышать своих полномочий.

Донни посмотрел на часы и кивнул.

— Самое время, — ответил он со вздохом и поднял глаза. — Все чудесно.

— Где я буду спать? — спросила Квин.

Немного подумав, Донни решительно заявил:

— На кровати отца. Можно, конечно, и на раскладушке, но я хочу, чтобы вам было удобно.

Квин кивнула, решив предоставить ему роль хозяина. Так он наверняка быстрее справится с собой и решит, как действовать в кошмарной ситуации, в которую они попали.

— Пойдемте, — сказал он, подхватив ее сумку.

Квин двинулась следом, но, дойдя до лестницы, снова невольно посмотрела на черные ботинки, которые почему-то здорово ее смущали. Ох уж этот ей пропавший отец!

Донни остановился напротив двери у самой лестницы.

— Папина комната. У него есть своя собственная ванная. Располагайтесь там, тетя... я хочу сказать, мисс...

— Чепуха. Я еще никогда не была тетей, мне даже нравится.

Почувствовав себя хозяином, Донни взял себя в руки. Он порывисто шагнул к Квин и быстро обнял ее.

— Спасибо, — сказал он. — Просто не знаю, что бы я без вас делал.

Квин попыталась не думать о том, что ей приятно душевное тепло Донни. Уже второй раз за один день она ощутила детское внимание и теперь забеспокоилась, что начнет привыкать к этому.

Глава 3

Солнце еще только взошло, знаменуя наступление нового дня, и Квин, стоя перед зеркалом, с трудом расчесывала спутанные волосы.

Спать в постели королевских размеров оказалось делом нелегким. Она все время просыпалась, ибо ей чудилось, что большой сердитый мужчина, склонившись над ней, тычет в нее пальцем и обвиняет в незаконном вторжении. Вновь взглянув в зеркало, висевшее над раковиной, Квин упрямо вздернула подбородок. Нет, она не станет извиняться, когда он вернется. Она просто выскажет ему все, что о нем думает.

Понимая, что мальчики скоро проснутся и запросят есть, она спустилась по лестнице и пошла на кухню. В животе у нее тут же заурчало. Пожалуй, она и сама не прочь плотно позавтракать.

Квин разбила в миску яйца, налила молока и стала месить тесто для блинчиков. Это занятие нисколько не мешало ей думать о том, что беспричинное трехдневное отсутствие — слишком долгий срок даже для человека, заслуживающего сочувствия.

К полудню Квин, как и мальчики, начала волноваться.

Звонок шерифу ничего не прояснил. Самого его не было на месте, а диспетчер знать не знал об этом деле. Все, что смогла сделать Квин, — попросить передать шерифу перезвонить им, когда он вернется.

Время все шло, и беспокойство детей усиливалось. Из своего опыта Квин знала, что в подобной обстановке лучше всего переключить их внимание на что-нибудь другое.

— Кто покажет мне хозяйство Боннеров? — задорно спросила она ребятишек.

После минутной растерянности младшие братья одновременно подняли руки и наперебой закричали:

— Я!

— Я!

Было ясно, что их радовала возможность заняться хоть каким-то делом.

— Ну, если вас будет двое, — протянула Квин, — то мы наверняка ничего не пропустим.

— Я останусь на всякий случай, — сказал Донни.

Квин кивнула, понимая, что ему не хочется отходить от телефона.

Все путешествие заняло не больше получаса. Собственность Боннеров состояла из дома, амбара, гаража и нескольких акров леса, который Квин решила не исследовать, так как тоже боялась пропустить звонок шерифа.

Раздумывая, что делать дальше, она наконец вспомнила о секционной стенке в гостиной, заполненной видеоиграми.

— Похоже, вы еще не доросли до «Супербратьев Марио», а?

Вопрос, как она и подозревала, был глупым. В Кредл-Крике, на заправочной станции, она видела маленьких детей, весьма лихо игравших в видеоигры. Джей-Джей и Уилл наперегонки бросились на веранду с криками, что будут играть на победителя.

Квин, глядя на них, улыбалась: они бежали так быстро, словно от этого зависела их жизнь. Она отскочила в сторону, когда они пробегали мимо, и наткнулась на старый красный пикап, на котором они вчера приехали домой из

Сноу-Гэпа. Он был весь в царапинах и вмятинах. Девушка задумчиво провела рукой по его крылу и нахмурилась. Пикап явно не соответствовал респектабельности дома, рядом с которым стоял.

— Папа перевозит на нем бревна, — сказал Донни, опережая ее вопрос. — Я только что заметил под ним лужу. Похоже, что я что-то повредил, наехав на острый камень, когда мы вчера возвращались из Сноу-Гэпа.

Квин услышала, как дрогнул его голос, хотя Донни изо всех сил старался сохранять спокойствие и не выдать своего волнения.

— Я могу посмотреть, — отозвалась Квин. На самом деле ей меньше всего хотелось валяться в пыли под старым пикапом, вместо того чтобы наслаждаться ленчем, как она планировала.

— Но ты же девушка!

— Девушки умеют чинить машины не хуже парней, а иногда даже лучше. Я, конечно, не бог весть какой механик, но другого нет. У отца есть какие-нибудь инструменты?

Донни кивнул и рванулся в гараж. Через несколько минут он вернулся с блестящим металлическим ящиком.

— Спасибо, — поблагодарила Квин. — А теперь иди в дом и присмотри за братьями. Сейчас почти полдень. Может, приготовишь сандвичи с мясом, там у нас осталось со вчерашнего дня, и, кроме того, там есть...

— Я все найду, — прервал ее Донни и направился к дому. — Не испачкайся! — бросил он на ходу, широко улыбаясь. В глазах его плясали веселые чертики.

Заглянув под грузовик, Квин увидела там лужу, затем, распрямившись, оглядела свою одежду.

— Придется сильно постараться, — ответила она, не в силах сдержать улыбки. Донни же разразился громким смехом, прежде чем войти в дом.

«Как тут, черт возьми, не вымазаться с ног до головы!» — подосадовала она, хотя жалеть было нечего. Ее джинсы совсем потерлись, а зеленая в клетку кофта полиняла и обветшала. Посчитав себя «добрым самаритянином», Квин опустилась на колени, открыла ящик с инструментами, выбрала парочку нужных и, перевернувшись на спину, залезла под пикап искать повреждение.

«Блейзер» на фоне проносившихся мимо красот был похож на яркую цветную полоску. Коди Боннер вел его так же, как если бы летел на истребителе — умело и полностью сконцентрировавшись на своей задаче, не думая ни о скорости, ни о земном притяжении. Он словно старался обогнать пыль, летевшую из-под колес, пытаясь подавить терзавшее его душу беспокойство.

— Проклятие! — только и выдавил он из себя.

Обстоятельства, которые вынудили его два дня отсутствовать дома, могли бы показаться смешными, если бы не были столь трагичны.

Какой уж тут смех, если у него из головы не выходил самый маленький его сын. Джей-Джей едва вылез из пеленок. Наверное, он все время плачет. От этой мысли сердце Коди екнуло. А вдруг он думает, что папа ушел от него навсегда... как это случилось с мамой? На душе его стало еще тревожнее.

Уиллу десять лет, он взрослый не по годам, но и ему в голову может прийти такая же мысль. Боже, какой кошмар!

Коди выругался, когда машина застряла в узкой дорожной колее, и нажал на газ, стараясь выбраться.

— Хорошо, что с ними Донни, — проговорил он. — Он со всем управится, должен по крайней мере.

В свои тринадцать Донни был уже рослым и сильным и таким же надежным, как их старый красный пикап. Одновременно с мыслью об автомобиле появились и очертания дома на фоне высокой развесистой сосны и вечнозеленых деревьев, которыми славился штат Колорадо.

Изумительная красота природы стала главным побудительным мотивом переехать сюда вместе с мальчиками. Что они и сделали всего несколько недель назад. Коди хотелось быть подальше от городов и родни жены. Но теперь он невольно задумался: а правильно ли поступил?

После того кошмара, который устроили ему родственники покойной жены, и преждевременного ухода в отставку с военной службы у него не оставалось другого выбора, кроме как уехать, чтобы сохранить опеку над сыновьями. Они переехали сюда с наступлением школьных каникул, и Коди еще не успел обзавестись новыми друзьями. Он намеренно откладывал знакомство с соседями, предпочитая наслаждаться природой, в надежде, что сумеет залечить кровоточащую рану в сердце. А теперь, после того, что с ним произошло, надо еще раз хорошенько все обдумать. Мальчики совсем еще дети.

Тревога в его душе шевельнулась еще сильнее, когда он выехал на подъездную дорогу. В доме все было тихо, но красный пикап ходил ходуном. «Вот черт, — подумал он, — и во сне не увидишь такое! А может, это игра воображения?»

Он въехал во двор, подождал, пока осела поднятая машиной пыль, и вылез из кабины, чувствуя, как его охватывает паника. Никто не бросился ему навстречу! Неужели что-то случилось? А что, если мальчики заболели? А что?..

Он замер, едва двинувшись с места, поскольку заметил чьи-то длинные ноги в потертых джинсах, торчащие из-под старенького пикапа.

О Господи! Кто-то разбирает его машину. Проклятые воришки! «Но что произошло с моими мальчиками?» — ужаснулся он и бросился к пикапу.

Игнорировать тот факт, что преступник может быть вооружен, было неразумно, и все же Коди подошел поближе и уставился на длинные ноги в стоптанных ботинках. Даже с высоты своего роста он мог видеть огромную дыру на одном из них.

— Несчастный бродяга! — воскликнул он. — Если ты обидел моих мальчиков, я убью тебя.

Наклонившись, он крепко ухватил вора за щиколотки и с силой потянул на себя, вытаскивая его из-под грузовика. Их окутало облако пыли.

— Вы еще пожалеете!..

Квин Хьюстон, отфыркиваясь от пыли, вытерла масло, струившееся у нее по щеке, и опустила глаза на безобразное жирное пятно на левой груди.

Сгорая от возмущения, она резко дернула головой и утонула в самых голубых на свете глазах человека, черты которого в разной степени передались его сыновьям. Квин сразу поняла, что заблудший папаша наконец вернулся.

Игнорируя его присутствие и грубость, с которой он вытащил ее из-под грузовика, она спокойно поднялась с земли, положила в ящик гаечный ключ и плоскогубцы и стала стряхивать с себя пыль.

— Итак, вы все-таки дома, — усмехнулась Квин, сверля его своими зелеными глазами.

Коди внезапно покраснел, но тотчас разозлился: не хватало еще выслушивать порицания совершенно постороннего человека! Ему хотелось отчитать ее, но грозные слова застряли у него в горле, так как Квин, наклонившись вперед, словно гребнем, провела пальцами по своим спутанным волосам, тщетно стараясь освободить их от травы и грязи.

Он и сам не понял, чего ему хотелось больше всего: запустить руки в ее волосы, чтобы убедиться, что они на самом деле горят жарким пламенем, или просто задушить ее и покончить с ней раз и навсегда. Но он забыл обо всем, едва она тряхнула непослушными рыжими кудрями и пронзила его своим укоризненным взглядом.

Квин постаралась скрыть удивление: он совсем не такой, каким она себе представляла. И вовсе он не опустился, и на его лице нет никаких следов драки. Впрочем, она не доверяла первому впечатлению.

— Где вас черти носили? — потребовала ответа она.

Коди шутовски припал на колено и брякнул:

— В тюрьме.

Квин фыркнула:

— Я так и знала, — и направилась к дому.

Коди остался стоять на месте, пытаясь разобраться, почему он разрешает совершенно незнакомой девице укорять его.

— Эй, ребятки, ваш папа дома! — вдруг донеслось до него словно с другой планеты.

Не прошло и секунды, как мальчики вылетели во двор. Несмотря на свое решение оставаться безучастной, Квин повернулась в их сторону и стала наблюдать. Ее охватило странное чувство, что она тут больше не нужна, когда мальчики влетели в объятия отца.

Слезы навернулись на глаза Коди, когда Джей-Джей вцепился в него мертвой хваткой.

— Я знал, что ты вернешься, я знал! — повторял он.

— Папа, куда ты ездил? Что случилось? — спрашивал Донни, отстранившись от отца и теребя его рукав. Он еще несколько раз обнял отца, продолжая засыпать вопросами.

Уилл же только молча прижимался к нему. Пожалуй, молчание было самым невыносимым.

— Я так волновался за вас, парни, — сказал Коди, внимательно вглядываясь в лицо старшего сына. — Спасибо, — прошептал он ему на ухо.

Донни кивнул, чувствуя невероятное облегчение от того, что отец снова дома.

— Вы даже представить себе не можете, что со мной случилось, — выразительно покачал головой Коди. — Господи, еще никогда в жизни я так не радовался возвращению домой. — Он снова и снова обнимал и целовал сыновей, забыв о том, что Донни уже с год избегает телячьих нежностей. — Пойдемте поговорим спокойно. Вы ушам своим не поверите, когда я все вам расскажу.

С Джей-Джеем на руках и уцепившимся за его руку Уиллом Коди стал подниматься по лестнице, уверенный, что Донни следует за ними. Он заметил выражение облегчения на лице старшего сына и решил поговорить с ним попозже наедине. Главное, они снова вместе. В это время Джей-Джей повернул голову и из-за отцовского плеча посмотрел на высокую рыжеволосую девушку, одиноко стоявшую во дворе.

— Тетя Квини, а вы идете с нами? — спросил он.

Коди остановился, посмотрел на Джей-Джея, а затем окинул девушку удивленным взглядом. Что это еще за тетя Квини?

— Папа, — вмешался Донни, — ты не единственный, кому есть что порассказать. Если бы не она, то тебя бы сейчас никто не встретил.

— Шериф хотел отдать нас противной старухе, которая мне совсем не понравилась, — пропищал Джей-Джей. — Она ни разу не улыбнулась. Хорошо, что появилась тетя Квини и отвезла нас домой.

— Та женщина была из социальной службы, — пояснил Донни.

Коди почувствовал, как ему в душу снова закрадывается страх. Он оглядел сыновей, затем еще раз окинул взглядом незнакомку, стоявшую во дворе, и вздохнул. Даже тогда, когда его самолет был сбит над Персидским заливом, он так не нервничал.

— Пожалуйста... тетя Квини... проходите в дом, — пригласил он, старясь говорить без сарказма и быть учтивым.

Однако его слова прозвучали скорее как приказ, а не как просьба. Но что оставалось делать Квин? К тому же ее разбирало любопытство, по какой причине этот человек попал в тюрьму. Что он скажет в свое оправдание?

Когда же Коди Боннер стал рассказывать о том, что произошло, причем ничуть себя не оправдывая, у Квин в голове промелькнула мысль, что, возможно... правда, это только предположение... возможно, у нее сложилось о нем превратное мнение.

— Кто вы такая, черт возьми? — спросил он, скользнув по Квин тяжелым, недружелюбным взглядом.

— Папочка, это наша тетя Квини. Ты что, не помнишь?

Вопрос Джей-Джея прозвучал с такой непосредственностью, что у Коди екнуло сердце: вероятно, быстрая езда по ужасным дорогам лишила его не только сна, но и отбила память. Впрочем, румянец, вспыхнувший на щеках девушки, все прояснил: она самая обыкновенная самозванка! Ему еще предстоит выяснить, чем это им всем грозит.

— Меня зовут Квин Хьюстон. Я из Кредл-Крика, штат Теннесси. Шериф Миллер проверил все мои данные. Если вы сомневаетесь, можете навести справки у него.

Ее вздернутый подбородок и дерзкий взгляд зеленых глаз многое сказали ему. У девушки был сильный характер, вряд ли она обманщица.

Внезапно до него дошел смысл ее слов. При чем здесь шериф Миллер?

Донни прекрасно знал отца и вмиг почувствовал себя виноватым, увидев, как изменилось его лицо. А ведь это он способствовал тому, чтобы Квин поселилась у них в доме.

— Папа, дай я объясню, — начал он. — Мы не знали, что и думать, когда ты не приехал домой. Я решил, ты попал в аварию, или у тебя сломалась машина, или ты, возможно...

Вот этого Коди больше всего и боялся. Ребята сами со всем справились, но происшествие глубоко ранило их души. Он вздохнул: он снова и снова доставляет им неприятности, оставляя шрамы на сердце.

— Во всяком случае, — продолжал Донни, стараясь не выдать волнения, — когда ты не появился и на следующий день, я решил обратиться в полицию.

— О Господи! — тяжело вздохнул Коди, которому совершенно не хотелось иметь дело с властями. С него уже достаточно их вмешательства.

— Папа, прости, но что мне оставалось делать?

— Почему вы сердитесь из-за того, что он обратился к шерифу? — озадаченно спросила Квин. — Я бы наверняка поступила так же.

— Нас уже однажды забирали в полицию, — хмуро пояснил Уилл, удивив всех своей внезапной активностью.

— Интересно почему? — проворчала Квин.

— Вряд ли вы поймете, — ответил Донни. — И не потому, что папа не может быть хорошим отцом. Он был... вернее, есть, но в то время, когда он еще служил в армии... — Донни перевел дыхание, словно слова застряли у него в горле, но, пересилив себя, продолжил: — Вот уже почти год как умерла наша мама, и ее родители думают, что папа часто уезжает и не заботится о нас. Они подали прошение об опекунстве.

— Я нанял хорошую няню, и все шло хорошо, — пояснил Коди, — пока... — Он замолчал, не желая посвящать постороннего и воскрешать в памяти тот ад, через который ему пришлось пройти.

— Папа участвовал в войне в пустыне. Он герой! — гордо воскликнул Джей-Джей. Он вдруг перешел на шепот и со страхом добавил: — В моего папочку стреляли и сбили его самолет.

— О!

При упоминании об операции «Буря в пустыне» Коди Боннер заметно помрачнел.

Квин вовсе не собиралась выслушивать его россказни о сбитом самолете. Пусть лучше объяснит, где пропадал три дня и две ночи. К ее удивлению, он именно с этого и начал:

— Ничего бы не случилось, если бы я не остановился в Денвере, чтобы купить ребятам шорты. Когда я вышел из магазина, моего «блейзера» не было. Его украли.

— А вам понадобилось на покупки целых три дня? — презрительно хмыкнула Квин. Ее отец, Джонни Хьюстон, придумывал более правдоподобные объяснения после недели отсутствия, проведенной в беспробудной пьянке.

Коди вздохнул: эта женщина — настоящий бульдог, схвативший единственную кость во дворе, полном собак. У нее было предвзятое мнение о загулявшем папаше, и ничто не могло изменить его. Разочарование и злость, переполнявшие его прошедшие три дня, вдруг вырвались наружу:

— Нет, леди, я ездил не за покупками. Я, черт возьми, был на базе у врача. По совету одного из своих приятелей. А сейчас, если не возражаете, я продолжу.

Квин густо покраснела. И зачем она сидит здесь, выслушивая совершенно незнакомого ей человека? Он вернулся, и это главное. Теперь она спокойно может уехать, ей нет дела до его объяснений.

Под сердитым взглядом Коди Квин заерзала. Будь у нее хоть капля разума, она бы сейчас уже ехала в Сноу-Гэп. Правда, дом Боннера довольно далеко от города. Придется ей выслушивать его. А потом пусть отвезет ее в город. Она ждет не дождется, как бы продолжить путь в...

Чертов лжец! Из-за него она даже забыла, куда собиралась ехать. Ах да, в Аризону. Именно туда. И она там будет, обязательно будет, вот только купит билет на автобус.

— Конечно, продолжайте, — сказала она. — Мне не терпится услышать, что же с вами приключилось.

Он бросил на нее свирепый взгляд, но она выдержала его.

Донни попытался разрядить обстановку.

— Как интересно! — воскликнул он. — Украли машину! Как же ты...

— Я еще не закончил! — взорвался Коди, зло взглянув на старшего сына. — В общем-то я сам виноват — оставил ключи в зажигании. Увидев, что машины на парковке нет, я сразу же вернулся в магазин и позвонил в полицию. Они попросили меня прийти в отделение и написать заявление. Я направился туда, но не прошел и шести кварталов, как увидел ее!

— Кого? — спросил Уилл. — Кого ты увидел?

— Машину. Свой «блейзер». Он стоял там. Мне вдруг показалось, что я просто выжил из ума и забыл, где припарковался. Окна машины были открыты, ключ болтался в зажигании. Правда, сев за руль, я понял, что кто-то определенно использовал автомобиль для веселой прогулки, так как все магнитофонные кассеты исчезли.

— О Господи, — простонал Донни. — И мои «Ганз энд Роузез» тоже?

Коди кивнул:

— К сожалению.

Квин не могла сдержать улыбки. У детей совсем другие ценности: им наплевать на украденную машину, а вот исчезнувшие кассеты — целое бедствие!

— Я решил, что мне просто повезло, что ее не выпотрошили и не сожгли. Бросив пакет с шортами на заднее сиденье, я сел за руль и поехал из города. Я решил не ездить в полицейский участок, не сообщать, что машина нашлась, так как я не писал заявления о ее пропаже. Заявлять же о пропаже шести кассет было просто глупо. На выезде из города я остановился у продуктового магазина, чтобы запастись провизией, перед тем как ехать домой.

— У нас кончилось молоко, — встрял Уилл, — и тетя Квини его нам купила. Она накупила еще много вкусных вещей, и она хорошо готовит!

Взгляд Коди остановился на вспыхнувшем лице Квин. Странная женщина! Совершенно неожиданно приходит на помощь, тратит свои деньги на чужих детей, снимает с него стружку за то, что он, по ее мнению, не заботится о них... и смущается, когда ее хвалят.

— Спасибо вам, — поблагодарил Коди.

Квин кивнула и отвернулась.

— Но почему же ты так долго добирался до дома? — спросил Донни.

Коди поморщился.

— Вот здесь-то все и начинается, — ответил он. — Я отъехал пять миль от Голд-Наггета, когда меня остановили и арестовали полицейские.

— Почему? — сама того не желая, спросила Квин.

— Потому что люди, укравшие мою машину, использовали ее не для прогулки. На ней они подъехали к банку, ограбили его, а затем бросили, сделав меня подозреваемым в ограблении. И как я ни оправдывался, как ни убеждал следователей в своей невиновности, машина правосудия двигалась очень медленно... слишком медленно.

— Почему ты не сказал им, что ты наш папа? — спросил Джей-Джей.

Коди крепко обнял младшего сынишку, пытаясь вспомнить хоть один случай из жизни, когда доказательство своей правоты приводило к положительным результатам. Если бы все было так просто!

— Я говорил, — ответил он, — но им это было безразлично. И чем больше я говорил, тем с большим недоверием они ко мне относились. Мне стало обидно, и я перестал оправдываться.

— У вас здесь есть телефон, — заметила Квин. — Почему вы не позвонили мальчикам?

Брови Коди поползли вверх от удивления. Надо отдать ей должное: она и впрямь беспокоилась за мальчиков. И похоже, она все еще не верит ему.

— Я звонил, — отозвался он, — но никто не ответил, а автоответчик не принимает отдаленные звонки.

— Очень жаль, — опустил голову Донни.

Коди погладил мальчика по голове:

— Не переживай. В том, что случилось со мной, нет твоей вины.

— Почему же они вас отпустили? — спросила Квин.

— По двум причинам. Одна из них — мои постоянные напоминания о том, что дети дома одни и с ними бог знает что может случиться. Как бы то ни было, но ваше заявление о моем исчезновении сыграло мне на руку, подтвердив правдивость этой части моего рассказа.

— Мы все так решили, и даже тетя Квини принимала участие, — сказал Уилл.

— Ну... надо же было что-то предпринять. — Квин вновь смутилась от расточаемых ей похвал. Теплый взгляд Коди заставлял ее нервничать. — А вторая причина?

— Сегодня рано утром они задержали грабителей: те попались на таком же преступлении... Все происходило, как и в моем случае... Угон чужой машины. В общем, меня отпустили, принеся извинения.

Коди тотчас заключил своих сыновей в объятия, ничуть не смущаясь женщины, сидевшей напротив.

— Все это теперь не имеет никакого значения, — заключил он. — Я дома, и вы целы.

Квин тихо вздохнула. Все кончилось хорошо, они счастливы, и ей нет до них никакого дела. У нее свой жизненный путь.

В это время зазвонил телефон.

Коди выпустил мальчиков из своих объятий и пошел к телефону. Квин сразу же поняла, что он разговаривает с шерифом Миллером. Возмущение, а затем и гнев, блеснувшие в его глазах, вызвали у нее недоумение. Почему его так разозлил этот телефонный звонок? Она заметила, что в уголках его рта залегли горькие складки, а на щеках выступили красные пятна.

— Спасибо, что позвонили, шериф. Да, мне бы тоже хотелось встретиться. Спасибо за все, что вы сделали для моих мальчиков и...

Он замолчал, так как шериф, прервав его, объяснил, что ничего особенного он не сделал, и если бы совершенно неожиданно не появилась его сводная сестра, то мальчиков забрала бы служба социальной защиты.

Коди через комнату посмотрел на Квин и, поймав ее взгляд, наконец понял, что, приехав в этот день в Сноу-Гэп, она спасла его семью. Он машинально кивнул в ответ шерифу, затем послал Квин улыбку... и только.

Но и этого было достаточно. Квин почувствовала, что ей не хватает воздуха, ее словно ударили под дых. Весь мир вдруг перевернулся, она в страхе схватилась за ручку кресла, чтобы не упасть.

Его улыбка как-то странно отозвалась в ее сердце. Ей совсем не хотелось терять самообладание, и она возненавидела Коди за то, что он вывел ее из равновесия.

Боннер наконец повесил трубку и выругался, моментально забыв, что минуту назад с благодарностью смотрел на свою спасительницу.

— В чем дело? — удивился Донни, ведь отец в течение нескольких минут дважды нарушил свое незыблемое правило — никогда не ругаться в присутствии детей.

— Судя по всему, в полиции мне не поверили и позвонили в социальную службу, которая сочла своим долгом проверить наше досье и связаться с... Их уведомили, что я нахожусь в тюрьме, — добавил он специально для Квин. — Короче говоря, родители моей жены обо всем узнали, а это значит, что они нагрянут сюда в самое ближайшее время.

Уилл побелел и затрясся от страха.

— Нет, нет! Я... я не хочу... не хочу снова жить у них! — выпалил он, заикаясь.

Квин немало изумилась. Что происходит? Почему дети так боятся бабушку с дедушкой?

— Уилл, успокойся, — ласково проговорил Коди, испугавшись рецидива заикания, которое за последние несколько недель полностью исчезло. Он взял ребенка на руки, словно стараясь защитить от всех невзгод на свете, но сынишка продолжал дрожать. Отцу ничего не оставалось, как только еще крепче прижать его к груди, ограждая от грядущих неприятностей.

Уилл забыл, что ему уже исполнилось десять лет и что он был самым высоким мальчиком в классе. Единственное, о чем он мог сейчас помнить, был страх. Страх снова потерять отца. Уткнувшись лицом ему в шею, он обхватил его ногами и словно прилип к нему.

Переживания сына потрясли Коди. Он еще крепче обхватил худенькие плечи мальчика, начал баюкать, как маленького. Спустя какое-то время он ослабил объятия, но Уилл и не думал отрываться от отца. Ужас прошедших месяцев и волнения последних трех дней снова вспомнились Коди.

Он тут же сердито, но очень уверенно сказал:

— Я разрешу им приехать сюда... и может быть, настанет день, когда вы научитесь без страха воспринимать их появление. Но клянусь Богом, они никогда... слышите, никогда... не отберут вас у меня.

Это пылкое заявление отца было воспринято мальчиками с большим облегчением: папа, конечно же, сумеет защитить их от неприятностей. Что же касается Квин, то ей стало не по себе при виде вспыхнувшей в его глазах ненависти. Она почувствовала, что в душе он все еще солдат и готов убить любого врага. Каковы бы ни были их родственники, сейчас Квин их искренне пожалела. Они ведь и не предполагают, что их ожидает!

* * *

Коди стоял на веранде и смотрел на огромное, усыпанное звездами ночное небо. Легкий бриз шевелил листву деревьев, обдувал его лицо и охлаждал пыл. Как же хорошо дома!

Несмотря на данную себе клятву, что родители Клер больше никогда не навредят ему и его семье, Боннер боялся. Он прекрасно знал их. Они непременно воспользуются этой его последней оплошностью. Видимо, они любой ценой решили заменить покойную дочь ее сыновьями. Вздохнув, Коди закрыл лицо руками. Надо сделать все возможное, но не допустить, чтобы его сыновья снова прошли через мясорубку правосудия.

— Посуда вымыта.

Коди обернулся и посмотрел на стоявшую в тени девушку.

— Спасибо, — сказал он. — Спасибо за все. То, что вы сделали, леди, выше всяческих похвал. Вы даже не представляете, как много это для меня значит!

— Я старалась не ради вас, — ответила она, — исключительно ради мальчиков.

Коди почувствовал осуждение в ее голосе. Когда-то в прошлом она, по всей видимости, разуверилась в мужчинах. Странно, кто мог так обидеть ее?.. И почему?.. Впрочем, какое ему до этого дело?!

— Это одно и то же, — хмыкнул он, пожав плечами и отворачиваясь, чтобы она не заметила вновь обуявший его страх. События последних дней подтвердили, что он все еще слаб. Если бы его не мучили эти проклятые ночные кошмары, ничего подобного не случилось бы.

— Вы не отвезете меня завтра в город? Мне нужно успеть на автобус.

Коди кивнул.

— Почему вы поехали на прием к психиатру? Почему родители вашей жены пытаются отобрать у вас детей?

Коди сердито засопел и резко обернулся. Он едва не послал ее ко всем чертям, но, увидев искреннее сочувствие в ее глазах, закусил губу.

— Конечно, это не мое дело, но меня заботит судьба мальчиков... — неуверенно произнесла Квин. — Ладно, я пошла... — Она повернулась и направилась в дом, понимая, что перешла все дозволенные границы.

— Мне снятся кошмары по ночам. Адский огонь и запах серы душат меня. Они начались у меня с той ночи, когда мой самолет был сбит и мне пришлось катапультироваться в пустыне Саудовской Аравии. Тогда, поднеся руку к глазам, я понял, что ослеп, — признался Коди.

Квин содрогнулась. Бесстрастный голос Боннера делал его рассказ еще более страшным. Ей оставалось только слушать, да и что тут можно сказать?

— Позже стало ясно, что я ослеп от крови, которая сочилась из-под шлема. Я протер глаза, и зрение восстановилось. К счастью, радиопередатчик взрывом не повредило. Но на поиски нужно время. И чем дольше я ждал, тем слабее становилась надежда. Повсюду были слышны взрывы снарядов, грохотали орудия. Тогда я понял, что нахожусь на линии огня противника. Надо было действовать, и я попытался встать...

— Попытался?..

— Моя левая нога была сломана.

Квин закрыла глаза, в горле у нее застрял ком. Какая жуткая боль! Почему людям так часто приходится страдать от боли?

— Вас взяли в плен?

— Нет, — он усмехнулся, — но я целых два дня добирался до своих.

Квин ужаснулась: он был сбит на линии огня и целых два дня без воды и пищи куда-то полз, волоча сломанную ногу!

— А копам в Денвере вы даже сопротивляться не стали, — высказала Квин первую пришедшую ей в голову мысль.

Коди вздрогнул, словно от удара в спину. Он взглянул на стоявшую в тени женщину и усмехнулся, а затем громко рассмеялся, но тут же взял себя в руки и замолчал. Как это ни странно, вместе со смехом страх исчез, и на душе стало легче.

— Значит, вас беспокоят сны, — протянула Квин. — Сны безвредны, Боннер. Надо бояться людей, а не снов.

— Я знаю. И потому чертовски напуган. Родители жены, Уиттьерсы, появляются именно в тот миг, когда я меньше всего их жду. Они наверняка воспользуются случаем и тем, что я плохо веду хозяйство один, чтобы доказать мою несостоятельность. Они снова попытаются отобрать у меня ребят... Я просто уверен в этом. Со дня смерти Клер они не теряют надежды. — Он вздохнул. — То, что я отсутствовал всего несколько дней, — слабое оправдание. Именно из-за мальчиков я сразу по окончании войны ушел в отставку. Мне стало страшно, что они могут остаться сиротами.

Тем временем из дома незаметно вышел Джей-Джей и, притаившись в темноте, стал прислушиваться к разговору взрослых. Уловив страх в голосе отца, он подбежал к ним и, обхватив руками длинную ногу Квин, заплакал.

— Я не хочу жить с бабушкой и дедушкой! Я хочу остаться здесь с вами и с папой!

Квин без колебаний подхватила ребенка на руки и нежно прижала к себе.

— Все будет хорошо, золотко, — прошептала она. — Твой папа большой и сильный, разве не так? — Мальчик тут же закивал, и девушка, не удержавшись, поцеловала его в макушку. — Он не даст тебя в обиду.

— Обещаешь? — спросил Джей-Джей.

Через плечо мальчика Квин красноречиво посмотрела на Боннера и сказала, глядя ему прямо в глаза:

— Обещаю.

Коди был удивлен таким бережным отношением Квин к его ребенку. Надо же, какая внимательная и ласковая! Он и не подозревал, что она способна на подобные чувства. Теперь ясно, почему мальчики так быстро привязались к ней.

Именно эта мысль и ее многозначительный взгляд послужили толчком к *непростительному* поступку. Впрочем, в данный момент его беспокоило только благополучие его детей, и, руководствуясь этим, он подумал, что хорошо было бы в ее лице иметь няню хотя бы на время приезда Уиттьерсов.

— Может, вы останетесь? — спросил вдруг он и, предваряя ее возражения, добавил: — Только на время, пока не уедут Уиттьерсы. Домоправительница здорово облегчит мое положение. Естественно, я буду платить. Вам не придется ничего делать, вы будете только присматривать за мальчиками. Когда родственники уедут, я вас отпущу.

— Вот здорово! — радостно закричал Джей-Джей, вырываясь из рук.

Не сводя глаз с Коди, Квин опустила парнишку на землю и, едва он исчез в доме, дала волю гневу:

— Как вы посмели?! Поставить меня в такое положение в присутствии ребенка?! Вы прекрасно знаете, что я не могу отказать вам, когда он рядом. Парень и без того достаточно настрадался.

Коди даже глазом не моргнул.

— Так вы останетесь? Договорились? — Он был полон решимости уговорить ее любой ценой.

Квин выпрямилась во весь свой рост и подошла к нему так близко, что он почувствовал ее горячее дыхание.

— Останусь, — выдохнула она, — но только ради мальчиков, о чем я вам уже говорила. И знаете, что я еще вам скажу, мистер?

Он замотал головой, боясь услышать нечто нелицеприятное.

— В какой-то момент мне показалось, что вы отличаетесь от других мужчин, но я ошиблась. Вы такой же, как и все, с кем мне приходилось иметь дело: говорите и делаете только то, что хотите, а стоит воспротивиться вашим желаниям, вы с легкостью пошлете человека ко всем чертям. В общем, как только уедут ваши родственники, ноги моей здесь больше не будет!

Вроде бы Квин высказала Коди все, что хотела, но, оказалось, самое обидное она приберегла напоследок:

— Я буду только домоправительницей, и прошу это запомнить. Буду заботиться о мальчиках, об их нуждах... о своих вы позаботитесь сами. Если вы хоть взглядом, хоть жестом сделаете попытку овладеть мной, я не только испорчу вам жизнь, но и нанесу определенные телесные повреждения... а это будет очень болезненно, поверьте!

Она ушла, но он все еще чувствовал витавшие в атмосфере ненависть и ярость. Да, не зря он боялся.

Перед глазами Коди вмиг возникла кошка — шерсть вздыбилась, когти выпущены, она все время шипит и бросается на окружающих.

«Господи, — подумал он, — я, должно быть, сошел с ума, если попросил совершенно незнакомого человека остаться в доме и присматривать за самым ценным в жизни — моими детьми. И если не ошибаюсь, она намерена кастрировать меня, едва я приближусь к ней».

Коди покачал головой, но затем гордо расправил плечи. На его лице появилось выражение твердой решимости. Если бы он вел себя как мужчина и не отправился в город на прием к психиатру, ничего бы не случилось. «Но, — твердо сказал он себе, — такое больше не повторится. Я этого не допущу».

Глава 4

Итак, Квин перекочевала из дома Хьюстонов, где преобладало женское начало, как в численности, так и в мироощущении, в дом, полный мужчин. Она попала в совершенно новую для нее атмосферу.

Весь дом изобиловал мужскими принадлежностями: спортивными шортами, моделями машин, подтяжками, комиксами с рисунками мускулистых героев. Эх, если бы она могла поделиться хоть с кем-нибудь своими впечатлениями! К сожалению, Боннеры совсем не понимали ее шутливых замечаний и часто пропускали их мимо ушей.

С возвращением Коди ей пришлось освободить его комнату. Донни великодушно предоставил ей свою, а сам перебрался к Уиллу и Джей-Джею. Младшие братья решили спать вместе, уступив одну из кроватей Донни. Никого из них не смущала теснота, хотя ютиться троим в одной комнате, конечно же, было неудобно.

Находясь рядом с таким количеством представителей мужского пола, разного возраста и роста, Квин вдруг неожиданно затосковала по отцу. Когда был жив, он приносил ей одни несчастья, она постоянно стыдилась его; сейчас же ей страшно хотелось вернуться в свое прошлое.

Умер Джонни Хьюстон неожиданно, впрочем, все его поступки были такими же непредсказуемыми. В тот день он ушел в «Бар Уайтлоу», где бывал каждый день, и вечером не вернулся домой. Он умер, как и жил, — играя в карты.

Похоронив отца, Квин с сестрами еще долго испытывали шок. И только сейчас, оставшись одна, Квин стала по-настоящему горевать о нем и, горюя, вдруг поняла, что может простить ему все его ошибки.

Взгляд девушки упал на корзину с грязным бельем, приготовленным для стирки. Нет, сейчас у нее слишком много дел, чтобы поддаваться эмоциям. Вот когда она останется одна, тогда можно будет дать волю своим чувствам и поразмышлять об отце... и сестрах. Пока же не до того.

Она свалила мокрое белье в сушилку и снова загрузила стиральную машину. Похоже, стирка никогда не кончится.

— Привезти вам что-нибудь из города? — спросил Коди.

Его вопрос, так же как и его присутствие, весьма ее удивили. Прежде чем ответить, она засыпала в машину порошок, закрыла крышку и установила время стирки.

На минуту задумавшись, она решила без всякого смущения перечислить все, что ей необходимо. Пусть смущается он. Это по его вине она здесь. Решил взять в дом женщину, вот пусть и позаботится о ней!

— Пожалуй. Привезите, — ответила она. — Составить вам список или ваша память так же отменна, как и ваши манеры?

— Я, кажется, не совсем вас понимаю, — хмыкнул в ответ Коди.

Квин отвела взгляд, так как не выносила этих его ухмылочек. Они выводили ее из себя.

Коди вынул из кармана рубашки сложенный лист бумаги и поискал глазами, чем бы написать. Квин тотчас протянула ему ручку, которую нашла в кармане грязной рубашки.

— Спасибо, — сказал он. — Валяйте. Я готов записывать.

«Сейчас ты у меня получишь!» — злорадно решила Квин и начала:

— Дезодорант освежающий, не аэрозоль. Свой у меня почти закончился, а одалживаться мне бы не хотелось. И учтите — от женщины не должно пахнуть сосной.

Усмехнувшись, Коди записал.

— Шампунь. Желательно с кондиционером.

Боннер задумчиво посмотрел на густую копну ее рыжих волос и внес шампунь в список. Не только ее волосы были непослушными.

— Теперь средства женской гигиены. Мне нужно...

— Стоп! — выпалил он, слегка смутившись. — На этом мы остановимся.

Квин усмехнулась:

— Не стоит терять самообладания.

Он запрокинул голову и рассмеялся:

— Послушайте, леди, у меня идея. Почему бы вам не поехать в город самой и не купить все необходимое? А я закончу за вас стирку.

Его предложение ошеломило ее.

— Вы так уверены, что я вернусь обратно? Интересно почему? А вдруг я удеру на вашей машине?

— Но вы же дали мне слово, — ответил он. — И потом, в силу ряда причин я заключил, что вы не сделаете этого.

От его слов у нее перехватило дыхание, и она отвернулась, чтобы он не заметил ее вытянувшегося от удивления лица. Не хватало еще, чтобы он все прочитал в ее глазах!

— Так что мы решили? Вы едете или нет?

Внезапно стукнула задняя дверь. Они оба одновременно обернулись, чтобы узнать, кто из мальчиков вошел в дом.

— Кто уезжает и куда? — спросил Уилл, который воспринимал ее присутствие в доме как нечто само собой разумеющееся.

— Квин едет в Сноу-Гэп, ей надо кое-что купить, — ответил Коди.

— Вы уверены, что мне не нужен охранник? — Квин не преминула подколоть Боннера, чтобы тем самым восстановить равновесие.

— Я буду вас охранять, — заявил Уилл и посмотрел на отца. — Я присмотрю за ней, папа. Можно мне поехать? Со мной с ней ничего не случится. Клянусь!

Квин на мгновение лишилась дара речи. Она приложила палец к задрожавшим губам и часто-часто заморгала. Уилл по-своему истолковал замечание, и теперь ей стало стыдно.

Коди же испытывал благоговейный трепет. Целых три года со дня смерти жены путь к сердцу Уилла был закрыт. Мальчик полностью ушел в себя, отстранившись от окружающего мира, чтобы больше ничто и никто не причинил ему горя. Сегодня впервые он немного оттаял и стал проявлять интерес к происходящему. Никакие силы ада не заставят Коди отказать сыну в его просьбе. Но как Квин будет покупать средства личной гигиены при десятилетнем мальчике? Подумав, Коди решил, что не стоит волноваться: когда дело касается его сыновей, Квин ведет себя очень осмотрительно. И все же вдруг она засмущается и не захочет взять Уилла с собой?

— Я буду только рада, если ты поедешь, — отозвалась наконец Квин без всякого вызова. — Если, конечно, твой папа не возражает, — добавила она.

Уилл повернулся к отцу, ища поддержки. Тот одобрительно кивнул, и мальчик, захлопав в ладоши, громко закричал:

— Вот здорово!

Он бросился прочь, успев, правда, заверить Квин, что сию же минуту вернется обратно.

Квин стояла как громом пораженная.

— Будь я проклят! — тихо выругался Коди.

— В чем дело?

— Впервые за последние три года Уилл проявил такой порыв.

— Почему? Что случилось три года назад...

Коди красноречиво помрачнел.

— Ох, — только и могла она вымолвить, прислоняясь к стиральной машине, ибо ноги ее не держали. Только сейчас она поняла всю полноту оказанного ей доверия. — О Господи!

— Вот именно, — заключил Коди. — Теперь вы понимаете... его нельзя обижать... он больше этого не вынесет.

Квин внезапно разозлилась:

— Как я, черт возьми, могу его обидеть? Конечно, я выросла в социальной среде, отличной от вашей, но я прекрасно знаю, как бездумно брошенное слово может ранить человека. Со мной ваши дети в полной безопасности!

— Я не хотел... — Он попытался извиниться, но она даже слушать не стала.

Дрожа от негодования, Квин сунула ему в руки корзину с полотенцами и рванулась прочь из прачечной.

Он не собирался окликать ее, но даже если бы окликнул, все равно не знал бы, что сказать. Через несколько минут парадная дверь хлопнула, затем раздалось ровное гудение мотора.

Коди выбежал из прачечной и поспешил к двери, чтобы на прощание помахать им рукой, но было уже поздно. Он увидел только заднюю часть кузова да облачко пыли, метнувшееся из-под колес.

Однако он успел заметить, что Уилл сидит посредине переднего сиденья, а не у самой двери. Пришлось снова подавить возникшее в душе беспокойство: она ведь предупредила, что уедет при первой возможности. И что тогда делать с Уиллом? Как он отнесется к этому?

— Будь я проклят! — пробормотал Боннер и сильно ударил ладонью по двери.

Но что толку заранее волноваться? У него есть дела и поважнее. Не хватало еще размышлять, относится ли «тетя Квини» к тому типу женщин, которые сегодня здесь, а завтра там, когда Уиттьерсы со дня на день нагрянут к ним в гости!

Квин рассеянно наматывала на руку кухонное полотенце, наблюдая в окно разыгрывающуюся на заднем дворе сцену.

Она ненавидела себя за это. Ненавидела даже за одно то, что у нее возникло такое желание, но отвести взгляд от Коди Боннера не могла. Уж так случилось — он сумел сделать то, что до него не удавалось ни одному мужчине: он запал ей в душу.

И вот теперь она внимательно наблюдала за тем, как отец учит сыновей работать. И в этом — разгрузке свеженапиленных дров из красного пикапа и складывании поленницы — не было бы ничего необычного, если бы не одно «но». Все дело заключалось в том, что дрова заготовлялись задолго до наступления зимы, а точнее, летом, и было тепло — так тепло, что Коди Боннер снял с себя рубашку, выставив напоказ свое загорелое мускулистое тело. Его черные волосы блестели на солнце, по вискам струился пот, а он, играя бицепсами, проворно двигался от автомобиля к поленнице и обратно.

Именно в том-то и заключалась дилемма, которую никак не могла решить Квин: стоять ей у окна, восторгаясь широченными плечами, накачанным прессом и рельефными мышцами Боннера, или лучше отвернуться и не мучить себя?

— Не мучить! — приказала она себе, но так и не сдвинулась с места. Внутри у нее все сжалось и по всему ее телу разлилась жаркая истома.

— Будь ты проклят, Боннер. Будь проклят!

Но Коди не слышал ее, а если бы и услышал, то наверняка очень удивился бы, что она вообще замечает его. Поскольку каждый раз, случайно натыкаясь на Квин, он делал шаг в сторону, соблюдая дистанцию, на которой ему велено было держаться. А что еще ему оставалось делать? В конце концов, так было лучше для него самого, ибо в противном случае он то и дело думал бы о ее коже, такой нежной, что сквозь нее видно было каждую пульсирующую жилку. Или мечтал бы о ее теле, таком теплом, манящем... А то запустил бы пальцы в ее волосы, прильнул к ее красивому рту, чтобы утолить свою страсть и свою злость, которые почти не покидали его. Нет, гораздо мудрее соблюдать дистанцию.

Впрочем, такое положение дел отнюдь не способствовало утолению разгоравшегося в нем желания. Коди, правда, считал свое вожделение нормальной реакцией мужчины, у которого долгое время не было женщины. Но скорее всего желание возникло потому, что она была единственной женщиной в его окружении. Надо просто почаще напоминать себе, что она для него запретный плод, и тогда он обуздает себя и успокоится.

Квин увидела, как в штабель было положено последнее полено и Коди натянул на себя рубашку. Затем он, расстегнув ремень, принялся заправлять ее в джинсы. Она попыталась отвести взгляд от черных завитков на его груди, дорожка которых разрезала живот надвое и исчезала под одеждой, но увы... Только когда он полностью оделся, Квин отошла от окна.

— О Господи! — прошептала она и, склонившись над раковиной, подставила свое пылающее лицо под холодную воду. Но и холодная вода не остудила ее горячей головы. — Надо поскорее убраться отсюда, — сказала Квин. — Я не могу... Нет, такого со мной не случится!

Дверь с шумом распахнулась, и все четверо Боннеров ворвались на кухню.

— Квин! Ты видела? Мы запасли столько дров! Теперь зимой у нас будет тепло. Когда пойдет снег, я научу тебя разводить огонь. Я был бойскаутом и знаю, как это делается.

Это заявление Уилла ошеломило Квин. Она закрыла лицо полотенцем, делая вид, что вытирает его. Ей не хотелось, чтобы они прочитали все по ее глазам: к тому времени, когда повалит снег, ее здесь уже не будет. Но что почувствуют дети, когда еще одна женщина покинет их? Боже, как она влипла!

— Квини, я проголодался. Может, ты нас покормишь? Я так много работал.

Просьба Джей-Джея пришлась весьма кстати: готовя еду, она без труда скроет переполнявшие ее чувства.

— Что ж, так и быть, — кивнула она, отбросив полотенце и поворачиваясь к холодильнику. Может, ей удастся унять жар, если она сунет голову в холодильник и некоторое время подержит ее там, делая вид, что ищет продукты?

— Сын, ее зовут Квин, не Квини. Пора бы уже запомнить.

По взаимному согласию они решили больше не называть ее тетей, ведь теперь она считалась няней. Оставалось только правильно произносить имя, но Джей-Джей решительно стоял на своем, несмотря на многократные замечания.

Мальчик спокойно заметил:

— А мне больше нравится имя Квини. Так лучше звучит. Если бы у меня была собака, то я назвал бы ее Квини.

Квин громко рассмеялась.

У Коди перехватило дыхание. Радостный смех совершенно преобразил ее.

Да она же настоящая красавица!

— Чудесно, — успокоившись, сказала она. — Лучше уж быть названной, как собака, чем...

Квин осеклась, не желая дальше развивать свою мысль, но Донни тут же спросил:

— Откуда у тебя такое имя? Я такого никогда не слышал.

В свои тринадцать мальчик еще не научился быть дипломатом.

— Ты что, королева? — подхватил Уилл.

Смущенная и испуганная, Квин* медлила с ответом.

Коди готов был сквозь землю провалиться, лишь бы прекратить разговор на эту тему.

— Идите за мной, мальчики, — приказал он. — Не стоит допытываться, откуда...

— Ничего, — добродушно отозвалась Квин. — Не такой уж это секрет. Просто... случилось так... — Она вздохнула и начала снова: — У нас у всех, я бы сказала, своеобразные имена.

---

* Квин — королева *(англ.)*. — *Здесь и далее примеч. пер.*

— У кого «у нас»? — с интересом спросил Коди, считавший ее единственной дочерью в семье.

— У всех женщин семейства Хьюстон.

— У всех? А сколько женщин в вашем семействе? — Коди тотчас представил себе рыжеволосых красавиц, похожих на Квин... и с таким же нравом. Бр-р-р! Он даже вздрогнул.

— Вместе со мной трое. Мне скоро исполнится двадцать девять. Я на четыре года старше Лаки*, самой младшей. А есть еще и средняя — Даймонд**.

— Вау! — закричал Донни, хлопнув себя ладонями по коленям. — Потрясающие имена! Кто вас так назвал?

— Отец.

— Тот, который умер, — добавил Уилл, беря ее за руку.

Квин улыбнулась и взъерошила ему волосы.

— Правильно: тот, который умер.

— А разве у вас не было мамы? — спросил Джей-Джей.

— Была, но очень давно. Я почти не помню ее. Она умерла, когда мне было три года. А потом Джонни привел другую женщину, и появилась Даймонд. После того как отец женился, родилась Лаки.

— Значит, ты жила с мачехой, — протянул Донни.

— Недолго. Однажды она собрала свои вещи и ушла. Ди и Лаки были тогда совсем маленькими. Они ее не помнят, а я помню, прекрасно помню.

По ледяному тону, каким она говорила о мачехе, Коди понял, что с той женщиной связаны не лучшие воспоминания.

---

* Лаки — приносящая счастье *(англ.)*.

** Даймонд — алмаз *(англ.)*.

— И кто же о вас заботился? — удивился Джей-Джей. Уж он-то знал, как это страшно — остаться без матери.

— Я, — ответила Квин.

«Господи!» — мысленно ужаснулся Коди.

— Твой отец был шахтером, как и все остальные в Кредл-Крике, о котором ты мне рассказывала?

Вопрос, который задал Уилл, прозвучал столь невинно, что она без утайки ответила:

— Нет.

Коди решил, что она этим и ограничится, а потому отвлекся и едва расслышал продолжение.

— Он был картежником.

Квин продолжала исследовать содержимое холодильника.

— Кому сандвичи с ростбифом, а кому с ветчиной?

Мальчики тут же переключили внимание на еду, но в голове Коди ее последняя фраза породила самые разные мысли.

«Картежник?! Как, черт возьми, этот человек заботился о трех маленьких девочках, если даже не мог им гарантировать ежедневное питание и крышу над головой?»

В то время как Квин доставала из холодильника провизию и накрывала на стол, не преминув при этом послать мальчиков мыть руки, Коди упорно искал ответ на мучивший его вопрос. Догадка пришла сама собой: она взвалила на свои плечи всю заботу о семье, потому что у нее не было выбора.

Внезапно ему стало стыдно: и у него еще хватило совести просить ее стать няней! Нет ничего удивительного в том, что она так разозлилась. И обвинила его в том, что он ее использует. Точно так же поступал и Джонни. Чего же ждать от совершенно постороннего человека, если родной отец фактически лишил ее детства?!

Коди отвернулся, испугавшись, что она все поймет по его лицу. Ему вдруг нестерпимо захотелось подойти к ней, заключить в объятия, так же как своих мальчишек, и навсегда оградить от невзгод проклятого мира. Ужасно глупое и невыполнимое желание! Даже если он и решится на такое, она никогда не подпустит его к себе.

— Пойду помоюсь и переоденусь, — бросил он. — Надеюсь, вы оставите мне немного ростбифа.

— Я тебе отложу, — с набитым ртом ответил Донни. — И буду хранить всю оставшуюся жизнь, — поспешил добавить он.

Квин громко рассмеялась, и ее звонкий смех сопровождал его до дверей комнаты.

Несколькими днями позже Коди проснулся с ощущением надвигающейся беды. Ожидание приезда Уиттьерсов было сродни ожиданию конца света. Их приезд был предрешен, но никто с уверенностью не мог сказать, когда это случится.

Отбросив одеяло, Коди решительно направился в ванную. Пусть приезжают. Он подготовится как следует.

— Я еду в Сноу-Гэп за продуктами, — объявил он сыновьям на кухне. — У нас ни в чем не должно быть недостатка, когда здесь появятся ваши бабушка с дедушкой.

Дети уткнулись носами в овсянку и громко засопели.

— Кто со мной? — спросил Коди.

Все трое промолчали, так как никто не желал готовиться к приему непрошеных гостей.

— Ну как хотите, — хмыкнул он, прекрасно понимая, в чем тут причина. — Квин, составьте мне список всего необходимого. Я не задержусь.

Квин подошла к тумбочке и вырвала листочек из блокнота, лежавшего рядом с телефоном.

— Я все написала, поскольку знала, что вы скоро начнете готовиться к их приезду.

— Вы уже стали читать мои мысли, — заметил он, усмехнувшись.

Квин пожала плечами и отвернулась. «Если бы!» — подумала она.

Коди тяжело вздохнул: все бесполезно. Каждый раз, когда он пытался расположить ее к себе, она сразу же ощетинивалась. Какого черта тогда пытаться!

— В общем, я быстро.

Квин слышала, как он уехал, и стала убирать посуду со стола. Мальчики же пошли к себе заправлять постели и прибирать в комнате. Так здесь было заведено, ей даже не приходилось напоминать им об этом. Не желая восхищаться Коди Боннером, она тем не менее вынуждена была признать, что он установил в доме замечательные правила и не позволял нарушать их.

Громкий грохот над головой оповестил Квин о том, что мальчики затеяли драку. Тяжело вздохнув, она рванулась вверх по лестнице — не дай Бог, что-нибудь случится!

— Эй! — окликнула она, ворвавшись в комнату и увидев, что драчуны сплелись в клубок и катаются по полу. — Давайте лучше поиграем в мяч, вместо того чтобы возиться в духоте.

Ее появление остановило драку, но, вырвавшись из цепких рук младших братьев, Донни проворчал:

— У нас не хватит игроков. Мы здесь оторваны от всего на свете: негде гулять, нет кино и вообще ничего нет!

Он сел посреди комнаты, уткнулся подбородком в согнутые колени и стал изображать несчастного и всеми покинутого мальчика.

— Что-нибудь придумаем, — рассмеялась Квин. — Вы когда-нибудь играли в «одноглазого кота»?

Три пары голубых глаз с интересом посмотрели на нее.

— Что за игра? — с любопытством спросил Уилл, еще минуту назад готовый по примеру Донни захныкать.

— Если вы быстро приберете в комнате, я вас научу, — отозвалась Квин. — Конечно, нельзя исключать того, что я сразу вас всех обыграю. Я намного старше вас и выше. Вам, ребятки, за мной не угнаться...

— Вперед, парни! Давайте покажем ей, на что мы способны! Еще ни одна девчонка не победила Боннеров!

Ее намеренная насмешка и боевой клич Донни сделали свое дело. Скука, драка и нежелательные гости были сразу забыты.

Мальчики высыпали из дома, как утята за мамой-уткой. В мгновение ока на лужайке перед домом началась игра. Разделившись на две команды, они разграничили поле игры и обговорили правила. Все очень просто: игроки одной команды отбивали битой мяч как можно дальше и, пока он летел, стремились пересечь площадку и вернуться обратно, а игроки другой команды ловили мяч и старались попасть им в одного из соперников. И все бы хорошо, если бы не длинные ноги и тренированное тело Квин Хьюстон... да еще ее желание как следует извалять мальчишек в грязи.

Она стремительно носилась по полю, ловко била по мячу, сталкивала игроков, и они кубарем катились по земле.

Такого Донни от женщины не ожидал и теперь с восторгом смотрел на Квин.

Но больше всего всем им понравилось, когда Уилл с Джей-Джеем на бегу столкнулись лбами. У обоих тотчас хлынула кровь — у Уилла из носа, у Джей-Джея из разбитой губы.

Квин, глазом не моргнув, обработала их раны, и игра продолжилась.

Все заднее сиденье машины было завалено пакетами с продуктами и предметами личной гигиены, в том числе и различными порошками для чистки ванн. Коди явно перестарался, но он не хотел слышать никаких упреков. Пока непрошеные гости будут жить у него в доме, пусть убедятся, что здесь есть все необходимое для уюта и комфорта.

Он свернул на дорогу, ведущую к дому, и почувствовал, что страх, засевший где-то под ложечкой, постепенно исчезает. Может, потому, что сделал все намеченное, а может, потому, что приезд гостей стал для него теперь делом второстепенным. Ведь он прекрасно подготовился.

И тут он увидел такое!..

Донни с размаху запустил мяч в воздух. Квин с кошачьей грацией подпрыгнула и поймала мяч. Тут же раздался взрыв смеха, и игроки начали разбегаться. Столкнувшись, Квин и Донни упали на землю и стали весело болтать в воздухе ногами. Коди словно зачарованный наблюдал, как они с истерическим смехом перевернулись на спины все в грязи и крови. Ну и ну! Вот здорово!

Боннер припарковал машину и поспешно выскочил из нее, желая только одного: поскорее влиться в игру и покататься вместе с Квин по земле. Но прежде чем он ступил на поле, до его ушей донесся шелест шин подъезжавшей машины. Обернувшись и еще никого не видя, он уже знал, кто приехал.

— О Боже, нет!..

Но они уже здесь. Явились неожиданно, в самое неподходящее время. И стали свидетелями того, что было выше их понимания.

Глава 5

В самый разгар веселья все вдруг стихло, и это насторожило Квин. Видимо, что-то случилось, и в наступившей тишине смеялась только она одна. Пораженная внезапной тишиной, она протерла от пыли глаза и посмотрела вокруг.

Перед ней, словно солдатики, застыли младшие братья, разом побледнев и напрягшись. А вот и Донни, встав на ноги, усиленно стал отряхивать свою одежду.

В чем же дело?

Квин поймала застывший взгляд Коди. Да, явно что-то случилось: игра в мяч не вызвала бы в нем такую напряженность. Взгляд Квин скользнул дальше, и она с замиранием сердца увидела солидную, седовласую пару, которая выбралась из «линкольна».

Приехали бабушка с дедушкой. По лицу пожилой женщины Квин поняла, что леди не в восторге от увиденного.

«Первое впечатление должно быть хорошим, и вот те раз», — подумала Квин.

«Черт бы их побрал!» — про себя ругнулся Коди, в голове которого все перемешалось. Он не знал, что предпринять. Пока он раздумывал, заговорила Ленора Уиттьерс, нарушив тягостное молчание.

— Кто... вы такая? — спросила она, окидывая холодным, презрительным взглядом длинноногую, пышногрудую красавицу, сидевшую у ее ног.

Тон ее был неприятен Квин, он напомнил ей прошлое, презрительное отношение к дочерям картежника. Злость вытеснила смущение, которое ее охватило поначалу, и она потянулась за битой, лежавшей рядом.

Ленора Уиттьерс вздрогнула и отступила, решив, что женщина намерена ее ударить.

Увидев испуг на лице Леноры, Квин понимающе прищурилась. «Тоже мне леди, гроша ломаного не стоит! — подумала она. — У тебя еще будут причины бояться меня». Но страх, отразившийся в глазах мальчиков, изменил ее решение. Что ж, надо как-то спасать положение.

Пользуясь битой, словно тростью, Квин вскочила на ноги.

— Это наша тетя Квини, — решительно заявил Джей-Джей и отвел взгляд, заметив неодобрение в лице бабушки.

Брови Леноры поползли вверх. «Какая еще тетя?» — мелькнуло у нее в голове, и она в упор взглянула на Коди. Тот открыл было рот, чтобы извиниться, но Квин спасла положение. Отряхнув джинсы и кофту, она откинула с лица непослушные локоны и решительно произнесла:

— Мистер и миссис Уиттьерс, я полагаю? — Не дав им возможности ответить, Квин продолжила: — Меня зовут Квин Хьюстон. Я домоправительница у мистера Боннера. Мальчики, соберите свои вещи и отнесите их наверх, а потом поможете папе разгрузить машину. — Передав биту Уиллу, она снова обратилась к старикам: — Пожалуйста, следуйте за мной. Я провожу вас в вашу комнату.

Она сказала все это с таким достоинством, будто на ней были черная форменная одежда, белый накрахмаленный фартук и шляпа, а не грязная кофта, потертые джинсы и рваные кроссовки. Квин направилась в дом с таким величавым спокойствием и так гордо, что, казалось, полностью оправдала свое королевское имя.

Коди несказанно удивился, что Квин ничуть не испугалась Леноры Уиттьерс. Он улыбнулся, мысленно подготовившись к объяснениям по поводу своего ареста. Правда, надо еще сообразить, что сказать по поводу Квин, поселившейся у него в доме.

— Черт! — досадливо буркнул он себе под нос.

Увидев, как, призывно покачивая бедрами, Квин двигалась к дому, Боннер вдруг задался вопросом: что вселило в него уверенность, будто эта рыжеволосая бестия как-то изменит его жизнь? Подавив усмешку, он занялся разгрузкой. Господь не оставит его своей милостью, но если он растеряет то, что осталось от его репутации и здравомыслия, из-за этой женщины, то уж сделает это по крайней мере сам.

— За работу, мальчики, — протянул он каждому из сыновей по пакету. — Слышали, что сказала вам леди?

Мальчики с радостью бросились исполнять указания Квин, лишь бы не стоять истуканами под испепеляющим взглядом бабушки.

— Надеюсь, она не сядет за стол вместе с нами?

Квин была на кухне, когда услышала визгливый раздраженный голос Леноры, которая, по всей вероятности, посчитала приборы на обеденном столе.

— Она сядет, — ответил Коди с логическим ударением на местоимении «она», именно так, как сделала его теща. — У нас не совсем обычная ситуация, Ленора. Я не нанимал ее в помощницы, просто попросил ее помочь. Надеюсь, разницу вы понимаете?

Коди произнес это тихо, но твердо. Ленора Уиттьерс посмотрела на мужа, ища поддержки, но он отвел взгляд, и она нахмурилась.

Квин мысленно поблагодарила Коди: приятно, что в ее отсутствие он встал на ее защиту, а не стал оправдываться перед тещей, тем самым подыгрывая ей.

Приняв душ и переодевшись, она внесла в столовую и поставила на стол последнее блюдо, затем, закрепив заколкой выбившийся из прически непокорный локон, расправила подол своего первого и единственного платья.

Поддавшись соблазну, она купила его, когда вместе с Уиллом ездила за покупками. Короткие рукава, глубокий вырез, длина до середины икр — оно отнюдь не выглядит вызывающим. Более того, оно довольно элегантное.

Впрочем, Квин не заметила, сколь сильно платье преобразило ее: она думала лишь о том, что это первое новое платье за всю ее жизнь. Ей нравилось, как ткань облегает тело, как струится и вздымается вверх, когда она поворачивается, вертясь перед зеркалом. Однако надо экономить, поскольку ей еще предстоит устраивать свою жизнь. Вот когда все сложится, тогда, возможно, она накупит себе много одежды в соответствии со стилем ее новой жизни.

Квин набрала в легкие побольше воздуха: пора. Окинув строгим взглядом накрытый к обеду стол, чтобы убедиться, что ничего не забыла, она вошла в гостиную как раз в тот момент, когда Коди заканчивал свои объяснения по поводу ареста.

— Я понимаю тебя, — сказала Ленора Уиттьерс, — но пойми же и меня. А что, если бы кто-нибудь заглянул сюда и обнаружил, что ты в тюрьме?

— Но я же не сделал ничего плохого, Ленора! Ради Бога, посмотри на это с другой стороны: когда меня сбили над Персидским заливом, могло случиться так, что меня подобрали бы не наши, а солдаты Хуссейна. Тогда бы меня тоже арестовали, как ты понимаешь, и в том не было бы моей вины.

Ленора отвела взгляд, не в силах больше отстаивать свою точку зрения. Ее зять был вне всяких подозрений, и она отлично понимала это.

Квин так и подмывало залепить этой женщине звонкую пощечину, чтобы вложить в ее голову хоть каплю здравого смысла. Как можно обвинять Коди в том, в чем он совсем не виноват?! Но она лишь прерывисто вздохнула, вспомнив, что всего несколько дней назад она, как и Ленора Уиттьерс, считала Коди Боннера неудачником и безответственным человеком. Что же заставило ее изменить свое мнение?

Квин посмотрела на своего работодателя и вдруг осознала, что он сам и явился причиной, заставившей ее думать о нем по-другому. Ей вдруг страшно захотелось подойти к нему и встать рядом. Он выглядел таким одиноким... таким заброшенным!

Вот, встав со стула, он пересек комнату и тихим голосом заговорил со своими сыновьями, заверяя их, что они нисколько не виноваты в том, что он не нашел общего языка с бабушкой и дедушкой. На Коди был обычный костюм, вполне подходящий для такого случая, и Квин заметила, что он не утратил солдатской выправки.

Правда, в его жизни уже никогда больше не будет накрахмаленных воротничков и острых стрелок на брюках. После многих лет верной службы жизнь Коди Боннера в корне изменилась.

Только сейчас Квин поняла, что он уже запал ей в душу. Его лицо стало для нее таким же привычным, как и ее собственное, а его постоянное присутствие наполняло радостью весь ее день.

Ей уже давно хотелось погладить его по голове, провести пальцем по его гордому прямому носу, по его густым черным бровям, нависшим над глазами небесной голубизны; хотелось легонько разгладить эти брови, когда он хмурился. Если бы все сложилось по-другому, в другое время... в другом месте... она отдала бы этому мужчине свое сердце... если бы, конечно, он того захотел. Но Квин прекрасно знала, что нельзя предаваться пустым мечтам. В ее жизни они имели тенденцию никогда не сбываться. А поэтому она просто сказала:

— Обед готов.

Коди с чувством облегчения посмотрел на нее. Их взгляды встретились, и ему на мгновение показалось, что их связывает нечто большее, чем общая цель. И тут, заметив ее новое платье и по достоинству оценив ее великолепную фигуру, он расширил глаза от удивления. Как еще он мог выразить свое потрясение?!

Заметив, как изменилось выражение его лица, Квин посчитала это выражением благодарности за то, что она прервала их разговор. Что ж, надо сделать все от нее зависящее, чтобы помочь ему доказать Уиттьерсам, каким хорошим и заботливым отцом он является. Она выполнит свое обещание, а потом... Закусив губу, Квин отвела взгляд.

Смутная и неопределенная цель, поставленная ею в начале путешествия, теперь не казалась такой уж заманчивой. С каждым днем ей все страшнее было думать о том, что придется распрощаться с Боннерами.

Коди почувствовал, что она отдалилась от него, и ему захотелось, чтобы они хоть на минуту остались одни. Главное — вернуть то ощущение взаимопонимания, что возникло между ними... В то мгновение, когда она отвела взгляд, он испытал такое чувство, какого прежде никогда не испытывал. А потом стал еще более одиноким, чем был все эти годы.

Квин посторонилась, и все Боннеры чинно проследовали в столовую.

Взглянув на нее, Уилл выдавил слабую улыбку, и она машинально пригладила его черные вихры, затем подмигнула Джей-Джею и, поправляя его воротничок, слегка пощекотала по шее, как делала всегда, когда хотела, чтобы он улыбнулся. В этой незатейливой ласке проглядывала такая нежная забота, какую проявила бы любая мать.

Коди заметил ее милые жесты и едва не стал ревновать к своим сыновьям. Он и сам мог бы взглядом или жестом подбодрить мальчишек, но почему-то этого не сделал. Стоило ему поравняться с ней, как она опустила взгляд, и у него возникло сильное желание хорошенько встряхнуть ее. Просто, чтобы посмотреть, как она задрожит от возмущения. Пусть проявит хоть какие-нибудь эмоции — все лучше, чем полностью его игнорировать.

А вечер только начинался.

Семья преспокойно принялась за обед, однако уже через какое-то время Ленора, словно третейский судья, засыпала мальчиков градом вопросов и тем самым испортила всем аппетит.

— Донни... ты продолжишь учебу? Помнится, тебе все давалось нелегко. И все же надо постоянно заниматься, мой мальчик. Ведь очень важно поступить в хороший колледж.

— Сейчас летние каникулы, бабушка, — ответил Донни, — и все школы закрыты.

Тут, словно специально, чихнул Джей-Джей и, утерев тыльной стороной ладони нос, потянулся за хлебом.

Ленора ахнула и схватилась за горло, как если бы ей не хватало воздуха.

— Джеффри-Джеймс Боннер, порядочные молодые люди чихают за столом, не разбрызгивая сопли. Следует прикрывать нос и рот платком.

— Из...з...вини, бабушка, — пробормотал Джей-Джей и положил хлеб обратно в тарелку.

Коди тяжело вздохнул и с укором посмотрел на холеную матрону, сидевшую напротив. И что заставляет эту женщину ко всему придираться? Всегда-то она недовольна, как бы его мальчики ни старались угодить ей. Всегда-то она их в чем-то обвиняет и никогда не хвалит!

Уилл молча уставился в свою тарелку, и его плечи задрожали, словно в ожидании удара. Он едва сдерживал слезы.

Неожиданно для себя Квин разозлилась на Коди: почему отец спокойно позволяет этой женщине распоряжаться в его собственном доме? Его теща просто невыносима, и в ее присутствии мальчики страдают.

— Уилл, ты же ничего не съел! Ты не выйдешь из-за стола, пока тарелка не опустеет. Немедленно принимайся за еду! — скомандовала Ленора.

— Я... я... н... н... не проголодался.

Матрона нахмурилась:

— Я вижу, ты все еще заикаешься.

Мальчики совсем сникли, а Уилл словно прилип к месту.

Ленора тотчас бросила на Коди укоризненный взгляд:

— Помнится, я говорила тебе, что с этим надо что-то делать. Ты обязан был отвести его к специалисту. С таким дефектом в этом мире никогда не преуспеешь.

Квин внезапно бросила на стол салфетку и, встав, с грохотом отодвинула стул. Тихим голосом, с любезной улыбкой на устах, она нарочито вежливо проговорила:

— У Уилла нет никаких дефектов, миссис Уиттьерс. — Внутри у нее все клокотало от злости. — Во всяком случае, до вашего приезда их не было. Я никогда не слышала, чтобы он заикался. Заикание, чем бы оно ни было вызвано, очень скоро исчезнет... и как вы думаете, почему?

Ленора пришла в ужас, услышав вызов в голосе какой-то простушки, приглашенной для помощи по дому. Да как эта девица смеет намекать, что именно по ее вине заикается Уилл?! Она повелительно посмотрела на мужа, ища поддержки, но тот сосредоточенно доедал ростбиф.

Взяв салфетку, Коди скрыл невольную улыбку. Браво! Вот это да! Он был очень удивлен, что Квин вступилась за мальчиков. Впрочем, она высказала только то, что думал он сам. Получается, что он позволяет Уиттьерсам распоряжаться в своем собственном доме. Нет, больше этому не бывать! Внезапно ему стало наплевать на их мнение о нем. Господи, ведь они уже таскали его по судам, а он все еще принимает их у себя! Что ж, он их больше не боится. Пусть послушают теперь его самого... а не измышления судей.

— Мальчики, вам, пожалуй, пора готовиться ко сну, — произнес Коди. — Примите душ, но не расходуйте всю горячую воду. Договорились?

Братья дружно кивнули и поспешно вышли из-за стола. Прочь из этой напряженной тишины, которая повисла в комнате!

— Я уберу со стола, — разрядила атмосферу Квин. — Если вы перейдете в гостиную, я принесу кофе туда.

— Только без кофеина, — уточнила Ленора, — иначе я не засну.

— А мне все равно, какой кофе, — сказал внезапно Аллен Уиттьерс, удивив всех и самого себя тем, что впервые подал голос. — Я мало сплю независимо от того, что я выпил.

Квин с грудой тарелок в руках направилась к двери, успев, правда, стать свидетельницей того, что Коди «открыл огонь» по своим родственникам.

— Все дело в том, — начал он, — что вы приезжаете в мой дом без приглашения — когда захотите, и я с этим смирился. Вы всегда будете для мальчиков бабушкой и дедушкой, и мне ни к чему оспаривать ваши права на внуков и подрывать ваш авторитет. Но не умаляйте же и моих прав! Я не позволю вам постоянно одергивать моих сыновей. В случае чего я и сам могу сделать им замечание. Надеюсь, мы поняли друг друга?

Ленора рассвирепела:

— Если бы Клер была жива, ты бы так со мной не разговаривал!

Собираясь с духом, Коди вобрал в себя побольше воздуха. Заявление тещи соответствовало действительности, и сокрытие причины этого отнюдь не делало ему чести.

— Вы совершенно правы, — ответил он. — Возможно, так бы оно и было. Клер жила по своим правилам... и я не препятствовал ей. Она не хотела жить моей жизнью и делить со мной все невзгоды. Ее интересовали только мои деньги. Я смирился и с этим. В силу перечисленных причин я не так часто виделся с семьей, как мне того бы хотелось.

Опустив голову, он некоторое время молча разглядывал скатерть, а потом заговорил снова — спокойно и ровно, глядя Леноре прямо в глаза:

— Мне чертовски жалко, что пьяный водитель лишил моих сыновей матери. Мне чертовски жалко, что я потерял свою жену, а вы оба дочь. Но я ничуть не жалею, что увез своих сыновей из Флориды: надо быть сумасшедшим, чтобы жить в той части штата. Я нисколько не сожалею, что здесь они познали то, что полагается знать мальчикам их возраста: немного грязи и пота им не помешает. А теперь — я устал и меня тошнит от всей этой неразберихи. То же самое происходит и с мальчиками.

Квин тихо закрыла за собой дверь. Ее неприязнь к Коди в связи с его страхом перед тещей исчезла сразу после того, как его молчание сменилось возмущением. Хорошо, что Коди не ударил в грязь лицом! Квин еще не очень понимала, почему это так важно для нее, но она разберется, обязательно разберется.

Поставив грязную посуду в раковину, она тихо подкралась к лестнице. Как и следовало ожидать, все трое мальчиков, притаившись в тени, прислушивались к разговору в гостиной. Увидев их умоляющие взгляды, Квин тем не менее решила вернуть жизнь в прежнее русло:

— Подслушивать нехорошо, очень нехорошо. Вставайте, ребятки, и готовьтесь ко сну. Если вы быстро управитесь, я почитаю вам какую-нибудь интересную книгу.

Донни первый отреагировал на ее слова и, посмотрев на младших братьев, предложил:

— Бегом в душ! Только пол, чур, не заливать. Я приму душ в папиной ванной, вы и оглянуться не успеете.

— Можно, я выберу рассказ? — спросил Джей-Джей.

— Нет, я, — возразил Уилл.

— Я прочитаю вам два рассказа, — поспешила вмешаться Квин, чтобы предотвратить ссору. — А сейчас поторапливайтесь, пока я не передумала.

Мальчики бегом бросились в ванные комнаты.

* * *

Обещанный кофе так и не появился, и Уиттьерсы, устав с дороги, стали готовиться ко сну. Первоначально Коди решил предоставить им свою спальню, но после состоявшегося разговора передумал. Они приехали в его дом без предупреждения, намереваясь ругать и критиковать его, а потому прекрасно обойдутся раскладушками в его маленьком кабинете.

Он с облегчением вздохнул, когда они, пожелав ему спокойной ночи, исчезли за дверью. Любезная улыбка моментально сползла с его лица.

— Боже милостивый! — выдохнул он и направился на кухню.

Квин на кухне не было, не было ее и в столовой. Обеденный стол был не прибран, на кухне стояли грязные кастрюли и сковородки. Он озадаченно топтался на месте, пока его взгляд не остановился на лестнице. Ага! Теперь он знал, где ее искать.

Перепрыгивая через три ступеньки, он мгновенно взлетел на второй этаж и чуть ли не в два прыжка добрался до комнаты мальчиков. Приготовившись к слезам и упрекам, он, войдя в комнату, освещенную одним только ночником, был поражен царившей в ней тишиной. В комнате пахло мылом и шампунем; единственным звуком, достигавшим ушей Коди, было легкое похрапывание спящего Донни.

Он беспокойно шарил глазами в темноте, пока взгляд его не упал на соседнюю кровать. У Боннера перехватило дыхание. Судя по всему, они заснули, не дослушав главы. Подойдя к кровати, Коди нагнулся и осторожно, стараясь никого не разбудить, вытащил книгу из безвольных рук Квин. Прочитав название, он улыбнулся: «Робинзон Крузо». Отложив ее, Боннер замер, обомлев от открывшейся ему картины.

Квин заснула между его младшими сыновьями, обняв одной рукой Джей-Джея, другой — Уилла. Темноволосые головки мальчиков мирно покоились у нее на груди. Коди затаил дыхание, когда один из мальчиков тихо вздохнул, а другой шевельнулся во сне. Не просыпаясь, Квин инстинктивно еще крепче прижала их к себе, как самая настоящая мать.

Непрошеная тоска закралась в сердце Коди, когда он понял, и понял впервые, что, несмотря на всю его любовь к мальчикам, им нужна была еще и ласка. Пусть они уже и выросли, но дети есть дети, и они жаждали материнской любви.

Он прерывисто вздохнул и отвел глаза. Когда же снова бросил взгляд на кровать, оказалось, что Квин с робким смущением смотрит на него.

И в этот момент произошло невероятное. В глазах этой женщины с твердым характером, живым умом и острой на язык, он увидел любовь. Прямо как в немом кино: приветливая улыбка, зовущий взгляд зеленых глаз. Ему вдруг неудержимо захотелось поменяться местами со своими сыновьями и найти покой в ее нежных любящих руках.

Тем временем она заморгала, как бы выходя из транса, и между ними снова выросла стена. В долю секунды она выбралась из постели, заботливо уложила мальчиков поудобнее и погасила свет.

Квин никак не могла избавиться от страстного желания, которое охватило ее при виде пристального взгляда голубых глаз Коди. На какое-то мгновение она забылась и чуть не позвала его в свои объятия. Слава Богу, что у нее хватило здравого смысла мгновенно встать. Но она так смутилась, что ничего вокруг не замечала, а потому, продвигаясь в темноте на ощупь, тут же наткнулась на него.

Квин чуть не закричала от неожиданности, но побоялась разбудить мальчиков. Несколько минут они стояли вплотную друг к другу, оглушенные близостью и ночной тишиной. Она ощущала на своей коже его ровное горячее дыхание. Закрыв глаза, Квин подавила вздох.

Коди очень хотелось дотронуться до нее, но что-то удерживало его от этого, а потому он просто стоял и ждал, сгорая от желания. Когда же ее глаза закрылись, Коди расценил это как намек.

Протянув руку, он пальцем поддел падавший ей на плечи локон. Он поддался искушению... и, судя по всему, она тоже. Боже, что теперь делать?!

Квин внезапно дернулась, и его рука безвольно упала. Девушка молча двинулась прочь.

— Сладких сновидений, леди, — прошептал он, но она ничего не ответила. Немного позже Коди услышал ее шаги на лестнице и звяканье посуды на кухне. Видимо, она решила завершить дело, ради которого и была нанята.

Перевернувшись, Квин резко села в постели. Сердце чуть ли не выскакивало у нее из груди, и она пыталась понять, что разбудило ее так неожиданно. Решив, что, должно быть, кто-то из мальчиков кричит во сне, она встала с постели и вышла в коридор, не обратив внимания, что на ней только ночная рубашка.

Рубашка была такой старой, что со временем из голубой превратилась в белую, к тому же она едва прикрывала колени. Более того, сквозь тонкую ткань явственно проступали очертания ее роскошной фигуры, о чем ей было невдомек, и она сильно бы рассердилась, если бы кто-то намекнул на ее сексуальность.

Полное равнодушие к своим внешности и фигуре было ее защитной реакцией в Кредл-Крике. В доме Коди Боннера она, правда, чувствовала себя в полной безопасности и несколько расслабилась.

Теперь Квин стояла в темном коридоре, пытаясь уловить звук, который разбудил ее. Сердце ее ушло в пятки. Протяжный стон сменился диким воем человека, мучимого нестерпимой болью. Она сразу все поняла.

Коди!

Его сны вернулись. Летчика опять преследовали те кошмары, что погнали его в город в поисках психиатра. Квин тотчас стало ясно, что она не может, не должна допустить, чтобы Уиттьерсы услышали или увидели его в таком состоянии.

Не размышляя более, она на цыпочках прошла по коридору и проскользнула к нему в комнату. Плотно прикрыв дверь, она подскочила к постели.

Прикрывавшая его простыня соскользнула вниз, к талии, и Квин невольно вновь восхитилась его мускулистым телом. Он застонал и зашевелился, словно стараясь куда-то убежать. Увидев его таким беспомощным и страдающим, Квин ужаснулась.

Она тотчас бросилась в ванную комнату, схватила с сушилки все еще влажное полотенце и снова подошла к кровати. Напрочь забыв о здравом смысле, Квин прилегла рядом с ним и нежно взяла его за руку. Осторожно вытирая его мокрые от пота лицо и шею, она отчаянно надеялась, что ей удастся избавить его от кошмаров, не переполошив при этом весь дом.

— Тсс... — шептала она снова и снова. — Не надо бороться, Коди, не надо. Все прошло, ты в безопасности. Ты снова дома.

Бросив мокрое полотенце на пол, она хорошенько тряхнула его за плечи, заставляя проснуться. Тщетно, кошмар прочно завладел его головой.

Коди шептал слова, которые, по всей вероятности, во сне оборачивались криками:

— Они окружают нас... окружают! Надо прорываться...

Его голос срывался, он метался из стороны в сторону. Сердце Квин сжималось от боли. Она понимала, что он боится быть сбитым.

— О черт... почему так трясет?.. — Он вдруг перестал сучить руками и ногами и застыл на долю секунды, затем как-то дико изогнулся. — Меня сбили... Меня сбили! Я падаю... падаю... Мейдей! Мейдей!*

Глаза Квин расширились от ужаса, когда она услышала, что он бормочет координаты своего местонахождения, сердце ее бешено колотилось.

Он вновь начал извиваться в ее руках, холодная испарина покрыла все его тело.

— Коди, проснись! Тебе надо проснуться, — встревоженно шептала она.

Но он так и не проснулся. Выпалив: «Катапультируюсь!» — Коди затих, словно мертвый.

---

* Mayday *(англ.)* — радиосигнал бедствия.

Квин встала, подняла полотенце и на негнущихся ногах двинулась в ванную. Смочив полотенце под струей холодной воды, она умыла свое разгоряченное лицо и снова поспешила к постели. Сейчас, когда он затих, она уже не опасалась, что Уиттьерсы услышат его. На сегодняшнюю ночь его кошмар закончился.

Но ведь помимо этой ночи были и другие. И сколько еще впереди таких жутких ночей!

— Все прошло, — шептала она, вытирая его лицо и шею. — Сегодня тебе уже ничего не приснится... Спи... Спи спокойно.

Их разделяла холодная мокрая простыня, и на какое-то мгновение Квин захотелось отбросить ткань и погладить его широкую мускулистую грудь.

Однако здравый смысл возобладал. Она поднялась, положила мокрое полотенце на мраморную столешницу тумбочки и тихо вышла из комнаты.

В мгновение ока Коди проснулся. Он сразу почувствовал, что Квин стояла у кровати и слушала биение его сердца.

Когда она пришла к нему в комнату? Как долго находилась здесь?

Память возвратила тихий голос и нежные прикосновения, потом что-то холодное, что потушило жар, вызванный его падением. Повернув голову, он увидел полотенце на прикроватной тумбочке и понял, что эта ночь отличалась от всех прочих. Видимо, в самый разгар кошмара Квин Хьюстон вошла к нему в комнату и приняла на себя часть его боли.

Он всегда просыпался дрожащим и слабым, все еще под впечатлением кошмаров. Благодаря ей сегодня в его душе каким-то странным образом поселился покой.

Он смотрел на закрытую дверь, пытаясь понять, что же произошло. Где-то посреди ночи она незаметно появилась в его комнате. Она была такой внимательной и нежной, что оставалось только жалеть, что он не проснулся чуть раньше и она ускользнула. Квин Хьюстон уже вошла в его жизнь, когда стала заботиться о его сыновьях, сейчас же она вошла в его сердце.

— Господи, леди, — шептал он в темноте, — мне надо от тебя гораздо больше, чем ты готова дать.

С этими словами он перевернулся на живот, стараясь не обращать внимания на неожиданно отвердевший и пульсирующий член.

Глава 6

Аромат свежезаваренного кофе, запах сосисок и оладий распространились по всему нижнему этажу. Уложив чемодан, Аллен Уиттьерс раздраженно наблюдал, как его жена наносит на лицо косметику. Каждое утро независимо от того, находились ли они дома в своей спальне или уезжали за тридевять земель, происходило одно и то же: Ленора не сдвигалась с места, пока не «сооружала» себе лицо.

Методично и с большим искусством она наносила макияж, оттеняя каждую выигрышную черточку, однако за слоем косметики нельзя было скрыть ее вечное недовольство или замаскировать морщины вокруг глаз и в уголках рта, образовавшиеся там от постоянной раздражительности.

— Все. — Горделиво взглянув в зеркало, она поправила высокую прическу валиком и воротничок темно-синего костюма. — Я готова. — Она взглянула на мужа и нахмурилась. — Ты что, поедешь в этом?!

— Да, Ленора. Мне уютно в этой рубашке и слаксах. У нас впереди долгая дорога, и я не хочу париться в костюме.

Почувствовав, что он намерен во всем ей перечить, Ленора сменила тему разговора. Она принюхалась и недовольно свела брови.

— Я так и думала, — проговорила она. — Жареная пища. Клер никогда бы себе такого не позволила!

Аллен тихо вздохнул, мысленно сосчитал до десяти и решительно выступил в защиту своего зятя:

— Клер вообще ничего не готовила, так как раньше десяти из постели не вылезала, ты прекрасно знаешь это. — В его голосе звучал сарказм. — Мальчики уже съедали холодную кашу и разбегались по своим делам, когда она продирала глаза по утрам. Не знаю, как тебе, а мне кажется, пахнет очень вкусно. У меня даже аппетит разыгрался.

Аллен вышел из их импровизированной спальни, оставив Ленору одну. Шанс заставить жену считаться с собой был давно упущен, но он все еще боролся за свои права.

Остановившись на пороге кухни, Аллен принялся наблюдать за Квин, которая мастерски пекла оладьи и жарила сосиски. Цепким опытным взглядом он по достоинству оценил ее длинные ноги в джинсах в обтяжку и узкие бедра. А волосы! Сейчас они так и пылали золотом на зеленом фоне ее свободной домашней футболки.

Квин обернулась, и Аллен невольно отступил назад, наткнувшись на предостерегающий взгляд. Глаза, правда, потеплели, когда она узнала его, но и доли секунды было достаточно, чтобы сделать вывод: эта женщина не ждет от мужчин ничего хорошего.

— Мистер Уиттьерс... я не слышала, как вы вошли.

Он покраснел, желая сквозь землю провалиться из-за своих греховных мыслей.

— Я не хотел пугать вас, — тихо отозвался он и, кивнув на плиту, добавил: — У вас здесь так вкусно пахнет!

Квин улыбнулась и покраснела. Только сейчас он понял, что она совсем еще молоденькая.

— Располагайтесь в соседней комнате, я принесу вам завтрак, — предложила она.

— Если не возражаете, — откликнулся Аллен, — я бы позавтракал на кухне. Здесь гораздо уютнее.

Квин пожала плечами и повернулась, чтобы наполнить его тарелку.

Явившись наконец завтракать, Ленора увидела мужа и внуков за кухонным столом. Все с аппетитом уплетали за обе щеки и дружно смеялись, слушая рассказ Аллена о детстве их матери.

— Зачем ты рассказываешь детям такие вещи? — возмутилась она, присаживаясь к столу. — Еще начнут ей подражать.

Аллен закатил глаза и скорчил дикую рожу, глядя на Уилла и Джей-Джея.

— Не думаю, чтобы мальчикам вдруг захотелось намазать губы помадой и напудрить лица. Я рассказывал им о том, как Клер в пять лет использовала твою косметику.

На лице Леноры заиграла слабая улыбка.

— И испортила очень красивое платье, — сочла нужным добавить она, бросив при этом испытующий взгляд на Квин. — Мне только сок и кофе. Я не ем жареное. Оно повышает содержание холестерина в крови.

Квин закусила губу, чтобы удержаться от возражения. Ленора явно обвиняла ее в том, что она неправильно кормит мальчиков.

— Эти сосиски не из свинины, а из нежного индюшачьего мяса, — вмешался Аллен. — А оладьи жарены не на масле. Квин пекла их на антипригарной сковороде, а вместо куриных яиц использовала для теста плоды. — Он улыбнулся и подмигнул мальчикам, которые от души смеялись, слушая эту чушь. — А вот сироп самый что ни на есть настоящий. Кленовый... сладкий и густой. То, что надо!

Квин не удержалась от улыбки. Была бы Ленора такой же веселой, как и ее муж, вот было бы здорово!

— Что здесь сладкое и густое? — В кухню вошел Коди.

Квин густо покраснела и, быстро отвернувшись, занялась блинами. Прошедшая ночь многое изменила в их отношениях, пусть даже только в ее воображении. Из наемной служанки она превратилась в заботливую няньку. Кроме хлопот по дому и заботы о его сыновьях, она взвалила на свои плечи и заботу о нем. Не в состоянии справиться с нахлынувшими на нее чувствами, Квин досадливо поморщилась.

— Решил встать? — спросил Донни, глядя на босые ноги отца и наспех надетые джинсы и футболку. — Я думал, ты проспишь целый день.

Коди достал из буфета чашку и, прежде чем ответить, налил себе кофе.

— Я просто проспал, — выдохнул наконец он. — Забыл вчера завести будильник.

— Может, добавить? — спросила вдруг Квин, ставя перед ним тарелку с дымящимися оладьями.

Она намеренно вмешалась в разговор, подсознательно стараясь направить его в другое русло. Однако, поймав благодарный взгляд Коди, тотчас отвернулась.

Боннер удобно расположился за столом и, стараясь завязать беседу, стал уговаривать тещу съесть хотя бы одну оладью с каплей сиропа. Он едва сдержал улыбку, когда Ленора попросила добавку и съела две сосиски. Квин сделала невозможное: она заставила Ленору замолчать, потому что с набитым ртом та уже не могла высказывать свои замечания.

Но когда пришло время уезжать, Ленора возобновила атаки на Коди, обвиняя его в неспособности быть хорошим отцом.

— Мальчики, поцелуйте бабушку и дедушку на прощание, — велел сыновьям Коди, отлично понимая, что сами они никогда до этого не додумаются.

Повинуясь отцу, они подошли к Леноре, и та, подставив щеку, как должное приняла каждый поцелуй, не преминув поправить при этом одежду мальчиков, пригладить волосы и раздраженно уличить в дурных манерах.

Стоя рядом с Коди на веранде, братья с беспокойством наблюдали, как дедушка укладывает в машину багаж, в то время как бабушка окидывает их придирчивым взглядом, который не предвещал ничего хорошего. Так и случилось.

Сделав пару шагов к машине, она внезапно остановилась и обернулась, плотно сжав рот и презрительно изогнув брови.

— Не надейся, что, если ты живешь вдалеке от нас, я не узнаю, что здесь происходит, — предупредила она.

Коди занервничал. Надо было думать, что она, как и прежде, перед отъездом попытается оставить последнее слово за собой. Она была мастером внезапных атак.

— Не понимаю, черт возьми, на что вы намекаете, — буркнул он.

Ленора посмотрела на Квин, молча стоявшую за спинами Боннеров, и усмехнулась.

— Понимаешь, — многозначительно протянула она. — Во всяком случае, я тебя предупреждаю. Ты не заботишься о моральном облике мальчиков, и я затаскаю тебя по судам, но докажу, что ты негодный отец! Я сделаю все, чтобы защитить детей Клер.

Донни побледнел, Джей-Джей захныкал, а Уилл в панике вцепился в ногу Коди.

Квин не верила своим ушам. Да эта женщина просто ведьма! Она гладит по одной щеке и бьет по другой.

— Ошибаетесь, Ленора, — отозвался Коди. — Вы перешли все границы, и теперь я позабочусь о том, чтобы вы никогда снова не увидели своих внуков. Понятно? — Ноздри Коди раздувались от гнева, а подбородок чуть заметно дрожал. — И запомните вот что: попробуете хоть раз еще мне пригрозить, клянусь Богом...

Обняв сыновей за плечи, Боннер увел их в дом. Квин, отступив, чтобы пропустить их, почувствовала, что Коди не в себе от ярости.

Аллен Уиттьерс не оправдывал жену. Это чувствовалось по его походке и холодному презрительному взгляду, каким он смотрел на нее, сопровождая к машине. Но он не выступил в защиту зятя, и, по мнению Квин, это было непростительно. Не отдавая себе отчета в том, что делает, она рванулась с крыльца и подскочила к машине как раз в тот момент, когда Аллен открыл дверцу, чтобы усадить жену.

— В чем дело? — спросила Ленора, возмущенная наглостью домоправительницы.

— Знаете что? — спокойно отозвалась Квин, словно и не слышала грубого вопроса собеседницы. — В детстве мне всегда казалось, что мы с сестрами обделены тем, что у нас нет ни бабушек, ни дедушек, которые баловали бы нас, пекли пироги, приглашали в гости. — Она придвинулась ближе и сейчас смотрела на Ленору в упор. — Но если бабушки и дедушки ведут себя так, как ведете вы, то я рада, что у меня их никогда не было. Мне просто чертовски повезло!

Квин резко повернулась и двинулась прочь, не обращая внимания на злобные выкрики ей вслед, затем, представив испуг мальчиков, обернулась:

— И вот еще что. — Она повысила голос и указала на Ленору пальцем. — Если вы еще раз побеспокоите Коди или попытаетесь хоть как-то навредить мальчикам, то будете иметь дело со мной!

Аллен завел машину и рванул с места прежде, чем Ленора успела захлопнуть дверцу.

— Нет, ты подумай! — возмутилась Ленора. — Она посмела так разговаривать со мной!

Аллен с отвращением посмотрел на жену, сожалея о том, что ему в свое время не хватило мужества осадить ее так, как это сделала рыжая красавица.

— Успокойся, — бросил он вместо этого. — Нам далеко ехать.

* * *

Ударом ладони Квин открыла дверь, а затем с шумом захлопнула. Грудь ее тяжело вздымалась, она ловила, словно задыхаясь, ртом воздух, зеленые глаза метали молнии, и, если бы кто-нибудь сейчас встретился у нее на пути, ему бы не поздоровилось.

Немного отдышавшись, она посмотрела на перепуганных до смерти Боннеров.

Коди расслышал только последнюю фразу Квин, но она вселяла в него надежду: «Будете иметь дело со мной». В них слышалась угроза.

Обещание явно ему на руку, хотя на самом деле он вовсе не защиты хотел от Квин Хьюстон.

В ее лице безошибочно угадывалась страсть, и, пусть рождена она ненавистью, это служит доказательством того, что Квин способна и на большую любовь. Только тот, кто может так сильно ненавидеть, умеет и глубоко любить. Вот что он чувствовал, глядя на нее, и именно этого жаждал.

А она хотела уехать из Сноу-Гэпа.

— Мальчики, идите к себе, — тихо скомандовал Коди.

Гнев Квин прошел, и она вдруг обмякла и, прислонившись к двери, закрыла лицо руками. «Господи, что я наделала?» — подумала она, слушая шаги мальчиков по ступеням.

— С тобой все в порядке? — спросил Коди.

Квин кивнула и, смутившись, отвела взгляд.

— Квин...

Его голос привел ее в чувство. Она неохотно посмотрела на него и судорожно сглотнула.

— Прости, я...

Приложив ей указательный палец к губам, он прервал ее извинения прежде, чем она успела принести их.

— Нет, это ты должна простить меня! Мне очень жаль, что я поставил тебя в такое положение... вовлек в свои проблемы...

Его палец жег ее губы. Весь рот горел как в огне.

А то, что она не отстранилась, взволновало Коди. Он ждал, что Квин оттолкнет его, бросится прочь, она же просто стояла и смотрела на него широко открытыми зелеными глазами, и он неуверенно продолжил:

— Я сожалею о многом, Квин Хьюстон, но только не о том, что ты вошла в нашу жизнь. Спасибо тебе за то, что ты здесь... и за прошедшую ночь.

Он провел пальцем по ее подбородку и почувствовал, как она вздрогнула от его прикосновения.

Значит, он все знал! А она-то думала, что он спит. Ее лицо густо покраснело.

— Ничего особенного я не сделала, — сказала Квин, отступая, так как была слишком встревожена его прикосновением. — Я боялась, что ты разбудишь мальчиков.

Он кивнул:

— И все же...

— Забудь об этом, — ответила она.

Он, прищурившись, смотрел на нее. Затаив дыхание, ждал, что сейчас она попросит проводить ее до автобуса. Неужели вот в эту минуту она напомнит ему, что выполнила свою часть сделки и теперь настало время, чтобы он выполнил свою?! Но ничего подобного не произошло, и он не стал затрагивать эту тему. А потому они стояли, глядя друг другу в глаза, и молча злились, не понимая, что эта злость вызвана отнюдь не их отношениями, а сложившейся ситуацией.

Квин злилась на себя за то, что проявила... что взвалила на себя всю ответственность за Боннеров.

Обойдя Коди, она прошла на кухню и загремела там посудой. Она не желает больше ни о ком заботиться. Когда же кто-нибудь позаботится о ней самой?!

Эйфория от отражения лобовой атаки Уиттьерсов прошла, а вместе с ней исчез и аппетит Коди. Его настроение угрожающе менялось с каждым днем, и Донни, наблюдая за отцом, переживал, считая его поведение ненормальным. Он нагнетает обстановку, и если, не ровен час, их дом взлетит в воздух, то он и этого не заметит, решил Донни.

Квин же почувствовала, что не может больше оставаться сторонним наблюдателем. Со дня отъезда Уиттьерсов прошла целая неделя, а настроение Боннера-старшего становилось все хуже. Он по-прежнему плохо спал из-за ночных кошмаров. Итак, настало время вмешаться. Квин дождалась, когда мальчики легли спать, а Коди, над чем-то размышляя, возбужденно ходил по веранде.

«Пусть объяснит мне, в чем дело», — решила Квин. Она поправила блузку и, прежде чем открыть дощатую дверь, собралась с духом.

Коди слышал, как скрипнула дверь. Квин! Ему не надо было оборачиваться, чтобы понять это. Вокруг него все вмиг наэлектризовалось.

— Что случилось? — спросил он.

Начать разговор было нелегко, но Квин легких путей никогда не искала, и сегодняшний вечер не станет для нее исключением.

— Это ты мне должен сказать, — ответила она.

Коди закрыл глаза и улыбнулся, надеясь, что в темноте она не разглядит выражение его лица. В жизни еще не встречал таких прямолинейных женщин, как Квин!

— Ты совсем не спишь, — продолжила она, — а когда засыпаешь, то видишь те же сны.

С его губ сорвалось и повисло в ночи негромкое проклятие.

— Давай не будем, — буркнул он.

— Конечно, это не мое дело, но я не могу смотреть, как ты мучаешься.

Он вскочил со стула, разозлившись на нее за то, что она все поняла. Вцепившись руками в перила, он посмотрел в ночное небо, и небеса, которые он когда-то покорял, придавили его к земле. Постоянный страх стал для него якорем.

— Как ты не понимаешь, черт возьми! — сказал он.

— Я думаю, это ты не понимаешь, — ласково отозвалась Квин и, чтобы подбодрить его, нежно взяла за руку. — Наверное, тебе надо вернуться к тому, с чего ты начал, и снова поехать к доктору. То, что с тобой происходит, врачи называют синдромом затянувшегося стресса. Разве может тебе стать лучше, если своим поведением ты вызываешь новые стрессы?

Опустив плечи, он повернулся к ней лицом, оперся о перила и, скрестив на груди руки, стал сверлить Квин взглядом, жалея, что в темноте видит лишь ее силуэт.

— Стоит мне начать, и конца этому не будет. Придется постоянно ездить туда. Не забывай, что случилось в тот день, когда я оставил мальчиков одних.

Так, кажется, Квин знает, что творится в его душе и почему он так страдает: нет смысла начинать дело, если оно не будет закончено... и причиной тому — она. Она обещала остаться с ними только на время визита родителей его жены, а они уехали несколько дней назад.

Закусив губу, она раздумывала, как объявить ему о том, что она давно решила.

— Да, но это было до моего приезда, — наконец выдохнула она. — Теперь я здесь и пока не собираюсь уезжать. Почему бы тебе еще раз не отправиться к доктору?

Коди ушам своим не поверил. Она согласна остаться, и остаться на неопределенное время! Сердце его радостно забилось, ему нестерпимо захотелось заключить ее в объятия, но увы, этого делать нельзя.

— Ты отдаешь себе отчет в том, что говоришь? — спросил он.

— Да. — Она звонко рассмеялась в ответ. — И это не сиюминутное решение. Я все хорошенько обдумала.

— В том-то все и дело, — покачал головой Коди. — Ты остаешься из чувства долга, и это еще больше усугубляет мою вину перед тобой. Неужели не понимаешь? Что, по-твоему, я должен чувствовать, снова воспользовавшись твоей добротой?

— Может, в первый раз так оно и было, — ответила она, — но сейчас совсем другое. Никто меня не принуждает. Я сама решила все и остаюсь по доброй воле. Ну что, договорились?

— Господи, леди, — выдохнул Коди и порывисто шагнул к ней. — Не знаю, чем мы заслужили такое к нам отношение, но я вечно буду благодарен тебе за это.

Он протянул к ней руки, но она уже исчезла. Послышался скрип двери, затем поворот ключа и ее голос из темноты:

— Спокойной ночи, Коди. Иди спать и постарайся заснуть. Завтра наступит совершенно новый день.

* * *

И начались поездки. День шел за днем, неделя сменялась неделей, приближалась осень, и Квин забыла о своем намерении поехать в Аризону. Ежедневные хлопоты не оставляли ей времени для грусти. В доме опять звучал смех Коди, он снова шутил с сыновьями, занимаясь в лесу заготовкой дров на зиму.

Квин научилась не вздрагивать, когда он приближался, и даже отвечала улыбкой на улыбку, повстречавшись с ним в коридоре. Но больше всего она любила вместе смеяться над мальчиками и их забавами. Да, прекрасное время!

Коди порылся в груде одежды, лежавшей на его кровати, затем взял ее в охапку и понес вниз.

— Поторопитесь, парни! — закричал он. — Я хочу добраться до Сноу-Гэпа до полудня.

— Что ты делаешь? — удивилась Квин.

— Хочу отделаться от старья, — бросил он небрежно и, подойдя к лестнице, снова крикнул: — Парни, если вы не поторопитесь, я уеду без вас!

Заглянув в гостиную, Коди увидел, что Квин любовно перебирает вещи, которые он только что вытащил из своего шкафа.

— А что делаешь ты? — изумился он.

— Почему ты решил их выбросить? Они выглядят как новые.

Квин держала в руках пару свитеров и тяжелое замшевое пальто, отделанное овчиной.

— Потому что я растолстел с тех пор, как демобилизовался, — ответил он. — Тогда я весил на двадцать фунтов меньше, чем сейчас.

Квин искоса посмотрела на него, прикидывая, сколько он мог весить без этих лишних фунтов, и покачала головой:

— Значит, тогда ты был просто тощим.

— Но факты говорят сами за себя: эта одежда мне мала.

— Ты не против, если я возьму кое-что себе? Я привыкла к поношенным вещам. Джонни приносил нам именно такие, — сказала она и поспешила добавить: — Конечно, я возьму не все, но эти свитера мне вполне подойдут. — Она взяла в руки один из них и, растянув рукава, приложила его к груди. — Вот видишь? Рукава, правда, немного длинны, но я их подверну.

— Можешь взять все, что захочешь, — ответил он, стараясь не думать о ее роскошных формах под тонкой шерстью свитера.

Удивительно, что она может носить одежду, которую уже носил кто-то другой. Клер спустя год не надевала даже свою... И вдруг он вспомнил, что в первый раз увидел Квин под грузовиком в старых потертых джинсах и стоптанных ботинках. И тут он понял, что почти ничего не знает о ее прежней жизни. Он не мог даже вспомнить, упоминала ли она раньше имя «Джонни»!

Квин тем временем с восторгом рассматривала одежду, разбросанную на тахте. Коди наблюдал, как она радостно просунула руки в рукава его пальто и стала вертеться у окна в гостиной, рассматривая свое отражение.

— Неплохо, совсем неплохо, — констатировала она. — Когда зимой я надену под него теплую одежду, оно будет мне впору. Как ты думаешь?

— Я думаю, что ты черт знает какая женщина, Квин Хьюстон! Вот что я думаю. Я также думаю, что тебе надо поторопиться, если ты собираешься поехать с нами.

Она не заметила, как дрогнул его голос, и слава Богу. Всякое проявление эмоций с его стороны всегда вызывало у нее беспокойство. С легкой улыбкой, едва не приплясывая от радости, она выбежала из комнаты, как была, в пальто и с кучей свитеров в руках.

Ему же было стыдно оттого, что он так мало уделял внимания этой стороне ее жизни, считая все само собой разумеющимся. Коди опустился в кресло, оперся локтями о колени и стал молча смотреть в потолок, пытаясь представить Квин девочкой, которая всегда носила одежду с чужого плеча. Возникший образ выдавил слезу из его глаз, и он вздохнул с облегчением, когда наконец услышал на лестнице шаги сыновей.

— Пора, — сказал он. — Донни, помоги мне отнести все это барахло в машину. Уилл, надень курточку. Джей-Джей, зашнуруй ботинок.

— Подождите меня! — закричала Квин, сбегая вниз.

На лице ее играла улыбка, зеленые глаза блестели, словно свежескошенная трава на солнце, распущенные волосы задорно развевались... На ней были почти новые джинсы, красный свитер, который она только что унаследовала от него, и все те же старые ботинки.

«Подождать вас? Да я готов ждать вас всю свою жизнь, леди!»

Но эта мысль так и не была озвучена, ибо Квин смутилась бы, услышав подобное, да и сам Коди не был готов высказать это вслух. Пока не готов.

— Как здорово! Квини едет с нами! — завопил Джей-Джей. — Садись со мной! Садись со мной.

— Не суетитесь, мужики, — сказал Коди. — Она сядет рядом со мной. Поехали!

Квин ликовала: пусть хоть чуть-чуть, но она чувствует себя членом этой семьи. Импульсивно прижав к груди кошелек, она наслаждалась свежестью утра и ясным небом. И ехала она по делу. Сегодня в Сноу-Гэпе она решила наконец осуществить задуманное. Она все время откладывала этот важный шаг, и отсрочка уже стала нервировать ее. Итак, доля Квин в пять тысяч долларов откроет сегодня первый в ее жизни банковский счет.

— Все готовы? — Коди вышел во двор и краем глаза заметил, что Квин пересчитывает содержимое своего кошелька.

— Я готова, — ответила Квин, залезая в машину. Закатав рукава свитера, она поправила упавшую на лицо прядь волос и улыбнулась, несмотря на данное себе обещание оставаться спокойной и хладнокровной.

Коди не переставал удивляться ее странному возбуждению, и на какой-то момент в его душу закрался страх, что именно сегодня она объявит о своем отъезде. Ему в голову даже пришла мысль отказаться от поездки под каким-нибудь благовидным предлогом, вернуться в дом, запереть ее там и никогда не выпускать, но, пересилив себя, он стал смотреть на дорогу прямо перед собой, стараясь побороть тревогу.

Мальчики тем временем уткнулись в карманные компьютерные игры, а Коди все еще размышлял, как начать с Квин разговор, чтобы он потом не перешел в ссору, чем обычно все и кончалось. Мысль о том, что он может потерять ее, страшила Боннера.

— Итак... какие у тебя на сегодня планы? — спросил он наконец.

Квин испуганно посмотрела на него, крепче сжала лежавший на коленях кошелек и с трудом выдавила из себя:

— Так, ничего особенного. — Посмотрев в окно, она вдруг крикнула: — Смотрите, гуси! Они летят на юг, чтобы перезимовать там. По крайней мере так нам говорил Джонни...

— Квин... кто такой Джонни?

Глаза ее расширились от удивления, и она на мгновение лишилась дара речи.

— Как?.. Он был моим отцом, — наконец объяснила она. — Разве я никогда не говорила?

Коди вздохнул с облегчением и смущенно улыбнулся:

— Ты, кажется, никогда не называла его имени. А почему ты зовешь его Джонни? Почему не папой?

Квин, ни секунды не раздумывая, ответила:

— Потому что он никогда не был нам настоящим отцом. Он был просто Джонни. Понимаете?

Боннер, впрочем, так ничего и не понял. Чем больше он узнавал Квин, тем больше возникало загадок. Они уже почти доехали до Сноу-Гэпа, когда он внезапно спохватился, что так и не узнал, чем был вызван радостный блеск в ее глазах.

Глава 7

Коди стоял на углу улицы напротив банка, делая вид, что глубоко задумался. Задача была не из легких, потому что прошло уже почти полчаса с тех пор, как Квин исчезла за дверями этого самого банка и до сих пор не появилась.

Он старался убедить себя, что ей пришлось выстаивать длинную очередь, чтобы получить деньги по чеку, который он ей выписал. В конце концов, не могла же она убежать через черный ход и купить билет на автобус из Сноу-Гэпа?! Но сколько бы умных доводов он себе мысленно ни приводил, сомнения его не покидали.

Неподалеку от Коди остановилась черно-белая полицейская машина. Дверца распахнулась, и, поправив на голове фуражку и кобуру на поясе, оттуда вылез полицейский.

— Как раз вы-то мне и нужны. — Офицер приблизился к Боннеру и протянул ему руку. — Нам давно пора познакомиться.

Коди удивленно и явно с недоумением посмотрел на него.

— Извините, — сказал офицер и рассмеялся, заметив растерянность в его глазах. — Кажется, я хватил через край. Просто получили по факсу вашу фотографию после того, как было сделано заявление о вашем исчезновении. Я Абел Миллер, шериф Сноу-Гэпа.

Кривая ухмылка исчезла с лица Боннера.

— Значит... шериф Миллер, нам наконец суждено встретиться, — отозвался Коди, пожимая протянутую руку. — Квин и мальчики мне о вас рассказывали. Слов нет, чтобы выразить свою благодарность за все, что вы сделали для моей семьи.

— Да я ничего особенного и не сделал. Скажите спасибо вашей сестре, что она вовремя вмешалась.

— Она мне не сестра.

Шериф Миллер нахмурился:

— Но она заверила меня...

— Нет, нет, — поспешил прервать его Коди. — Дайте объяснить, иначе мне несдобровать. Я просто неправильно выразился. Я хотел сказать... мы не состоим в родстве... по крайней мере не кровные родственники. Так сложились обстоятельства.

Коди не стал кривить душой.

Абел Миллер улыбнулся, сдвинул фуражку на затылок и прислонился к стене.

— Ах да, она что-то говорила. Наверное, я ее не совсем правильно понял. Вы стоите здесь уже с полчаса, не сводя глаз с банка. Что вы здесь делаете? Разрабатываете план очередного ограбления?

Шериф засмеялся так громко и заразительно, что Боннер, хотя и несколько смутившись, не мог не рассмеяться вместе с ним.

— Нет, — ответил наконец он. — Я жду Квин. У нее... у нее там какое-то дело...

— Не обращайте внимания, — махнул рукой Миллер, — я просто пошутил. Сегодня суббота, и у них там полно работы. Сноу-Гэп — маленький городок, правда, у нас здесь развит туристический бизнес. Мы считаемся неплохим лыжным курортом. — Он вздохнул и водрузил фуражку на место. — Позже, когда пойдет снег, начнется наплыв туристов. Грядет настоящее столпотворение. От приезжих здесь все неприятности.

Боннер собрался уже было ответить, но тут его внимание привлекла некая парочка — из банка под руку с каким-то мужчиной вышла Квин и, оглядывая улицу, остановилась.

— Ваша сес... вернее, Квин... быстро заводит знакомства, а? — спросил Абел Миллер.

— По всей видимости.

Что еще мог сказать Коди в ответ на такое замечание? Тем не менее сердце его предательски екнуло, и горечь, столь же незнакомая, как и человек, переходивший дорогу вместе с Квин, болью отозвалась в его душе.

«Я ревную!»

Но не успел Боннер проанализировать свое состояние, как Квин с незнакомцем были уже рядом.

— Шериф Миллер, — приветливо кивнула Квин, немного встревожившись, так как все еще боялась, что за ложь ее могут привлечь к суду.

Шериф Миллер улыбнулся и учтиво приподнял фуражку, однако от его внимания не ускользнул холодный взгляд, которым Коди окинул незнакомца.

— Почему так долго? — нахмурился Коди, многозначительно глядя на руку Квин, которая покоилась на руке незнакомца.

— Все отлично! — воскликнула Квин, и улыбка озарила ее лицо, ибо, судя по всему, она просто сгорала от радостного возбуждения. — Коди, ты даже представить себе не можешь? Стою я в очереди, ожидая, когда займутся моим делом...

Боннер тотчас потерял свою мысль и совершенно запутался. Какое дело могло привести ее в этот банк? Чем она занималась там целых полчаса? Ему она никогда не уделяла столько времени! Возможно, если бы он сломал ногу или простудился, она бы задержалась рядом с ним подольше.

— ...внесут в список на этот год. — Квин замолчала, и Коди вдруг осознал, что абсолютно ничего не слышал.

— Повтори, что ты сказала, — смущенно попросил он.

Квин закатила глаза и, подойдя к нему вплотную, помахала рукой у него перед носом, проверяя реакцию. Надо же, совершенно отключился!

— Тук-тук, — произнесла она задумчиво. — Есть кто-нибудь дома?

Боннер рассмеялся: она еще никогда не поддразнивала его, и он даже не представлял, что она способна шутить.

— Прости, Квин. У меня в голове такая неразбериха, а все потому, что шериф Миллер только что заподозрил меня в попытке нового ограбления. — Махнув рукой в сторону банка, он усмехнулся.

Квин посмотрела на шерифа, а затем снова на Коди.

— Значит, застукал на месте преступления? — Она лукаво улыбнулась.

— Похоже на то, — ответил Боннер.

Он с удивлением увидел веселых чертиков в ее глазах. Как бы ему хотелось узнать, что стало причиной ее радости.

Шериф кашлянул и поддел ногой лежавший на мостовой камень. Квин густо покраснела, а Коди совсем растерялся и на время онемел. Беседуя, они совсем забыли об окружающих.

— Извините, — выдавил наконец Боннер. — Мы просто как два идиота. Я забыл вам представиться. Вот что значит не приучен к хорошим манерам. — Коди протянул руку незнакомцу, сопровождавшему Квин: — Коди Боннер.

— Это Стэнли Брасс, — поспешила представить мужчину Квин. — Директор школы, куда пойдут мальчики. Мы с ним разговорились, и я решила, что тебе надо познакомиться с человеком, который будет отвечать за твоих сыновей.

Страх, поселившийся в душе Боннера, моментально исчез. «Слава Богу! — подумал он. — Это всего-навсего директор школы».

Присмотревшись к Брассу, Боннер пришел к выводу, что тот не представляет собой никакой опасности. В нем не было ничего привлекательного: тучный, лет пятидесяти, с редкими волосами. Конечно, были еще обаятельная улыбка и живые глаза, но в общем и целом он не привлекал к себе особого внимания. Самым же лучшим, по мнению Коди, было то, что он носил обручальное кольцо.

— Мистер Брасс, я очень рад познакомиться с вами. Думаю, с моими мальчиками вы познакомитесь с не меньшим удовольствием.

Все рассмеялись, и атмосфера разрядилась. Через несколько минут Квин, оставив троицу беседовать на улице, ушла по своим делам. А дел у нее было много.

— Встретимся через час в ресторане, — шепнула она Коди перед уходом.

Тот, не прерывая разговора, улыбнулся и кивнул. Стороннему наблюдателю показалось бы, что он с головой ушел в предмет обсуждения, но на самом деле все обстояло не так: Коди проводил Квин глазами, чтобы в случае чего знать, где ее искать.

— Послушай, папа, разве ты не спросил ее, куда она пошла?

Вопрос Донни насторожил Уилла и Джей-Джея. Дети с нетерпением ждали Квин, чтобы вместе с ней отправиться на ленч.

Коди покачал головой, обуздывая богатое воображение. Мысленно представив себе ее маршрут, он занял мальчиков компьютерными играми, а сам заглянул в каждый магазин на главной улице. И вот теперь, когда мальчики пришли в условное место в ожидании пиццы, ему пришлось прервать поиски.

— Знаете что, — предложил Коди, — идите в ресторан и займите столик. И чтобы не умереть с голоду, закажите себе чесночного хлеба и содовой, а я пока поищу ее. Квин наверняка задержалась где-то в магазине готового платья. Договорились?

Предложение было встречено одобрением, и Донни повел младших братьев в зал, где подают пиццу. Отметив, что мальчики прекрасно устроились за столиком, Коди быстро двинулся в том направлении, где последний раз видел Квин.

Стоял ясный день. В горах на небе сияло солнце. Сегодня хорошо путешествовать. Пришедшая в голову мысль до смерти напугала его.

Он прошел вверх по одной улице, затем вниз по другой, заглядывая во все двери. Он обошел четыре квартала, не пропуская ни одного магазина, но Квин нигде не было.

— Послушайте, — обратился он к мужчине, вышедшему из аптеки. — Где тут можно купить билет на автобус и откуда он отправляется?

Немного подумав, тот махнул рукой в нужном направлении.

— Наверное, автобус все еще стоит у кафе на Турнерстрит, но я не уверен, что именно там продаются билеты.

— Спасибо, — поблагодарил Коди и бросился бежать по улице. Он свернул за угол, указанный мужчиной, и в ужасе застыл на месте, увидев, как длинный серый автобус, покинув парковку у кафе, выезжает на шоссе.

— Нет! — Коди кричал во весь голос, но не замечал этого, пока не увидел, что на него с удивлением оборачиваются прохожие. — Господи... нет, — прошептал он и нервно пригладил волосы. Он нигде не смог ее найти и опоздал на автобус, на котором она, по всей видимости, уехала.

Голова его поникла, и он как неприкаянный топтался на месте, не зная, что предпринять. Он потерял ее навсегда.

Сердце его вдруг заныло, он задыхался, перед глазами все плыло. Постаравшись сфокусировать взгляд на висевшем над головой дорожном знаке, Коди затем посмотрел на небо и, закрыв глаза, перевел дыхание, пытаясь хоть немного успокоиться. И тут он услышал, как кто-то позвал его.

Квин почти бежала и, приблизившись к нему, улыбнулась. Волосы ее беспорядочно разметались, в одной руке она сжимала кошелек, в другой держала маленький бумажный пакет.

— Где ты ходишь? — спросила она, прикладывая руку к груди, ибо сердце ее, казалось, вот-вот выпрыгнет. — Мы же решили поесть пиццу.

Коди не мог вымолвить ни слова, нервы были натянуты как струны. Он видел, как на шее у нее пульсирует жилка, и представил, как сильно стучит ее сердце.

В висках у него застучало, и лицо его запылало, словно от ожога. Он увидел немой вопрос в ее широко распахнутых зеленых глазах и слегка приоткрытый от изумления рот, и в нем проснулась нежность к ней.

— Черт возьми, леди!.. — прошептал он и заключил ее в объятия.

Трудно сказать, кто из них был ошеломлен больше, — Квин, поскольку вдруг оказалась у широкой мускулистой груди, или он сам, потому что решился на такое. Прошла целая минута, прежде чем они смогли оторваться друг от друга. Квин первая вырвалась из его объятий, Коди же лихорадочно затараторил:

— Прости, — он отнял руки, не давая ей возможности обидеться, — боюсь, ты неправильно меня поймешь.

Квин в изумлении отшатнулась.

— А что же случилось? — спросила она, явно нервничая.

Коди тяжело вздохнул и отер взмокший лоб.

— Тебе лучше не знать.

— Но я хочу знать, Коди Боннер. Я не только хочу знать, но и хочу понять, что заставило тебя сграбастать меня, словно какую-то муху и...

Вопрос застыл на ее губах. Она увидела панику в его глазах и автобусную остановку за его спиной. И тут ее осенило: он думал, что она сбежала!

Он отвернулся и теперь невидяще смотрел в сторону кафе, решая, что лучше: сказать правду и тем самым выдать себя или солгать в надежде, что она поверит. Взглянув на нее, он тотчас понял, что лгать ему не придется: Квин уже знала правду.

Сжав кулаки, она что есть силы ударила его в живот.

— Будь ты проклят, Коди Боннер! Я вовсе не заслужила такого отношения.

Он принял удар как должное и вовсе не собирался оправдываться, так как она пришла в неописуемую ярость.

Резко повернувшись, Квин зашагала прочь, чтобы он не увидел слез, которые внезапно навернулись ей на глаза.

— Вы правы, леди, — прошептал Коди. — Такого отношения вы не заслуживаете.

Признание вины было единственным, что могло остановить ее, но не утешить. В долю секунды он разрушил иллюзии Квин, что она является неотъемлемым членом его семьи, поскольку ей якобы нельзя доверять.

Догнав ее, он осторожно развернул ее к себе лицом. Теперь они снова стояли вплотную друг к другу, но она не поднимала глаз... не могла поднять, ибо не хотела вновь уловить сомнение на его лице и убедиться, что она для него ничего не значит.

— О Господи, милая, не отталкивай меня, — прошептал он, не замечая того, что они стоят на заполненной людьми улице в самый разгар дня, причем так близко, что кажется, через мгновение начнут обниматься.

Квин наконец посмотрела на него блестящими от слез глазами и, молча покачав головой, снова отвернулась. Душевная боль была нестерпимой... и такой глубокой!.. Какие уж тут слова.

— Прости, прости! Все, что я могу сказать... Я запаниковал. Ты сказала, что уйдешь всего на час, а прошло почти два. Я искал тебя, искал и нигде не мог найти.

Квин что-то прошептала.

— Что? Я не расслышал.

— Я сказала, — закричала она, выплескивая наружу всю свою злость, — что отдавала в ремонт обувь. Это заняло больше времени, чем я ожидала.

Она пнула его по ботинку носком своей туфли, обращая внимание на новые сверкающие черные подметки.

— Так ты просто чинила свои ботинки? — Его голос звучал все громче, пока не перешел в крик. А потом он захохотал.

Не дав Квин опомниться, Коди подхватил ее на руки и стал танцевать джигу прямо посередине улицы. Продавщица за витриной магазина с улыбкой посмотрела на них, какая-то прохожая весело рассмеялась, но Боннеру это было безразлично: пусть хоть весь город их видит!

— Немедленно отпусти! — гневно выпалила Квин, одергивая свитер, который развевался в танце. Ее щеки сделались такими же красными, как и ее волосы, а на носу выступили едва заметные веснушки. — Что подумают люди?

— Мне наплевать, что они подумают, — ответил Коди, опуская ее на землю. — Для меня самое главное, что ты здесь. Меня даже не волнует то, что ты, разозлившись, не будешь разговаривать со мной... пусть даже целую неделю!

Улыбка его была такой заразительной, что Квин перестала злиться. Закусив губу, чтобы не рассмеяться, она великодушно произнесла:

— Ну ладно... пригладь волосы. В таком виде нельзя идти в ресторан.

— Да, мадам, — ответил он, на ходу доставая расческу и стараясь не отставать от нее.

— И когда мы придем в ресторан... ради всего святого, не говори мальчикам, каким ослом ты себя выставил, — добавила она. — Ты, наверное, и без того напугал их до смерти.

— Никоим образом.

— Слава Богу, что хоть на это ума хватило, — усмехнулась она, ускоряя шаг. Коди послушно поплелся сзади.

Переведя дух, он постарался смотреть на пятнышко на ее правом плече, чтобы не искушать себя видом ее стройных бедер, но это было невозможно: слишком уж она была высокой и длинноногой.

Перед тем как войти в ресторан, Квин повернулась к обидчику и, указательным пальцем тыча ему в грудь, отчеканила:

— Улыбайся. Делай вид, что ничего не случилось.

Естественно, сама она натянула на лицо улыбку, что дало Коди слабую надежду на прощение.

— И запомни: я не люблю пиццу с анчоусами и маслинами, — как ни в чем не бывало добавила она у самой двери.

Толкнув дверь, она вошла в ресторан. А Коди пусть решает, следовать ему за ней или нет.

Менее чем через месяц должна начаться учеба в школе. Коди стоял на веранде, наблюдая, как мальчики с легкой руки Квин играют на заднем дворе в так называемого «одноглазого кота». Из-за разницы в возрасте Боннер опасался, как бы с началом учебы они не отдалились друг от друга, особенно Донни, который уже стал тинейджером. Оставалось лишь надеяться, что их привязанность друг к другу с годами не исчезнет.

— Кто победил? — спросила Квин.

Коди повернулся к ней и улыбнулся:

— Никто. Вернее, все. Именно в этом прелесть игры, не так ли?

Квин кивнула:

— Мы с сестрами всегда так играли. Частично потому, что у нас совсем не было игрушек, но еще и потому, что в нашем дворе не хватало места для других игр.

— Ты скучаешь по ним? — спросил Коди.

Закусив губу, она отвела взгляд.

— Больше, чем ожидала.

— Ну так позвони им, и пусть счета тебя не беспокоят. Ты ведь знаешь, деньги меня не волнуют.

Квин припомнила, как он старался щадить ее чувства с того самого злополучного дня в Сноу-Гэпе и с благодарностью ответила:

— Я знаю. Просто... У нас с Лаки нет возможности связаться друг с другом, а когда я однажды попыталась дозвониться до Даймонд, то получила от ворот поворот.

Квин нахмурилась, вспомнив, как неприязненно с ней говорила секретарша фирмы звукозаписи, которая организовывала выступления Джесса Игла. Впрочем, она тут ни при чем: наверняка в фирму постоянно звонят поклонницы Игла с просьбой позвать его к телефону, а сотрудники стараются оградить его от них.

— Мне, видимо, никогда уже не встретиться с ними снова, — сказала Квин и нарочито громко закашлялась, ибо голос ее дрогнул. Никакими словами не передать ту боль, которая терзала ее душу.

— Но почему? — спросил Коди. — Мне всегда казалось, что вы очень любили друг друга.

— Конечно, любили... то есть любим, — поправилась она, — но, когда Джонни умер, мы не могли оставаться в Кредл-Крике. Каждая из нас выбрала свой путь в жизни, и сейчас пока не ясно, где нам встречаться.

— Зачем же вы тогда продали свой дом?

Коди слишком мало знал о ее жизни, чтобы понять, в чем дело.

— Сложилась ужасная ситуация, — вздохнув, ответила Квин, — и если бы мы там остались, то просто не выжили бы.

Развернувшись, она ушла в дом, оставив Коди размышлять над сказанным. И хотя Квин никогда не жаловалась, он пришел к выводу, что Квин чувствует себя очень одиноко без своей семьи.

Теперь ему вспомнилось собственное детство. Коди был единственным отпрыском в семье военного. Он рос, не имея постоянного дома и чуть ли не каждый год меняя школу в зависимости от того, куда переводили служить его отца. Такой образ жизни стал для него нормальным явлением. Спустя два года после женитьбы на Клер родители его умерли один за другим с разницей лишь в несколько месяцев. Правда, к тому времени он уже стал жить своей жизнью, с головой уходя в работу и лишь урывками занимаясь семьей.

Подполковник Коди Боннер командовал эскадрильей, входящей в состав Пятьдесят девятого авиационного полка, расквартированного на военно-воздушной базе в городе Эглине, штат Флорида. Он был отличным офицером, но из ряда вон плохим отцом, поэтому после смерти Клер он чуть не лишился своих сыновей. Сейчас ему стало ясно, что ничто не могло бы возместить ему эту потерю.

Он вздохнул, сунул руки в карманы и вслед за Квин вошел в дом. Иногда жизнь складывается чертовски трудно.

Наступил вечер. Утомленные игрой, мальчики быстро проглотили еду, наспех приняли ванну и без лишних напоминаний отправились спать.

Очень скоро дом погрузился в тишину, которая нарушалась только далекими раскатами грома идущей стороной грозы. Время от времени в ночи раздавался скрип рассохшихся половиц и шелест гонимых ветром опавших листьев на веранде.

Беспокойно заворочавшись в постели, Квин потянулась за вторым одеялом, чтобы укрыться потеплее. Только-только она успела устроиться поуютнее, как вдруг раздался пронзительный, душераздирающий крик. Такого она прежде никогда не слышала.

Ни минуты не раздумывая, она вскочила с постели и, в чем была, бросилась по коридору в комнату Коди, думая лишь о том, чтобы поскорее вырвать его из кошмара, пока крик не разбудил детей.

— О, Коди! — прошептала она, подбегая к его кровати. — Я думала, с этим уже покончено.

Полностью пребывая в снившемся ему кошмаре и испытывая невероятные муки, Боннер, раскинув руки, лежал на спине. Ноги его подергивались, он обливался потом, несмотря на то что ночь была прохладной.

Квин залезла к нему в постель, легла рядом и обхватила его голову руками.

— Коди! Коди! Проснись!

Но ее восклицания не прервали мучившего его кошмара.

Осторожно и ласково она касалась его лица, чувствуя, как он напряжен.

Из горла его вырывались стоны и проклятия. Рука Квин скользнула ему на грудь, туда, где сильно и учащенно билось его сердце. Внезапно тело Боннера изогнулось, и Квин бросилась на него в отчаянной попытке удержать от падения на пол.

Она сделала это чисто инстинктивно, почувствовав, что его сон достиг кульминации и сейчас Коди начнет катапультироваться из самолета. Она решила поймать его и не дать упасть на землю.

— О Господи, Коди, проснись! Да проснись же! — шептала она, припав лицом к его груди.

Обвив его руками и закрыв глаза, Квин думала лишь об одном: когда он очнется, то почувствует, что не один и не в пустыне со своей мукой и болью. Она здесь, рядом с ним, чтобы вселить в него бодрость духа. И нет другого пути, чтобы дать понять ему: он не одинок. Она будет бороться за его жизнь... и за него самого.

Коди вздрогнул и очнулся. Последнее, что он помнил, приземлившись, было желание снять с себя парашют. Он тихо застонал и потянулся, чтобы избавиться от тяжести, давившей на него. На этот раз дело оказалось непростым: стропы крепко сжимали ему грудь. Он пошарил руками. Женщина! Он чувствовал ее нежную кожу и округлые формы и даже ощущал исходивший от нее запах шампуня. Странно! Раньше ему никогда не приходилось слышать, что когда люди умирают и попадают на небо, их встречают ангелы, от которых пахнет шампунем.

Он потянулся к голове, чтобы снять шлем, но никакого шлема не было. Пальцы Коди застряли в паутине шелковистых волос ангела, закрывавших ему лицо. Ухватившись руками за кудри, он вздохнул и открыл глаза.

Квин сразу почувствовала, что Боннер очнулся: он затих и как-то разом обмяк. И прежде чем она успела подняться, обеими руками вцепился ей в волосы. Она попала в плен к человеку, которого переполняла боль. Квин приподняла голову, и под покровом темноты, царившей в комнате, взгляды их встретились. Прежде чем он отвел взгляд, ей показалось, что она заглянула ему в душу.

— Квин... ты. — Он выпустил из рук ее волосы и закрыл лицо руками. — Что, черт возьми, случилось?

Квин едва сдерживалась, чтобы не погладить его по лицу. Это не составляло труда, когда он спал, но сейчас...

— Тебе опять приснился сон, — ответила она, пытаясь встать.

Не сознавая того, что делает, Коди схватил ее за запястье и с силой притянул к себе.

— Не уходи, — взмолился он и, выпустив запястье, провел по ее руке до самого плеча. — Не покидай меня, леди.

Сердце Квин сильно забилось, внутри все сжалось, и огонь желания разлился по всему телу. Он просил ее о том, к чему она еще не была готова.

Глаза обоих привыкли к темноте, и Коди уже смутно различал ее силуэт под старенькой ночной рубашкой. Его пенис напрягся и отвердел, тело ныло от давно сдерживаемого желания. Квин пробудила его не только от сна... Желание оказалось столь сильным, что ему непременно надо было дать выход.

Коди крепко сжал ее грудь рукой. Соски Квин тотчас отвердели, вызвав в нем новую волну желания. По телу Коди пробежала дрожь.

Квин, накрыв его руку своей, прошептала:

— Я не могу, — и отняла его руку.

— Почему? Ты мне не доверяешь? Я не причиню тебе никакого вреда, леди. Ты для меня значишь больше, чем любая женщина в моей жизни. Конечно, ты считаешь меня ненормальным, но...

— Нет! — Она закрыла ему рот рукой прежде, чем он успел закончить фразу. — Ты не ненормальный, просто ты сумел выжить. — В ее голосе звучала нежность, и он затаил дыхание. — Ты выжил... так же как и я.

Коди замер, ожидая, что вот сейчас она расскажет ему о себе то, что ему не удалось узнать за все время их знакомства.

— Ты мне не доверяешь? — тихо спросил он.

Квин пожала плечами:

— Я никому не доверяю, даже себе.

Она закрыла лицо руками, и Коди подумал, что она плачет. Но в следующую же минуту Квин отняла от лица руки и расправила плечи.

— У нас ничего не было, и мы сами были никто. Мы были дочерьми картежника. Джонни любил нас, но не проявлял никакой заботы. Мне все время казалось, что я для него чужая. Мы никому не были нужны... я и мои сестры. Вот почему мы цеплялись друг за друга, и это сплотило нас. Нами пренебрегали и считали нас умственно отсталыми так долго, что я почти поверила в это. Когда же я достаточно повзрослела, чтобы отвергнуть напрасные обвинения, было уже поздно. О Господи, Коди! Неужели ты не понимаешь? Я не умею доверять, поскольку не знаю, что такое любовь.

Душераздирающее признание Квин заставило его вскочить, но он не успел удержать ее: она уже выбежала из комнаты. Он рванулся было в ее комнату, но внезапно понял всю тщетность своего порыва. Она только что открыла ему душу, теперь ему самому решать, стоит ли бороться за ее любовь. Сама она никогда не перейдет воображаемую грань дозволенного и не воспользуется шансом обрести любовь.

Ему не понадобится много времени, чтобы принять решение. Солдаты знают, как выживать. Он, Коди Боннер, выживать умеет. Он уже доказал это.

Коди вернулся в постель, лег и стал смотреть в потолок, ожидая, когда утихнет боль и он снова будет владеть собой.

Глава 8

Коди вскоре почувствовал, что товарищеские отношения между ним и Квин навсегда разрушены. Взаимопонимание, для достижения которого потребовались целые месяцы, исчезло за одну только ночь. Только с мальчиками она оставалась прежней. Для Коди же снова стала той женщиной, которую он однажды вытащил из-под грузовика. Их разговоры сводились к одному-двум предложениям, вопросы и ответы в основном были односложными. Но еще чаще они старались избегать друг друга, оправдываясь перед мальчиками и перед собой, что так лучше для всех.

Однако это мало что меняло. Ни один из них не мог забыть ту ночь, когда они едва не переступили заветную черту. Насколько было бы легче, если бы они тогда забылись в объятиях друг друга и попытались вместе избавиться от мучивших их кошмаров.

Ад Коди был порожден единственным инцидентом в его жизни, а ад Квин возник в результате оговоров, которые преследовали ее всю жизнь. Она не в состоянии была справиться сама, а он не знал, как ей помочь. И они продолжали жить, вспоминая каждый о своем и надеясь встретить любовь, и оба желали, чтобы судьба была к ним добрее.

Тем временем настал поворотный момент в их жизни, связанный с первым учебным днем мальчиков.

Не только Квин страшилась этой перемены. Уилл и Джей-Джей все утро ходили за ней по пятам, стремясь под любым предлогом сказаться больными, но увы — в назначенный час все их надежды рухнули.

— Ты будешь скучать, пока мы учимся в школе?

Жалобный вопрос Джей-Джея нарушил тишину, повисшую в холле, когда мальчики готовились к выходу. Квин почувствовала, что за этим вопросом кроется не просто нежелание идти в школу и связанное с ним возбуждение, а панический страх: вдруг, вернувшись домой, он ее не застанет?

Квин улыбнулась и, опустившись на колени, стала застегивать ему курточку.

— Конечно, — ответила она, — но у меня столько работы, что время пролетит незаметно и не успею я оглянуться, как вы уже вернетесь домой и закричите, что проголодались. Так?

— Так, — с улыбкой ответил Джей-Джей.

Поднявшись с коленей, она откинула непокорные вихры с его лба и почувствовала, что мальчик успокоился.

Уилл, незаметная тень своих братьев, как всегда, молча вертелся рядом.

— Уилл, у тебя есть деньги на ленч? — спросила Квин, нежно потрепав его по гладкой щечке.

Он молча кивнул и посмотрел на нее, ища поддержки.

— Все будет хорошо, — приободрила его она. — Не забывай, что вы с Джей-Джеем будете учиться в одной школе.

Он снова кивнул и, обхватив Квин руками, прижался к ней. Она чувствовала его горячее дыхание.

Погладив мальчика по голове, она легонько отстранилась. Хорошо бы никогда не отпускать его от себя!

— Я напеку вам шоколадных пирожных с орехами, — пообещала она.

Уилл радостно улыбнулся.

— Все будет хорошо, — заверил братьев Донни. — Мы будем ездить в одном автобусе. К тому же моя школа находится на той же территории и, если что случится, я сразу же прибегу.

Его слова не удивили Квин: старший сын Коди стал уже настоящим мужчиной, несмотря на то что ему было всего тринадцать. Но она несказанно изумилась другому (Донни, впрочем, тоже не ожидал от себя такого): — отбросив ранец, он бросился ей на шею и крепко обнял.

— Знаешь, мне приятно сознавать, что, когда я не могу с чем-то справиться, — начал он, имея в виду их первую встречу в Сноу-Гэпе, — ты будешь рядом и поможешь мне. Да, Квини?

Она состроила смешную гримасу и ущипнула его за нос. Донни прекрасно знал, что она ненавидела, когда ее называли Квини, но он также знал, что она никогда не сделает им замечания.

— Договорились. А сейчас бегите, ребятки. Папа уже вас заждался. Скажите ему спасибо за то, что он отвезет вас сегодня утром, но вечером вам придется возвращаться на автобусе. Удачного вам дня. Постарайтесь обзавестись хорошими друзьями. И помните, что должны нагулять аппетит. Я буду ждать вас с пирожными.

— Ура!

После того как мальчики ушли, их ласковые слова еще долго звучали в ушах Квин. Подойдя к окну, она словно зачарованная смотрела, как они наперегонки несутся к Коди, который терпеливо ждал их у машины. В считанные секунды они уселись по местам, и Коди завел мотор. В какое-то мгновение ей показалось, что он бросил взгляд в сторону дома, но она решила, что ошиблась, так как он быстро сорвался с места и уехал.

Квин прошлась по комнатам. В доме стояла мертвая тишина. Все затаилось и ждало. Она тоже ждала.

Но это была совсем другая тишина и другое ожидание, ничто не напоминало ее одиночества в Кредл-Крике. Тот дом ждал смерти. Этот дом был полон жизни. Сейчас он просто отдыхал.

Квин глубоко вздохнула и постаралась забыть о трудных взаимоотношениях с Коди. Поднявшись к себе в комнату, она взяла перечень домашних работ длиною в милю, которые ждали такого дня, как этот. Надо было разобрать шкафы, вымыть окна, а потом испечь шоколадные пирожные с орехами. У нее нет времени предаваться грустным мыслям.

Коди дважды объехал квартал, прежде чем припарковаться на главной улице города. Его удивило огромное количество машин на парковочной стоянке Сноу-Гэпа, но потом он вспомнил, что несколько недель назад шериф Миллер что-то говорил о лыжных трассах и туристах. И хотя снега пока не было, туристский сезон, похоже, уже открылся.

Боннер вылез из своего «блейзера», застегнул на все пуговицы пальто, чтобы холодный утренний ветер не пробрал до костей, дважды проверил, хорошо ли закрыты дверцы, и сунул ключи от машины в карман пиджака.

Теперь он не был чужаком в этом городе, и его не могли во второй раз принять за вора, но тем не менее урок пошел на пользу, и он тщательно запирал машину и парковался в положенном месте.

— Мистер Боннер! Можно вас на минуточку?

Обернувшись, он увидел, что ему машет рукой владелица магазина, расположенного напротив. Удивившись такому вниманию с ее стороны, Коди направился к магазину.

— Как хорошо, что я вас встретила, — сказала она, пропуская его в магазин. — Брр... как же сегодня холодно! Проходите, пожалуйста.

Переступив порог, Коди застыл в ожидании. Она нагнулась и стала копаться под прилавком, все время что-то говоря и немало не заботясь, что он ее не слушал.

— У меня здесь заказ Квин, — пояснила она, вылезая. — Его доставили только вчера, а так как все уже оплачено, то я и подумала, что вы можете захватить его с собой. Квин давно заказывала. — Дама сунула в руки Коди увесистый пакет. — Передайте ей мои извинения, что пришлось ждать. Дело в том, что она настаивала именно на этом цвете, а ничего похожего на складе не было, поэтому мне пришлось покупать ткань специально для нее.

Она улыбнулась, распахнула перед ним дверь и отступила в сторону. Все произошло так быстро, что он опомниться не успел.

Коди тотчас вышел из магазина, с недоумением уставился на пакет, гадая, что же скрывается под плотной коричневой бумагой. В конце концов он решил, что это не его дело. Если это было так важно для Квин, что пришлось даже делать специальный заказ, то ему остается только вручить ей пакет. Естественно, нераспечатанным.

Утешив себя тем, что в конце концов он все узнает, Коди двинулся к машине и бросил пакет на сиденье. У него еще были дела в городе, и чем больше времени они отнимут, тем лучше для них обоих. Он не сможет спрятаться в своем же собственном доме, а быть там с Квин наедине, пока мальчики в школе, — это сущий ад.

Хлопнула входная дверь. Квин вздрогнула и посмотрела на часы, стоявшие на камине: время близилось к полудню. Как быстро промчалось утро. Она посмотрела на фотографии, разложенные на кофейном столики. Время пролетело незаметно, потому что она рассматривала фотографии, вспоминая Кредл-Крик. В комнату вошел Коди.

— Ты купил новое пальто! — воскликнула она.

Коди кивнул и протянул ей пакет:

— Миссис Не-знаю-как-ее-там из магазина просила передать тебе это.

Квин улыбнулась, вопреки своему решению держать с Коди дистанцию.

— Ее зовут миссис Эллер.

— Какая разница, — пожал плечами Коди, вешая пальто в шкаф.

Он посмотрел на Квин, ожидая, что она сейчас вскроет пакет, но та просто отложила его в сторону. Коди вздохнул: она не собиралась открывать ему свой секрет, а спрашивать он не решался. Заметив лежавшие на столе фотографии, он опустился рядом с ней на кушетку и, не дав ей опомниться, спросил:

— Чьи это?

Он взял одну из них. На фотографии были запечатлены три женщины, стоявшие бок о бок под деревом.

Он сразу узнал Квин по ее рыжим кудрям, пламенеющим даже в тени дерева. Рядом с ней стояла высокая блондинка, а чуть поодаль — темноволосая женщина с такими же, как у блондинки, чертами лица.

— Семейные фотографии, — ответила Квин. — Нашла, когда разбирала шкаф. Совсем забыла, что сунула их на самое дно сумки, когда покидала Кредл-Крик.

— Вы все такие красавицы, — заключил Коди, переводя взгляд с фотографии на Квин и обратно. — Совсем разные... но очень красивые.

От его слов на сердце у Квин потеплело, но она лишь заметила:

— Мы унаследовали глаза Джонни.

Коди поймал ее взгляд, и они какое-то время смотрели друг на друга в упор. Он не выдержал первым.

— Изумрудно-зеленые, когда ты злишься, и цвета весенней зелени, когда смеешься, — проговорил он.

Квин чуть не задохнулась от нежности, прозвучавшей в его голосе, и, желая вновь отгородиться от него, выхватила фотографию из его рук, но едва она положила ее на стол, как он, усмехнувшись, взял другую.

Фото было очень старым и загнутым по углам; значит, когда-то оно находилось в альбоме. На Коди смотрели мужчина и три маленькие девочки.

— У тебя и улыбка такая же, как у отца. — Он посмотрел на изгиб ее губ и добавил: — В те редкие случаи, когда она появляется на твоем лице.

— Я не успела приготовить ленч, поскольку не ждала, что ты вернешься так скоро, — оборвала она его.

Коди снова посмотрел на фотографию. Ему всегда казалось, что она боялась проявить свои чувства. Он и сам не мог бы сказать, как осмелился на такое, но все было настолько естественно!..

Не успела Квин закончить фразу, как он, склонившись, закрыл ей рот поцелуем. Все произошло так молниеносно, что никто из них не успел опомниться. Их сердца застучали в унисон, тела томились желанием. Отступать было поздно.

Здравый смысл покинул Коди, и его губы становились все требовательнее и настойчивее, как и та часть его тела, которой в это время лучше было бы не проявлять себя.

Рот Квин непроизвольно открылся, она затрепетала.

Губы Коди, холодные от лютого ветра на улице, прижались к ее губам, таким мягким и теплым, словно были согреты жаром ее сердца. Тихий стон сорвался с его губ, когда она осторожно провела языком по его нижней губе.

Квин вздрогнула... она вовсе не собиралась делать этого. Все произошло помимо ее воли. Страх охватил ее, а вместе с ним вернулся и здравый смысл. Да, им лучше остановиться, а то произойдет непоправимое.

Оба вдруг отшатнулись друг от друга. Глаза Квин широко распахнулись от удивления, его же потемнели, как грозовое небо. Все его тело болело. Она же дрожала от возбуждения.

Квин смотрела на его влажную нижнюю губу, ей хотелось отвести взгляд, но увы...

— Пожалуйста, — прошептал он, — научись доверять мне. Ты нужна мне, леди, и не отталкивай меня. Обещаю, что никогда не покину тебя в беде.

Встав с кушетки, он вышел из комнаты, ни разу не оглянувшись. Квин слышала, как закрылась входная дверь. Ее сердце упало. Неужели она настолько рассердила его, что он уйдет, не сказав ни слова? Но не прошло и минуты, как снова хлопнула дверь, и она услышала, что Коди прошел на кухню.

— Я привез пиццу! — крикнул он. — Ту, что ты любишь: без анчоусов и маслин! Поторопись! Я голоден как волк.

Ноги сами понесли Квин на кухню. Она все еще думала о том, что произошло пять минут назад. Он преподал ей хороший урок: страсть легко утоляется пиццей. Такой вывод чуть не вызвал у нее улыбку, но она сдержалась, испугавшись, что он ее неправильно истолкует. Отозвавшись на его призыв, Квин с бесстрастным лицом проследовала на кухню, по пути обдумывая, что бы им выпить.

* * *

Меньше чем через месяц после начала учебного года пошел снег: легкая пороша, которая даже не покрыла землю. Но и этого было достаточно, чтобы вызвать восторг в семье Боннера. Для детей, которые до сих пор знали только Флориду, снег был новым явлением.

Для Квин он стал лекарством, залечивающим старые раны, и знаменовал очередной этап в ее жизни.

— Может, останемся дома? — спросил Донни за завтраком.

Коди рассмеялся:

— Ни за что на свете, негодник. Прежде всего школа, а уж потом игры. Кроме того, судя по словам Абела Миллера, снег вам надоест прежде, чем растает.

Коди и шериф стали хорошими друзьями, а однажды даже вместе охотились. Шерифу надо было сделать обход своей обширной, поросшей лесом территории, и Коди составил ему компанию. Вдвоем было веселее. Они так ни разу и не воспользовались ружьями, зато рассказали друг другу массу интересного, обменялись взглядами на жизнь и пришли к заключению, что мыслят одинаково.

Донни только усмехнулся в ответ и, прежде чем пойти одеваться, задал отцу вопрос, от которого, будучи ребенком, не мог удержаться:

— И даст возможность старине Боннеру проявить себя, не так ли?

Он громко рассмеялся, едва успев отскочить в сторону, когда отец запустил в него диванной подушкой.

Воодушевленные видом снега и тем, что отец первым нанес удар, двое других мальчиков незамедлительно вступили в игру, и в воздухе замелькали подушки.

Квин, стоя на верхней ступеньке лестницы, с любопытством наблюдала за кучей-малой. Мальчишки вместе с отцом катались по полу, в воздухе мельтешили только их руки и ноги. У Квин возникло сильное желание присоединиться к ним.

Даже Уилл, всегда такой спокойный, не удержался и, еле слышно хихикая, принял участие в этой возне.

— Пора бежать к автобусу, — объявила Квин и тут же получила удар подушкой в живот.

Она с удивлением посмотрела вниз и увидела Коди, отряхивающего одежду.

— Извини, — лукаво усмехнулся он. — Это был неуправляемый снаряд.

— О да, конечно, — ответила она, бросая подушку обратно на диван и многозначительно глядя на него, затем спустилась с лестницы и стала укладывать ранцы мальчиков.

— Заправьте рубашки и причешитесь, — скомандовала она.

— Слушаемся, мэм! — дружно ответили они.

Квин с трудом сдержала улыбку, когда Коди, словно расшалившийся ребенок, присоединился к хору мальчиков.

Весело смеясь и подталкивая друг друга, мальчики выбежали во двор. Коди наблюдал, как они дружно рванулись с холма к желтому школьному автобусу, стоявшему внизу.

— Успели! — произнес он, поворачиваясь к Квин, которая с отсутствующим видом прислонилась к дверному косяку.

Пришлось помахать рукой у нее перед глазами и слегка ущипнуть за подбородок, чтобы привлечь внимание.

— Ау, леди, где вы?

— Там, куда ты собираешься. Я вижу по твоим глазам, что ты уезжаешь.

Она отступила от него и отвела взгляд. Оставаясь с ним наедине, она всегда чувствовала себя неловко.

Коди заметил ее замешательство.

— Квин?.. — озабоченно позвал он.

— Они так счастливы, — прошептала она.

— Что ты хочешь этим сказать?

Она потупилась и, опустив глаза, заметила, что пух и перья из подушек застряли между половицами и под плинтусом. Оба молчали, но она знала, что Коди ждет ответа, так как он не привык отступать.

Что-то внутри ее надломилось, и на сердце потеплело. Расправив плечи, она, глядя ему в глаза, произнесла:

— Они счастливы, потому что у них есть ты. — И с этими словами удалилась.

«Если бы ты захотела, то они были бы и твоими», — подумал Коди, но промолчал, прекрасно понимая, что она и сама это знает.

К концу недели намело столько снега, что мальчики стали играть в снежки. Восхищаясь белизной пушистого снега, Квин поддалась на уговоры мальчиков и с готовностью влилась в их компанию. Вскоре вся в снегу, закоченев от холода и мокрой одежды, она уже радовалась новому развлечению.

Позже она не раз вспомнит этот день и удивится: неужели надо было приехать в Колорадо, чтобы именно здесь играть в снежки и повстречаться с интересным незнакомцем?

В самый разгар снежной баталии мальчики, спасаясь бегством от снежков Квин, скрылись на заднем дворе за огромными деревьями. Квин лепила четвертого по счету снежного ангела, когда на ее лицо упала тень.

Она подняла глаза и увидела на фоне голубого неба человека в военной форме. Она зажмурилась, стараясь избавиться от галлюцинации, но тут до нее донесся его голос. Значит, он на самом деле существует, и ей остается только благодарить Бога, что на этот раз она не лежит под грузовиком, вся перемазанная машинным маслом.

— Нужна рука помощи? — спросил незнакомец.

Квин в это время безуспешно пыталась подняться прямо со снежком в руке, но это ей никак не удавалось, поскольку ботинки скользили по снегу.

— О Боже! — воскликнула она.

Мужчина рассмеялся, и Квин решила с честью выйти из сложившейся ситуации.

— Буду признательна. — Она протянула ему руку.

Он мгновенно и ловко поднял ее на ноги, даже не повредив созданный ею шедевр.

— Я пришел повидаться с полковником Боннером, но готов изменить свои планы. Если вы собираетесь взлететь на небеса, то я именно тот, кто вам нужен.

Квин от удивления раскрыла рот. Его дерзкий намек не мог не рассмешить ее. Смех ее был таким звонким и заразительным, что привлек внимание Коди, и он вышел на веранду.

Увидев внизу Квин и стоявшего рядом с ней мужчину, он застыл на месте и чуть рот не открыл от удивления. Этот совершенно незнакомый человек сделал то, что ему не удалось сделать за многие месяцы: он заставил ее смеяться... да еще как! Ему, Коди, в жизни не доводилось слышать такого заливистого смеха. Сердце его от ревности рвалось на части.

Тем временем Квин и незваный гость посмотрели на Боннера, и лицо его расплылось в улыбке.

— Макон, ослиные уши, убирайся отсюда и перестань заигрывать с моей леди!

Квин заглянула Коди в глаза и почувствовала, как земля уплывает у нее из-под ног. Краска стыда залила ее лицо. Как он мог при постороннем человеке сказать такое?! Она стояла как громом пораженная, в то время как офицер, не обращая внимания на грубое замечание Коди, двинулся к нему на веранду.

Квин не сразу пришла в себя, а придя, собралась с силами и бросилась к задней двери. Сорвала с себя мокрую одежду и ботинки и быстро побежала наверх. Мужчины тем временем от приветствий перешли к шуткам и громкому смеху, и она поняла, что теперь поздно исправлять содеянное Коди. Что ж, тогда она просто обязана заявить не только этому незнакомцу, но и самому Коди, что она ничья леди.

Переодевшись в сухое, оглядев себя в зеркало, Квин поспешила в гостиную. Перед дверью она остановилась, пригладила волосы, одернула спортивный свитер и вошла. Увидев ее, Коди тотчас перехватил инициативу:

— Квин, я рад, что ты пришла. Я должен тебя кое с кем познакомить.

— Я зашла спросить, не могу ли чем-нибудь помочь, мистер Боннер?

— Не надо никакого «мистера», дорогая. Это мой старинный приятель, к чему формальности!

Квин грозно прищурилась. Она собиралась поставить на место Коди, а не его приятеля. Это ж надо — в открытую заявить на нее права! И вот опять он испортил все дело, представив ее как члена семьи и назвав «дорогой».

Она постаралась взять себя в руки и проанализировать, что же ее так рассердило. Ведь она сама этого хотела. Разве не мечтала она стать членом семьи? Мечтала. Так какого черта она упрямится? Расправив плечи и приподняв подбородок, она решила действовать по-своему.

Глаза Коди тотчас сузились, улыбка исчезла с его лица. Вид у Квин был такой, словно она объявила ему войну. Понятно, что его слова разожгли адский огонь в ее душе. Да, не избежать ему очередной взбучки.

Но Квин шагнула в комнату.

— Мы вроде бы уже познакомились. — Она одарила мужчин ослепительной улыбкой.

Коди на мгновение потерял дар речи.

— Я как раз собирался представиться вам, когда нас так грубо прервали, — отозвался мужчина, подмигивая Квин. — Подполковник Деннис Макон, служил вместе с Коди на военно-воздушной базе во Флориде и только два дня назад был переведен на базу в Денвер, штат Колорадо.

— Там Коди бывает довольно часто, — откликнулась Квин и тут же поймала себя на мысли, что, возможно, Боннер не хотел, чтобы кто-то знал о его визитах к психиатру.

— Да, — Деннис похлопал друга по плечу, — он уже рассказал мне об этом.

Тут Квин спохватилась, что она так и не представилась гостю должным образом, а Коди, судя по всему, не собирался ей помогать.

— Я Квин Хьюстон... домоправительница Коди, — сказала она, протягивая руку.

По ее глазам было видно, что она предоставляет приятелю Коди право самому решать, какую роль она играет тут на самом деле. Деннису Макону не понадобилось много времени, чтобы во всем разобраться.

— Счастлив познакомиться с вами, ангел, — улыбнулся он и подумал: «Чертовски жаль, что не я встретил тебя первым».

Коди нахмурился: «Ангел!»

— Квини! Квини! У Донни из носа течет кровь!

Отчаянный крик Уилла заставил всех броситься на кухню. Правда, уже через пару минут Квин пришла к заключению, что носовое кровотечение не угрожает жизни Донни, а является просто результатом прямого попадания снежка.

— Больше никаких игр в снежки! — заявила Квин, усаживая Донни на стул. — По крайней мере до тех пор, пока не выпадет новый снег. Этот уже покрылся коркой, и в следующий раз у кого-нибудь под глазом будет синяк. Я правильно говорю, Коди?

В ее голосе звучало беспокойство, и Коди поддержал ее со вздохом облегчения, наблюдая, как Квин прикладывает пузырь со льдом к носу Донни. Потом она с нежностью запустила пальцы в его волосы, чтобы откинуть их со лба.

— Вы нуждаетесь в хорошей стрижке, мистер, — покачала головой Квин, пытаясь скрыть за этими словами свое желание расплакаться при виде его распухших носа и губы.

Коди протянул ей новый компресс и отослал мальчиков наверх, переодеться в сухое, пока взрослые возятся с их старшим братом. Он видел, с какой нежностью Квин оказывает помощь его сыну, и позавидовал ему.

Она была не только женщиной и самой лучшей домоправительницей на свете, из нее получилась бы хорошая мать. Интересно, как бы отнеслись его мальчики к ее постоянной заботе о них? Впрочем, именно ее они звали, когда с ними что-нибудь приключалось.

Деннис с нескрываемым любопытством следил за их настороженными взглядами и осторожными движениями «не дай Бог прикоснуться» и с сожалением думал, что, какие бы планы он ни строил относительно этой рыжеволосой красавицы, факты говорят сами за себя. Нет сомнения, что сердце ее занято, правда, она сама пока не осознает этого, как не осознают и все остальные.

Глава 9

Начавшийся с вечера сильный снегопад в предрассветные, утренние, часы прекратился. Следы на заснеженной грунтовой дороге не могли остаться незамеченными, как не мог остаться незамеченным и тот факт, что впервые за тридцать один год Патрик Муни, который разносил почту по всему Сноу-Гэпу и прилегающим к нему окрестностям, не явился на работу и не отвечал на телефонные звонки.

Его встревоженные коллеги, не теряя времени, позвонили шерифу, и Абел Миллер срочно выехал к дому Муни, расположенному у подножия гор, окружавших Сноу-Гэп.

Абел Миллер и не представлял себе никакой иной проблемы, кроме вполне вероятной возможности застрять в сугробах, так как телефонный звонок заставил его выехать из дома еще до того, как дорожные бригады приступили к расчистке снега.

Шериф осторожно вел машину по заснеженной дороге, но вскоре съехал на обочину, чтобы пропустить школьный автобус, совершавший свой утренний рейс. Он улыбнулся и приветливо помахал рукой знакомым ребятам, среди которых были и братья Боннеры. Благодаря колее, оставленной колесами автобуса, он мог вполне сносно доехать до места.

Абел уже свернул к дому Муни, когда послышался сигнал проезжавшей мимо машины. За рулем сидел Коди Боннер, и Миллер, выбравшись наружу, приподнял шляпу, приветствуя его.

— Вы что-то рано сегодня! — закричал он Коди. — Опоздали на автобус?

Он громко рассмеялся своей шутке, и Боннер, улыбнувшись в ответ, махнул рукой и поехал дальше.

По мнению Абела, Боннер был хорошим человеком и достойно справлялся со своими многочисленными проблемами. В такое время трудно поднимать детей даже в полных семьях, а уж одному-то ох как тяжело! Шериф тут же вспомнил хорошенькую сестру Коди, которая на самом деле ему не сестра, и решил, что их связывает не только забота о детях.

Впрочем, пора приниматься за дело, и Абел направился к дому. Он почуял неладное, едва увидев приоткрытую входную дверь и двойную цепочку следов на снегу: одна вела к дому, а другая от него.

Взбежав на крыльцо, он с недоумением огляделся вокруг. Следы от дома вели к лесу.

— Что за черт? — громко спросил он и направился к двери. — Неужели старину Пата бес попутал и он заплутал?

Абел пошире приоткрыл дверь и заглянул в дом:

— Эй, Пат! Это я, Абел! Ты дома?

Никто не ответил, и в его душу закрался страх. Он вошел в дом и на мгновение застыл на пороге. Спустя секунду он выхватил из кобуры револьвер и, шагнув вперед, оторопел от представшей перед ним картины. Хорошо, что он не успел позавтракать перед выездом из дома.

Абел Миллер многое повидал за пятнадцать лет службы, но такое можно было увидеть, пожалуй, только в деревнях лаосских джунглей после очередной бомбежки.

Вся мебель была перевернута. Картины сорваны со стен. Телефонные шнуры с мясом выдернуты из розеток. На полу валялись разорванные пакеты с крупами и мукой. Почетный значок, который Патрик получил за двадцать пять лет безупречной службы в почтовом ведомстве, был сломан и поблескивал в камине.

Пробираясь в глубь дома, Абел тихо выругался, случайно поскользнувшись на закрытой консервной банке с тунцом. Но не прошел он и нескольких шагов, как ему все стало ясно: то, что осталось от Патрика Муни, лежало в луже крови в дверном проеме его спальни. Голова была повернута под немыслимым углом к туловищу. Такое мог сделать только сумасшедший и злой как черт бандит.

— Черт возьми, дружище, какая страшная смерть! — выдохнул Абел, встав на колени, чтобы пощупать пульс несчастного. Холодная рука уже закоченела, и шериф сразу понял, что им не удастся установить точное время смерти, так как в доме было очень холодно.

Резко поднявшись, Миллер быстро вышел из дома. Не теряя времени, он передал по рации все, что следует, и теперь ему не оставалось ничего другого, кроме как ждать следователя из отдела криминалистики, ведущего дела о насильственной смерти.

Спустя несколько минут в его машине зазвонил мобильный телефон, и он озадаченно схватил трубку:

— Алло?

Звонил диспетчер:

— Шериф... я решил довести до вашего сведения то, что нам сейчас передали по факсу.

— Неужели нельзя подождать моего возвращения? — раздраженно спросил Абел, стараясь отогнать от себя образ мертвого Патрика и с трудом сглатывая ком, застрявший в горле. — И потом, какого черта ты звонишь мне по телефону? Почему ты не воспользовался рацией?

— Чтобы избежать подслушивания радиолюбителей, — ответил диспетчер, намекая на то, что местные жители зачастую настраивают свои приемники на полицейскую волну, чтобы, не выходя из дома, быть в курсе всех событий. — Я подумал, вы не захотите транслировать это сообщение по радио, и к тому же оно имеет прямое отношение к тому, что вы только что обнаружили.

— Тогда валяй, — резко приказал Абел.

Диспетчер начал слово в слово зачитывать текст, полученный по факсу:

— «Вирджил Стрэттон, белокожий, пятидесяти четырех лет, рост шесть футов три дюйма, вес двести сорок фунтов. Глаза карие, волосы седые, большая лысина. Особая примета: на левой щеке под глазом татуировка в виде паука. Сбежал вчера из Денвера во время перевода в другую тюрьму. Хорошо приспосабливается к любой обстановке. Есть основания полагать, что он попытается добраться до родных».

— О Господи! — воскликнул Абел, выслушав сообщение, и уткнулся лбом в рулевое колесо. — Ну и где же этот Стрэттон вырос?

— В небольшом городке Наггет высоко в горах, который уже стерт с лица земли. Городок построили на месте золотых приисков, и в конце шестидесятых годов о нем часто писали в прессе. — Диспетчер перевел дыхание, прежде чем продолжить: — Шериф, я нашел его на карте. Он расположен в горах между Денвером и Сноу-Гэпом. Мне кажется, нам придется столкнуться с большой проблемой.

— О'кей! Тогда предупреди администрацию о том, что он, вероятно, находится в нашем округе, и пришли мне людей на подмогу. У нас здесь разгуливает убийца, это неоспоримый факт. Если это Стрэттон, то надо учесть, что он прекрасно знает местность, способен выжить в любых условиях и вряд ли нам удастся найти его в горах после такого снегопада.

— Слушаюсь, сэр.

— Но... у нас нет выбора, придется выпустить бюллетень, что в окрестностях появился убийца. Давай действуй! Не хватало еще, чтобы здесь произошло еще одно такое же убийство. Ты меня понял?

— Да, сэр.

Связь прекратилась, и Абел вздохнул. Как легко испортить день, отдаваясь своей любимой работе. Он вылез из машины и двинулся рассматривать следы убийцы.

Отпечатки ног сохранились прекрасно, значит, Патрик был убит после снегопада.

Следы были четкими заиндевевшими, хотя ветер и утреннее солнце потихоньку разрушали их. Абел посмотрел в сторону леса и содрогнулся.

Бормоча что-то себе под нос, Коди сгребал лопатой снег с крыльца. Покончив с этим, он протоптал тропинку к «блейзеру».

Он уже привык к заснеженным дорогам и все же, воспользовавшись советом местных жителей, купил комплект цепей для покрышек, что позволяло ему бороздить глубокий снег во время регулярных поездок на военно-воздушную базу в Лоури.

При мысли о предстоящей поездке он почувствовал себя виноватым. Квин-то ведь считает, будто он ездит на базу для консультаций с психиатром, а на самом деле визиты к доктору давно прекратились. Просто он начал работать над проектом, предложенным Деннисом Маконом во время его недавнего визита.

Коди пока не дал согласие возглавить проект, но, судя по всему, даст. Участвовать в работе, да еще неподалеку от дома, весьма заманчиво. Но совесть не позволяла ему принять окончательное решение, поскольку покой его семьи целиком и полностью зависел от того, останется Квин или вскоре навсегда уедет от них. Он боялся даже начинать разговор на эту тему, ибо не имел права давить на нее, заставляя взять на себя еще большую ответственность. Эта женщина заслуживала лучшего.

Тихо выругавшись, Коди вновь принялся за дело. Любое его решение будет несправедливым по отношению к ней. Он совсем потерял сон, думая о том, как было бы хорошо заняться с ней любовью. Теперь возникла еще одна проблема. Как может он заставить женщину любить его и принять на себя обязанность воспитывать его сыновей, когда она совсем недавно сбросила со своих плеч ответственность за сестер?

Атмосфера между ними накалялась. Он томился от желания, читая то же желание в ее глазах. Он уже не маленький мальчик, чтобы не распознать страсть в глазах женщины.

Но вот разница в возрасте его беспокоила: между его сорока двумя и ее двадцатью девятью — целая пропасть.

В общем, просить Квин посвятить жизнь ему было выше его сил. Вот почему он со дня на день откладывал разговор с ней и продолжал поездки в Денвер.

Расчистив дорожку до самой машины и с облегчением вздохнув, Коди прислонился к дверце. Ноги его дрожали, легкие горели от морозного воздуха. И хотя уже пригревало солнце, морозец давал о себе знать.

Боннер внимательно посмотрел на небо и пришел к выводу, что снег пойдет только вечером. Он успеет съездить в Денвер и вернуться обратно до наступления темноты. Ладно. Он по расчищенной дорожке направился к дому.

Квин быстро отскочила от окна — он не должен знать, что она наблюдала за его работой. Она ощутила его мощь и силу по вздувшимся бицепсам и энергии, с которой он убирал снег. По самым мельчайшим приметам она научилась определять его настроение и предугадывать желания. Вот и сейчас Квин не сомневалась, что он хочет поскорее уехать.

Квин давно для себя решила, что он не любит оставаться дома с ней наедине, а после неожиданного визита Денниса Макона пришла к заключению, что Коди еще и жалеет о своей ранней отставке, скучает по небу и обществу своих товарищей-офицеров.

Разговор начистоту спас бы их обоих от лишних переживаний, но они продолжали молчать.

Остановившись у входной двери, Коди, прежде чем войти в дом, смел веником снег с ботинок. Квин недавно натерла пол полиролью, а он уважал чужой труд.

Квин вышла в холл, как только он закрыл за собой дверь, и застыла на месте, не в силах отвести от него взгляд: блеск его черных волос, горящие голубые глаза приковывали внимание, но настороженное выражение его лица вселяло в нее беспокойство. Так бывало каждый раз, когда он собирался уезжать.

— Уезжаешь? — спросила она, и сердце у нее заныло, поскольку выражение его лица стало виноватым.

— Надо прокатиться на базу, — ответил он. — Может, повидаюсь с Деннисом. Если помнишь, он звонил вчера вечером.

Коди взглянул на нее, и сердце его оборвалось. Она вся была полное смирение, и только в глазах читался упрек. Это чертовски разозлило его: значит, она подозревает его во лжи?! Но почему он должен что-то ей объяснять? В конце концов, это его личное дело! И в то же время его злило то, что она будет вот так вот стоять и не задаст ему ни единого вопроса. Просто в голову не приходило, что требовать чего-то она не умела.

А потому она стояла и ждала, когда он заговорит сам. Всю свою жизнь она слушала ложь Джонни, и, конечно, ничего страшного с ней не произойдет, если ей солжет еще один мужчина.

Она не стремилась любить этого крепкого темноволосого мужчину, но было уже поздно. Ее сердце прикипело к нему, а сердцу не прикажешь.

— Синоптики снова обещали снег, — сказала она. — Будь осторожнее.

Повернувшись, она вышла из холла, оставив его в луже растаявшего снега.

Вытерев ноги, Коди бросился за ней, не желая таким образом заканчивать разговор. Он догнал ее на пороге кухни.

— Может, тебе что-нибудь привезти? — спросил он. — Если тебе что-то надо... только скажи. К черту стыдливость!

Она улыбнулась, вспомнив, как несколько месяцев назад, когда она стала перечислять ему нужные ей вещи, он настоял, чтобы она сама поехала в город.

— Нет, спасибо, — ответила она. — У меня все есть.

Он схватил ее за руку и развернул лицом к себе. Его пристальный взгляд завораживал ее.

— Но если ты что-нибудь захочешь, только скажи, и все будет.

У Квин перехватило дыхание, и она попыталась отвести глаза, но он следил за ней. В его вопросительном взгляде был какой-то скрытый смысл, и она не знала, что ему ответить. Закусив губу, Квин глубоко вздохнула.

— Хотеть и иметь не одно и то же, Коди. Я давно научилась не хотеть того, что не могу иметь.

— Кто сказал, что не можешь? Я что-то не видел, чтобы здесь кто-нибудь тебе в чем-то отказывал. По-моему, только ты и можешь отказать. Или я не прав?! — Коди говорил все громче и громче, пока не сорвался на крик.

— Господи, оставь меня в покое! — взмолилась она, закрывая лицо руками. — Как ты не понимаешь! Я ведь не нарочно. Я не могу позволить, чтобы играли моими чувствами, а потом выбросили как ненужную вещь. Я не могу жить обещаниями.

— Я тоже не могу, дорогая. — Сожалея, что накричал на Квин, Коди привлек ее к себе. — Я просто не знаю, что сделать, чтобы ты мне поверила.

Он нежно поцеловал ее в макушку и выскочил из кухни.

— Я вернусь домой до темноты! — крикнул он. — Будь осторожна!

И взлетел наверх, переодеться. Чуть позже он поехал в Сноу-Гэп по колее от школьного автобуса, оставив Квин наедине с ее страхами.

День не заладился для Коди с самого начала. После разговора с Квин на сердце у него было тяжело, и сейчас, пробираясь по заснеженной дороге, он пожалел, что не остался дома. Не повезло ему и в другом. Его желание перехватить ребят и избавить от утомительной поездки в школьном автобусе оказалось неосуществимым, так как из-за снежных заносов на дороге он часто попадал в пробки.

По радио в машине слышались только скрип и обрывки слов, и Коди стал крутить ручку приемника, в надежде послушать какую-нибудь приятную музыку, но в горах, да еще при такой погоде, это было маловероятно. И тут он поймал выпуск новостей и ясно расслышал последнюю фразу полицейского сообщения:

«...может быть вооружен и очень опасен».

Он нахмурился, пожалев, что не слышал все с самого начала, и его охватило легкое беспокойство. Правда, напомнив себе, что копы вечно передают плохие новости, он успокоился и выключил приемник, решив, что его это не касается и никоим образом не может быть связано ни с ним самим, ни с его близкими.

По его расчетам, до дома осталось проехать еще миль восемь. Хорошо, что по совету друзей он купил цепи: с ними ехать гораздо легче.

Добравшись до расчищенной части дороги, Коди с удивлением увидел несколько полицейских машин и «скорую помощь». Наверное, дорожная авария, а двориком Патрика Муни, где было полно машин и людей, полиция просто воспользовалась для удобства. Из перекрывавшей дорогу машины вышел полицейский и попросил его остановиться.

— Что случилось? — спросил Коди. — Кто-то попал в аварию?

— Ваше удостоверение личности, — козырнул, не ответив, полицейский.

Коди еще доставал из кармана бумажник, когда к машине подошел Абел Миллер.

— Все в порядке, — бросил он. — Я знаю этого парня. Личность, конечно, сомнительная, но, думаю, его пропустить можно, — пошутил Абел.

Улыбка шерифа была какая-то вымученная.

— Что происходит, Абел? Кто-то попал в аварию?

— Не совсем. — Абел поскреб небритый подбородок: не успел утром даже умыться. — Сегодня рано утром был убит Патрик Муни. Есть все основания полагать, что преступник — тот самый каторжник, который сбежал из Денвера. Псих, из тех, кому нечего терять.

Коди охватила тревога. Он посмотрел на часы, соображая, когда его мальчики должны вернуться из школы, и тут же вспомнил о Квин, которая осталась в доме совсем одна.

— Я, пожалуй, поеду. Надо вернуться домой до темноты.

Абел кивнул:

— Мы сегодня целый день транслируем по радио предупреждение о грозящей опасности. Думаю, в округе знают, что случилось, и приняли необходимые меры... но, к сожалению, за всех поручиться нельзя. Хорошо бы этот сукин сын направился прямиком в горы, избегая людных мест.

Коди рванул машину с места так, что шериф едва успел отскочить в сторону. Предчувствие, которое Боннер весь день пытался подавить, охватило его с новой силой.

— Господи, сделай так, чтобы с ней ничего не случилось! — взмолился он. — Пожалуйста, отведи беду.

Включив дворники, он прибавил газу и сосредоточил все свое внимание на дороге, стараясь не сбиться с пути. Неприятный скрип дворников на обледеневшем стекле и падающий снег словно насмехались над ним, заунывно повторяя: слишком поздно... слишком поздно... слишком поздно...

Коди уехал, и Квин осталась одна с ощущением надвигающейся беды, которое она сразу же попыталась заглушить, решив, что причина подавленного настроения в том, что она не умеет расслабляться. Давно пора отбросить детские страхи и просто любить этого мужчину, а там будь что будет.

После полудня снова пошел снег, временами такой сильный, что невозможно было разглядеть крыльцо и подъездную дорогу к дому. Она бродила из комнаты в комнату, не находя себе места и все чаще поглядывая в окно, надеясь, что мальчики благополучно доберутся до дома, а вслед за ними приедет и Коди.

Она продолжала уговаривать себя, что поддаваться страху глупо, что чувство полного одиночества вызвано идущим за окном снегом. Если бы она вдруг оказалась дома, то сестры наверняка посмеялись бы над ее дурацкими предчувствиями. О, как ей хотелось сейчас услышать их голоса!

Смотреть телевизор было бесполезно: изображение было плохим даже в ясный день, а в такую погоду и говорить не о чем. Коди давно обещал купить спутниковую антенну, но раньше у него руки не доходили, а устанавливать «тарелку» в такую погоду вообще безнадежное дело.

Включив на кухне радио, Квин ушла в другую комнату, и оно тихо играло, нарушая царившую в доме тишину. У нее не было настроения слушать песни о несчастной любви и разбитых сердцах. По мере того как усиливался снегопад, ее почему-то все сильнее охватывал страх.

Мысли о мальчиках, которые должны скоро вернуться, привели ее на кухню, и она занялась стряпней, забыв о своем страхе. Внезапно чьи-то шаги на крыльце заставили ее прерваться и взглянуть на часы. Для мальчиков что-то рановато. Значит, вернулся Коди.

— Слава Богу! — воскликнула она и, вытерев руки, направилась к входной двери.

Приветливая улыбка вмиг слетела с ее лица, когда сильный удар вышиб дверь из коробки. Дверь упала на пол, придавливая Квин. Падая, она ударилась головой о плинтус, успев подумать, что это вовсе не Коди...

Над ней склонился человек в грубом комбинезоне и парке, капюшон которой наполовину закрывал его лицо. С его усов и бороды свисали сосульки, снег лежал на плечах и за обшлагами рукавов.

— Ты не собираешься пригласить меня в дом? — спросил он и зашелся хриплым, похожим на рычание смехом.

Квин вскрикнула и попыталась подняться, но он огромным сапогом наступил ей на живот. Крик застрял у нее в горле, и она стала ловить ртом воздух. В глазах потемнело от боли, сознание помутилось, и она решила, что летит в вечность, чтобы встретиться там с Джонни.

В планы Вирджила Стрэттона не входило снова встречаться с людьми, но у того несчастного ублюдка, в доме которого он побывал рано утром, не было и половины того, в чем он нуждался. Вирджил взял там кое-какую одежду, немного продуктов, консервов, но ему нужны были ружья... и боеприпасы.

Он поджал губы и прищурился. Татуировка на его щеке в виде паука словно ожила, и паук пополз вверх. Он долго смотрел на высокую рыжеволосую женщину, распростертую у его ног, и вдруг, нагнувшись, схватил ее за грудь. В паху возник жар, он почувствовал голод другого рода.

Стрэттон провел на каторжных работах двенадцать лет. Это чертовски долгий срок. Может, захватить ее с собой? Если им удастся до наступления настоящей зимы забраться далеко в горы, никто никогда не найдет их там, а весной он уже будет в Канаде. Он пнул Квин в бок. К весне она или сдохнет, или забрюхатит, но это уже не его дело. Так или иначе он успеет попользоваться ею.

— О-о...х...

Тихий стон Квин не ускользнул от слуха Вирджила. Встав на одно колено, он намотал ее волосы на свой увесистый кулак.

— Очнись, сука! — заорал он, больно дергая ее за волосы. — И помоги мне собрать вещи. Мы отправляемся в горы, чтобы провести там медовый месяц.

Он снова резко и хрипло засмеялся, и его смех проник в сознание Квин, несмотря на сильную головную боль. Ее замутило, к горлу подкатила тошнота, но каким-то чудом ей удалось справиться с этим и подавить в себе панический страх. Что-то подсказывало ей: она не должна сопротивляться. Надо просто-напросто постараться выжить.

Она открыла глаза и посмотрела в искаженное злобой лицо. «Только бы не потерять сознание», — подумала она. Он протянул свою лапу и ощупал каждый изгиб ее тела. Квин дернулась и ударила его по руке.

Он расхохотался:

— Молодец, сука! — Он рывком поставил ее на ноги и заглянул в глаза. — Бей меня! Давай, вмажь еще разок! Старине Вирджилу это ох как нравится! Люблю, когда сопротивляются!

Глаза Квин теперь горели от ярости, она сжала кулаки. Главное, не дать ему возможности снова повалить ее на пол.

Сопротивление женщины заставило его задуматься: может, лучше свернуть ей шею, и дело с концом? Тащить ее за собой... Она только доставит ему лишние хлопоты.

— Бери все, что тебе нужно, и убирайся к черту, — сказала Квин, понимая, что здорово рискует, бросая ему вызов.

У бандита снова возникло желание убить ее, это было бы забавно. Но сначала дело.

— Мне нужны, — прорычал он, дернув ее за волосы и притягивая к себе, — одежда, ружья, еда и баба, хотя не обязательно в таком порядке. — Он снова громко расхохотался.

Слезы выступили на глазах Квин, когда он за волосы потащил ее в комнату, но она скорее бы умерла, чем заплакала. Этот человек сумасшедший, и он убьет ее, но ему не дождаться ее слез.

В течение нескольких минут все в доме было перевернуто вверх тормашками. В кабинете, в нижнем ящике стола Коди,

Стрэттон нашел ружье и пистолет. Не обнаружив пуль кроме тех, что уже были в оружии, он долго и громко ругался, угрожая убить Квин.

— Я же сказала вам, — спокойно, словно ребенка, убеждала его Квин, — что ничего об этом не знаю. Я здесь только домоправительница.

Он ударил ее кулаком в лицо, заставляя замолчать.

— Значит, ты пойдешь со мной! — закричал он в бешенстве. — Будешь управлять моим домом!

Квин едва не задохнулась от зловонного дыхания. Чтобы не спорить с ним, она просто закрыла глаза и постаралась не дышать.

— Открой глаза, сука! — закричал он. — Пора отправляться в путь. Надень пальто! Когда я уложу тебя, твоя задница должна быть горячей, а не холодной как лед!

Квин схватила пальто, и он поволок ее к двери. Впервые в жизни она пожалела, что уехала из Кредл-Крика. Там она знала всех врагов в лицо.

Снег, мягкий и пушистый, падал ей на лицо, охлаждая горевший на лице синяк и слепя глаза. Она поморгала, чтобы лучше видеть и знать, в каком направлении ее волокут.

Оглянувшись, она с горечью поняла, что падающий снег запорашивает их следы и надежды на помощь нет никакой.

Подумав о Коди, Квин вдруг потеряла хладнокровие и попыталась вырваться из железной хватки, но грабитель был гораздо сильнее, и она, поскользнувшись, упала в снег. Пнув ее под ребра ботинком, Стрэттон разразился проклятиями.

— Вставай, шлюха! — заорал он, рывком ставя ее на ноги. — И только упади еще раз! Я тогда завалю тебя на спину и приведу в чувство хорошо известным способом.

Его мерзкая угроза, сопровождаемая громким смехом, и рука, вцепившаяся в ее одежду снизу, говорили о том, что сопротивление бесполезно. Остается только молиться и надеяться на чудо. Может, ей удастся где-нибудь вырваться и убежать, а пока надо притвориться послушной.

Глава 10

У Коди учащенно забилось сердце, когда он увидел крышу своего дома. Свернув с заснеженной дороги, он въехал во двор, резко нажал на тормоза и выскочил из машины, даже не заглушив мотор. Дорожку, ведущую к дому, которую он так тщательно расчистил утром, снова засыпало снегом. Он посмотрел в сторону дома и прошептал:

— Господи, сделай так, чтобы с ней ничего не случилось!

Сквозь снежную пелену он увидел, что входная дверь открыта. Страх подтолкнул вперед, и Боннер рванулся к дому, лишь раз завязнув в глубоком снегу.

Быстро взбежав на крыльцо, он в ужасе остановился перед выбитой дверью и тут же отпрянул назад, увидев черный отпечаток ботинка в самом центре двери. Ни секунды не мешкая, он вбежал в дом. Там царил полный хаос — Вирджил Стрэттон здорово постарался.

— Боже! — только и смог воскликнуть Коди.

Вид разгрома, учиненного в доме, свидетельствовал о том, что молиться уже поздно. Спотыкаясь о поваленную мебель и наступая на разбросанные повсюду продукты, Коди в панике вбежал в гостиную.

— Квин! Квин! — звал он.

Никто не откликнулся на его зов, и только тут до сознания Коди дошло, что означают царившая в доме тишина и весь этот хаос. Теперь он боялся увидеть ее, потому что если она здесь, то уже мертва.

На кухне тоже был кавардак. Не задерживаясь здесь, он стал бегать по дому, выкрикивая ее имя. Телефонные шнуры везде были оборваны, одежда валялась на полу.

— Сукин сын! — прошептал Коди. — Я убью тебя за то, что ты с ней сделал.

Нервы Боннера напряглись до предела, теперь его трясло от ярости.

В три прыжка преодолев лестницу, он заскочил в холл и остановился, решая, что делать дальше.

Холодный ветер охладил его пыл, и Коди, водрузив на место вышибленную дверь, стал обшаривать дом в поисках улик. Это было старое армейское правило, о котором он сгоряча забыл: иметь дело только с неопровержимыми доказательствами, оставив предположения другим.

Откуда-то тянуло сквозняком: он двинулся в этом направлении и снова оказался на кухне. Встав на пороге, огляделся, и тут его внимание привлекла кухонная дверь, ведущая на задний двор: она была слегка приоткрыта.

— Черт! — выругался он, кляня себя за то, что не заметил этого сразу и только потерял драгоценное время.

Он выбежал на веранду, огляделся и увидел то, что искал.

От дома к лесу вели следы. Снег быстро заметал их. Сбежав с веранды, Боннер упал на колени, ощупывая то место, где падала Квин. Схватив горсть снега с отпечатком ее колена, он в ярости зажал его в кулаке и сжимал до тех пор, пока снег не растаял и сквозь пальцы не полилась вода.

По очертанию ступни и длине шага было видно, что бандит высокого роста. Большую часть пути он, судя по всему, волок Квин за собой.

Гнев переполнил душу Боннера, когда он понял, что с ней произошло и что, возможно, ей еще предстоит перенести. Этот каторжник перешел всякие границы и не остановится ни перед чем!

Еще раз окинув взглядом цепочку следов на снегу, Коди принял молниеносное решение. Он вернулся в дом, поднялся к себе в спальню, моля Бога о том, чтобы мерзавец не нашел и не уничтожил вместе с другими вещами его сотовый телефон.

Есть! Надежды его оправдались! Телефон лежал за прикроватной тумбочкой, куда Коди случайно смахнул его, останавливая звонивший будильник.

Зарядное устройство лежало на нижней полке шкафа, каким-то чудом оно уцелело при разгроме дома. Если в трубке не «сдохли» аккумуляторы, то ему здорово повезло.

Ему повезло.

Коди поспешно набрал номер. В ожидании ответа он снял с верхней полки вещевой мешок и бросил его на кровать, и как раз в это время откликнулся диспетчер Абела Миллера. Придерживая плечом трубку, Боннер развязал мешок и, покопавшись в нем, вытащил полуавтоматический пистолет и коробку с пулями.

— Говорит Коди Боннер. Передайте шерифу Миллеру, что убийца Патрика Муни побывал в моем доме. Скажите ему, что Квин исчезла, а в доме все вверх дном.

Пусть шериф вместе с поисковой командой как можно скорее прибудет сюда.

Голос диспетчера звучал еле слышно, и связь несколько раз прерывалась, но даже по отдельным фразам Коди понял, что тот пытается уговорить его дождаться подмоги.

— У меня нет времени! — закричал Коди. — Снег заметает их следы. Если я буду ждать, то они совсем исчезнут. Скажите Абелу, чтобы он двигался к горам, прямо за моим домом. Я пойду первым... и надеюсь, что успею их догнать. — Он глубоко вздохнул и, закрыв глаза, представил себе на минуту, что ждет Квин, если он не успеет вовремя. — Пусть поторопится, — добавил он. — Очень прошу.

Коди положил трубку, не сомневаясь, что диспетчер тотчас свяжется с шерифом. Только бы помощь подошла поскорее. Стоит им опоздать, и жертв будет больше: если Квин и его самого не убьет Вирджил Стрэттон, то это сделает снежный буран.

Слезы катились по лицу Квин, но причиной тому была не боль, а сильный снег, обжигавший лицо.

Она давно перестала ориентироваться в густой чащобе. Уклоняясь от низко висящих, отяжелевших от снега ветвей деревьев, она натыкалась на тонкие голые сучья кустарника, которые больно хлестали лицо.

Она постоянно облизывала сухие, потрескавшиеся губы. Проведя по ним языком в очередной раз, она почувствовала соленый привкус крови.

Дважды за время пути Вирджил коротким резким окриком заставлял ее прислоняться к дереву, а сам в это время ориентировался по компасу и сверялся с нарисованной от руки картой.

Квин тоже старалась определить, где они находятся, но видимость была не больше десяти — двенадцати футов. Снег кружил в кронах деревьев, окутывая землю сплошной снежной пеленой. Квин была на грани истерики, понимая, что, если ей удастся убежать, ее заметет пургой. Боже, как же далеко отсюда Коди и Кредл-Крик!

Наблюдая за тем, как тщательно Вирджил ориентируется на местности, Квин внезапно поняла, что он идет не просто наугад, стараясь оторваться от погони, а движется к определенной цели. От этого открытия паника Квин только усилилась. Более того, когда они дойдут до его берлоги, то запас сухих и консервированных продуктов, который он захватил с собой, позволит ему преспокойно перезимовать там. Охваченная отчаянием, Квин решила во что бы то ни стало убежать от него.

— Пошли, сука! Пошевеливайся! — заорал Вирджил, перекрикивая вой ветра и дергая ее за рукав пальто.

Квин уперлась, изо всех сил стараясь удержаться на ногах, и он, не ожидая сопротивления, на какое-то мгновение утратил равновесие и опрокинулся на спину, задев головой заснеженные ветви. Снег лавиной обрушился на него, запорошив глаза.

Квин рванулась в сторону и побежала. Сейчас или никогда! Лучше замерзнуть в снегу, чем погибнуть от рук этого бандита. Ее длинные ноги вязли в сугробах, но она упорно стремилась вперед, лишь бы убежать как можно дальше, пока он не протрет глаза.

Внезапно у нее над головой просвистела пуля. Она резко остановилась, затем упала на колени, и в это время он выстрелил снова.

— Боже! — простонала она, закрывая лицо руками.

Побег не удался, и теперь ей было ясно, что он предпримет, если она выкинет еще один такой трюк.

Впрочем, уж лучше получить пулю в голову, чем быть изнасилованной бандитом, а потому Квин вновь рванулась вперед в надежде, что он прикончит ее одним выстрелом. Но увы...

Злость помутила разум Вирджила, и он, в два прыжка настигнув беглянку, заломил ей руку, опрокинул на спину и больно пнул под ребра. Когда она попыталась ответить ему тем же, мерзавец громко расхохотался. Он любил, когда сопротивляются, любил, когда люди страдают от боли. Это только сильнее возбуждало его.

— Похоже, сейчас самое время! — выпалил он, задыхаясь от бешенства.

Час расплаты настал. Кровь вскипела у него в жилах, и он забыл об осторожности. Отбросив ружье, Вирджил начал расстегивать штаны. Теперь он мечтал лишь об одном: поскорее войти в горячие влажные глубины ее тела.

Заметив, что он собирается спустить штаны, Квин что было сил пнула его в колено. Он взвыл от злобы и боли. Стараясь удержаться на ногах и не помня себя от охватившей его ярости, Вирджил выхватил из кармана пистолет и прицелился в голову Квин.

Распростертая на снегу, она сквозь снежную завесу взглянула на дуло пистолета. Ей никогда не приходило в голову, что она умрет от выстрела в упор. Закрыв глаза, она молила Бога, чтобы дал ей умереть сразу.

* * *

Холодный воздух обжигал легкие Коди, глаза его постоянно слезились, и ему приходилось вытирать их, чтобы не потерять следы, исчезавшие под непрерывно падавшим снегом. Он бежал, не чувствуя под собой ног, и, когда они совсем онемели, двигался уже по инерции, точно так же, как когда-то в пустыне. Если не думать о боли, то она как бы исчезает.

На его густых черных волосах лежала шапка снега, правда, снег быстро таял от жара его разгоряченного тела, и вода струйками стекала ему за шиворот.

Через каждые несколько минут он останавливался и внимательно прислушивался. Взгляд его скользил по снежной равнине и толстым стволам деревьев: Коди старался отыскать следы преступника и его жертвы. Ветер то и дело менял направление, и Боннер, выругавшись, снова попытался сосредоточиться.

Внезапно прозвучал выстрел. В царившей вокруг тишине он прозвучал как раскат грома и еще долго отдавался эхом в поросших лесом горах, что совершенно дезориентировало Коди. За первым выстрелом последовал второй, и на какое-то мгновение Коди потерял всякую надежду.

— О Господи! — в ужасе воскликнул он и снова бросился бежать.

Сейчас он двигался наугад, руководствуясь лишь силой воли и желанием схватить мерзавца.

Тут он услышал ее крик, и у него открылось второе дыхание. По крайней мере она все еще жива. Он старался не думать о том, в каком состоянии найдет ее, главное, чтобы у нее сохранилось желание жить дальше. Квин наверняка отчаянно боролась, прежде чем этот сумасшедший уволок ее. Нет, не надо сейчас думать о последствиях, вызванных ее сопротивлением.

Коди выбежал на поляну и остановился как вкопанный при виде ужасной картины.

Бандит казался просто громилой из-за надвинутого на лицо капюшона и нескольких слоев одежды. Он навис над распростертой на снегу Квин. Коди прикинул расстояние до них — примерно пятьдесят ярдов. Воспользоваться пистолетом при такой плохой видимости — значит только сыграть мерзавцу на руку. Если Квин еще жива, то он непременно убьет ее.

Приглядевшись, Коди понял, что Квин не двигается. Он рванулся вперед, испугавшись, что пришел на помощь слишком поздно. Нет, Господь не допустит... не может допустить... Неужели он нашел ее только для того, чтобы убедиться в своем поражении?!

И тут Коди стало ясно: они не замечают его присутствия. Он видел, как мужчина пнул Квин, а затем, отбросив ружье, стал расстегивать штаны.

Боннер словно взбесился от ярости. Выхватив из кармана пистолет, он бросился к ним, снимая оружие с предохранителя.

Один за другим он сделал два выстрела. Атмосфера вокруг тотчас изменилась. Сейчас в воздухе витала смерть, и, пока летели пули от одного человека к другому, было не ясно, кого именно она поджидает.

Глубоко вздохнув, Коди отступил в глубь поляны, находясь теперь в ярде от преступника, совершенно опешившего от неожиданной атаки. Он был ранен. К своему ужасу, Коди обнаружил, что это привело его в еще большую ярость. Бандит зарычал, схватил ружье и, вскинув его над головой, бросился к Коди.

Он, казалось, совершенно забыл, что в его руках ружье. Что-то в голове его заклинило, и он рвался вперед, не открывая огня и желая лишь одного — поскорее добраться до стрелявшего. Увязая ногами в снегу, он шел вперед, не обращая внимания на падавшие с деревьев комья снега, которые делали его похожим на снежного человека или какое-то мифическое существо.

Вторая пуля поразила Вирджила в плечо. Он взвыл от боли. Ружье выпало из ослабевших пальцев, но он продолжал продвигаться вперед. Третья пуля ранила его в ногу.

Он остановился и зашатался. Коди решил, что негодяй вот-вот рухнет на землю, но... ничего подобного!

Запрокинув голову, Вирджил изрыгал проклятия, которые тут же подхватывала вьюга. Капюшон куртки упал на плечи, и Коди впервые увидел лицо этого дьявола.

Даже отсюда были заметны его черные гнилые зубы — неистовый оскал, и татуировка в виде паука под глазом. Коди содрогнулся, представив себе, какой страх испытывала Квин в руках этого чудовища.

Последняя мысль предрешила все его дальнейшие действия.

Будучи солдатом, Коди довольно часто сражался во время операции «Буря в пустыне», но всегда в воздухе, а не на земле. До сегодняшнего момента он никогда не сталкивался с врагом лицом к лицу.

— Ах ты, сукин сын! — воскликнул Боннер, увидев, что бандит снова дернулся в его сторону. По всем правилам он уже давно должен был упасть замертво. Посмотрев на свой пистолет и на надвигавшегося на него убийцу, Коди приготовился к решающему выстрелу: патрон был последним. Прицелившись, он нажал на спуск.

Прогремел выстрел. За воем ветра Коди ничего не расслышал, однако по брызнувшей на снег крови понял, что достиг цели.

Аккуратное, круглое отверстие располагалось чуть выше носа. Струившаяся кровь мешала Вирджилу Стрэттону видеть, но он успел разглядеть дуло направленного на него пистолета. Его угасающее сознание все еще переполняла ярость. Но вот громила зашатался и с глухим стуком упал на землю, взметнув облако снежной пыли.

— О Боже, — только и прошептал Коди.

Он с трудом держался на ногах и никак не мог сдвинуться с места. Оторвав взгляд от распростертого на земле мертвого человека, он увидел лежавшую в снегу женщину и рванулся к ней.

Все тело Квин болело, в висках стучало. И ей было холодно... так холодно! Она потянулась, полагая, что она дома в постели и что одеяло сбилось в ноги. Но тут она услышала его голос, почувствовала его прикосновение, вспомнила о своем желании умереть и обрадовалась, что не умерла.

Коди нашел ее!

Она увидела мир, полный холода и снега, и, присмотревшись, различила глаза, такие голубые, что ее бросило в жар.

— Коди?

— Спасибо, Господи, — прошептал он, вытаскивая ее из снега и заключая в объятия.

Смахнув набежавшую слезу, он закрыл глаза и стал осыпать ее лицо нежными благоговейными поцелуями.

Она обхватила его за шею так крепко, словно он был источником ее жизни, и зарыдала в голос. Коди тут же стал подбадривать ее, вселяя силы и обещая все земные радости, и она поняла, что он ее любит.

Гул работающих моторов разорвал тишину, и вскоре на поляне появилось четверо аэросаней. Ружья сидевших в них полицейских были направлены на обнимавшуюся парочку: за завесой падающего снега трудно было разобрать, что происходит.

Абел Миллер не без содрогания посмотрел на прильнувших друг к другу людей: если перед ним убийца и заложница, то это означает, что Коди Боннер или не сумел пробиться сквозь снег, или он уже мертв. Но тут он разглядел широкие плечи и черные волосы и сразу все понял. Хороший он парень, Коди Боннер. А хорошие парни всегда побеждают. Что ж, свершилось настоящее чудо, и это правильно.

Перед его мысленным взором возник труп Патрика Муни и кавардак в доме Боннера.

— Боннер! — закричал Миллер. — Она жива?

Коди опустил взгляд на женщину, лежавшую у него на руках, на ее исцарапанное, в синяках лицо, на растрескавшиеся губы, и, прежде чем ответить, запустил пальцы в густые рыжие волосы и крепче прижал ее голову к груди. Как хорошо, что все страшное осталось позади.

— Да, она жива, — ответил он подбежавшему к ним Абелу и указал на труп, уже припорошенный снегом. — А он нет.

— Вот и прекрасно, — отозвался шериф и, движимый радостью, дотронулся до руки Квин.

Она вздрогнула и отвернулась, спрятав лицо на груди Коди. Она была просто не в состоянии снова встретиться с этим жестоким миром.

Абел зажмурился, подавляя желание крепко выругаться, когда увидел, как Квин пострадала от рук Вирджила Стрэттона. Впрочем, спасибо Коди — лучше уж так, чем повторить судьбу Патрика Муни. Миллер тяжело вздохнул. Синяки на теле заживут быстрее, чем затянется душевная рана. Жертвы насилия страдают долго.

— Свяжитесь по радио с базой, — приказал своим людям шериф. — Пусть сообщат мальчикам Боннера, что их папа жив... и что мы нашли Квини. Передайте им, что оба чувствуют себя хорошо... просто превосходно.

Сердце Коди учащенно забилось. Только сейчас он осознал, что забыл обо всем на свете, полностью сосредоточив внимание на леди, которая лежала у него на руках... его леди.

— Идем, Боннер. Вам пора ехать домой. Посмотри, какой чудесный падает снег! Представляешь, как здорово будет кататься на лыжах? Классно! Уж ты мне поверь, я знаю свои горы.

Коди кивнул, прекрасно понимая, почему Абел перевел разговор на погоду: кошмар остался позади, и надо возвращаться к жизни.

— Детка, ты можешь стоять? — прошептал Коди, погладив Квин по щеке. Ему не хотелось отпускать ее от себя, но сейчас главное — поскорее оказаться под крышей.

Квин кивнула и закусила губу, чтобы сдержать невольный стон, потому что ее пронзила жуткая боль, когда она попыталась сделать шаг. Миллер и Коди разом подхватили ее под руки.

Коди Боннер мысленно пожелал мертвому бандиту сгореть в аду, увидев, с каким трудом Квин переставляет ноги. Он порывисто подхватил ее на руки, хотя сам едва двигался, и понес к ожидавшим их аэросаням.

— Коди... ты пришел, — прошептала Квин, снова вздрогнув всем телом при воспоминании о том, что с ней случилось. — Я не надеялась, что ты сумеешь меня найти, и приготовилась умирать.

— Я всегда найду тебя, леди, — прошептал он ей на ухо, задыхаясь от волнения. — В жизни не отдам того, что принадлежит мне.

Квин вздохнула и, не в силах с ним спорить, только прижалась к нему покрепче. Она успеет обдумать то, что сказал Коди. Он заявил на нее права, хотя она ему пока ничего не предлагала.

Прошло много времени, прежде чем они вернулись домой к ожидавшим их чрезвычайно перепуганным мальчикам.

Коди поговорил с ними, но его слова действия не возымели. Мальчики сомневались, что с Квини не случилось ничего страшного, пока она сама не убедила их в этом.

По прибытии домой ее сразу положили в постель, и медики, присланные Абелом Миллером, тщательно обследовали ее. Серьезных травм на ее теле не было, за исключением сильных кровоподтеков, страшных ссадин и нескольких сильно обмороженных участков тела.

О случившемся было доложено куда следует, и спустя какое-то время рука Коди уже болела от крепких рукопожатий представителей власти, которые благодарили его за героический поступок. Он чувствовал себя неловко, выслушивая похвалы за убийство человека, но понимал, что если бы не убил Вирджила Стрэттона, то нашел бы труп Квин Хьюстон.

Коди бродил по коридору в надежде, что Квин его позовет, когда дверь спальни мальчиков открылась и оттуда тихо вышел Донни.

— Я думал, вы давно спите, — удивился отец.

— Мне что-то не спится. Папа, а ты уверен, что с ней все в порядке? — Голос Донни дрогнул, когда он задал этот вопрос. Стараясь сдержать слезы, мальчик сунул руки глубоко в карманы.

Коди притянул сына к себе и обнял. Он весь вечер то и дело обнимал кого-нибудь из родных, представляя себе, что могло с ними случиться.

— Уверен, — ответил он. — Конечно, такой кошмар не скоро забудешь. Буду с тобой откровенным... надеюсь, ты уже достаточно взрослый, чтобы понять меня. От случившегося не мудрено и с ума сойти. Вы все должны это понять и постараться не огорчать ее. Понимаешь?

Донни, закусив губу, кивнул и вдруг, переминаясь с ноги на ногу, смущенно спросил:

— Папа?..

Коди выжидал. Он уже догадывался, о чем хочет спросить его Донни.

— А он... этот мужчина... он что?..

— Изнасиловать ее он не успел, — покачал головой Коди.

Рот Донни скривился в жалком подобии улыбки, и он, отведя взгляд, сказал:

— Вот и хорошо. Было бы ужасно, если бы с нашей Квини случилось что-то подобное. Ведь она бы нас всех возненавидела.

— Почему она должна нас возненавидеть?

Донни пожал плечами:

— Ты что, не понимаешь?.. Потому что мы, как и он, мужчины.

— Нет, черт возьми, мы совсем не такие, как он! — разозлился Коди, но тут же подавил гнев: не хватало еще сердиться на своего сына. Донни такой же наивный, как и Квин. — Убийца мистера Муни и похититель Квин не был человеком. Он зверь... не забывай об этом.

— Да, сэр, — ответил Донни. Посмотрев на закрытую дверь спальни своего отца, он тяжело вздохнул и добавил: — Думаю, теперь я засну.

— Спокойной ночи, сын, — кивнул Коди и, прежде чем Донни исчез за дверью, добавил: — Я люблю тебя.

Донни улыбнулся и поднял большой палец вверх. Ответить отцу он не мог, так как его душили слезы, а с них на сегодня слез достаточно.

Коди проводил сына взглядом, а затем направился к себе в спальню и, немного поколебавшись, вошел в комнату.

Квин все еще была в ванной. Он слышал, как она умывается, и вдруг все стихло.

— Все нормально? — спросил он, прислушиваясь к наступившей там тишине.

— Да, — ответила она наконец. — Через минуту я выйду.

— Не спеши. Я просто волнуюсь, все ли у тебя в порядке, — сказал Коди, отходя от двери.

— Коди! — В голосе Квин чувствовалось некоторое беспокойство, и он рванулся к двери ванной.

— Я здесь!

— Подожди меня, пожалуйста. Мне не хочется оставаться одной.

— Не торопись, дорогая, — ласково проговорил он. — Я подожду тебя здесь, а потом мы вместе спустимся вниз. Хорошо?

— Хорошо.

Это короткое слово вырвалось у нее как рыдание, и Коди, протянув руку, погладил дверь, словно то была женщина, которая нуждалась в нем. Ему хотелось войти и заключить Квин в свои объятия, но он, покачав головой, отошел от двери и сел на краешек кровати, стараясь обуздать вновь охватившую его ярость. Его женщине сделали больно, и если бы он мог, то убил бы Вирджила Стрэттона снова.

Глава 11

Посмотрев на себя в зеркало, Квин осторожно провела по кровоподтеку под глазом, но боль была такой нестерпимой, что она тотчас же отдернула руку и застонала. И в тот же момент Коди ворвался в ванную.

— Тебе плохо?!

В его голосе слышалось такое волнение, что Квин даже не рассердилась на него за то, что он влетел к ней без стука. Слишком многое случилось за один день, и ей сейчас было не до условностей.

На ее лице появилась вымученная улыбка.

— Все в порядке. — Сморщившись от боли в боку, Квин отвернулась. — Но у меня все болит, — призналась она.

Взгляд Коди скользнул по ее почти голому телу, прикрытому лишь полотенцем. Этот взгляд был вызван отнюдь не желанием, а жалостью, особенно когда он увидел кровоподтеки на ее бедре, вдоль всей спины и на руках. Он протянул было к Квин руку, но тотчас же отдернул, испугавшись, что его неправильно истолкуют. К тому же гнев, переполнявший его, помогал ему держать себя в руках.

— Сукин сын! — выругался он.

Коди резко повернулся и, выйдя из ванной, остановился у самой кровати, разразившись потоком проклятий.

Квин рванулась за ним следом и, ни минуты не раздумывая, обняла его за талию и положила голову в ложбинку между лопатками, стараясь тем самым успокоить его.

— Не надо, Коди, не надо, — ласково шептала она, прижимаясь к нему все теснее.

Он судорожно вздрогнул от нахлынувших на него эмоций. Она закрыла глаза и вдруг представила, что они займутся любовью. Ее обнаженные груди теснее прижались к его лопаткам, а руки гладили его мощную широкую грудь.

Коди мгновенно напрягся, в паху у него заныло, но он не мог отстраниться от нее, потому что она так крепко прижалась к нему, что сейчас они составляли одно целое.

«Господи, — мысленно взмолился он, — прекрати или никогда не отпускай меня...»

Накрыв ладонями ее руки, он крепко прижал их к своей груди, чтобы дать ей почувствовать бешеный стук его сердца. Он желал слиться с ней, ласкать ее, обладать ею, но... Глупо было бы надеяться получить все это сейчас.

— Прекрати. Не принимай так близко к сердцу, — взмолилась она. — Слишком много чести этому человеку.

— Этот человек... как ты его называешь... не причинил бы тебе никакого вреда, будь я дома!

Так-то вот! Он наконец высказал вслух то, о чем думал с того самого момента, когда, вернувшись домой, увидел входную дверь открытой. Впрочем, теперь он не решался заглянуть ей в глаза — не дай Бог, увидит в них немой упрек.

— Если бы ты был дома, то, возможно, мы оба сейчас были бы мертвы.

Ее заключение потрясло его. Коди с недоумением уставился на Квин:

— Что ты хочешь этим сказать?

— Дело в том... Я не думаю, что Вирджил Стрэттон искал заложников. Такая мысль пришла ему в голову позднее. Если бы я была не одна, то он и не подумал бы взять кого-то с собой.

Возможно, она и права, но от этого Коди легче не стало. Сам факт, что он оставил ее одну, несмотря на все предчувствия, не давал ему покоя.

— И все же... — начал он, не в состоянии так легко отделаться от ощущения вины, терзавшего его. В нем еще с детства прочно укоренилась необходимость кого-то защищать. Она стала частью его существа, и именно поэтому он пошел в армию.

— Никакого «все же», — отрезала Квин. — Что случилось, то случилось, но именно благодаря тебе я осталась жива.

Ей было неуютно от его горящего взгляда. Оставалось только гадать: был ли он признаком гнева или это что-то другое? Она вдруг спохватилась, заметив, что почти обнажена: никогда прежде между ними не было такой интимной близости. Стоит только опустить руки, как полотенце упадет к ее ногам и она предстанет перед ним нагой.

— Кажется, я забыла надеть халат, — произнесла она.

Коди подошел к шкафу, достал из него белый купальный халат и, развернув его, стал ждать.

Квин смущенно улыбнулась, полностью отдавая себе отчет в том, что их прежние отношения уже в прошлом.

Коди старался не смотреть на упавшее к ногам Квин полотенце, старался не думать о том, что скрывается под халатом, а просто, повернув ее к себе лицом, завязал на ней пояс, словно одевал одного из своих сыновей.

— Ну вот, готово, — заключил он, расправляя складки под поясом халата, который был ей велик. Затем осторожно вытащил ее мокрые волосы и любовно разложил их по плечам.

— Я внизу, если понадоблюсь, — сказал он и тут же удалился.

Прошло несколько часов, а Коди все еще сидел в полной темноте в кресле у камина, глядя на язычки пламени и стараясь не думать о том, что произошло наверху.

Скрип лестницы заставил его вздрогнуть, Боннер моментально вскочил. В долю секунды он оказался в холле, решив, что это кто-то из мальчиков. Не хватало еще, чтобы они разбудили Квин! Меньше всего он ожидал увидеть ее. Она стояла на лестнице, все еще в его халате, обхватив руками живот, словно испытывала нестерпимую боль.

— Милая... тебе плохо? — ласково прошептал он.

Подбородок Квин задрожал, слезы, которые она прежде сдерживала, хлынули потоком. Все объяснения были мигом забыты, она вдруг зашлась в рыданиях, молча покачав головой.

Коди в одно мгновение подскочил к ней, подхватил ее на руки и сжал в объятиях. Она обмякла и задрожала.

Обхватив Коди за плечи, Квин спрятала лицо у него на груди. Просто у нее не было сил справиться с охватившим ее ужасом. Но когда руки Коди сомкнулись вокруг нее, когда она, положив руку ему на грудь, почувствовала биение его сердца, ей вдруг стало ясно, что на него можно положиться. Прошло то время, когда ей приходилось быть самой сильной в семье. Больше никто и никогда не посмеет обвинять ее незаслуженно. Коди Боннер не позволит. Сегодня ей особенно хотелось верить, что она находится под его надежной защитой.

— Я не могу заснуть, — сказала она, пытаясь остановить слезы. — Мне все время чудятся пауки... Я слышу его смех... его проклятия... Я просто не знаю, что делать.

— Тс-с... Я все понимаю, малышка. Благодаря моим частым визитам в госпиталь я стал профессионалом в этом деле. Тебе надо выплакаться. Клянусь Богом: никто, кроме меня, не узнает о твоих слезах, если тебя это беспокоит. Я никогда никому ничего не расскажу.

Нежность, звучавшая в его голосе, и его участие совсем растрогали Квин. Она снова зарыдала.

— Я думала, что умру...

Жалобный колос Квин потряс Коди, и он стал ее баюкать:

— Я знаю, дорогая. Видит Бог, я тебе очень сочувствую. Ты ведь помнишь, я все видел.

Коди увлек Квин на диван, положил ее голову к себе на плечо и стал осыпать поцелуями лицо, шею. О, какие это были сладостные, нежные поцелуи!

Коди все время шептал ласковые слова, что-то обещал, приговаривал, и она постепенно затихла. Еще раз напоследок вздрогнув всем телом, Квин устало опустила ресницы, как-то разом обмякла и заснула в объятиях любимого под стук его сердца.

Ночью снегопад прекратился. Казалось, все вокруг теперь покрыто белым одеялом. На лапах высоких величавых сосен, словно ванильное мороженое, лежал снег. Начинался новый день.

Квин перевернулась на бок и внезапно проснулась, с удивлением отметив, что лежит в своей постели. Странно, она ведь прекрасно помнила, где уснула. Улыбнувшись, Квин потянулась, но тотчас же застонала от резкой боли во всем теле.

— Проснулась!

Услышав за дверью шепот, Квин просияла и, положив под спину подушки, села и взяла с прикроватной тумбочки расческу. Похоже, к ней пришли гости.

— И вовсе не проснулась, а просто повернулась на другой бок, болван.

— Сам ты болван.

Чуть не расхохотавшись, Квин выбралась из постели и, закутавшись в купальный халат Коди, направилась к двери.

— Привет, ребятки, — поздоровалась она, увидев на пороге младших Боннеров.

Все заранее заготовленные слова моментально вылетели из памяти, и на лицах Уилла и Джей-Джея вновь отразился страх, едва они увидели на лице их любимой Квини следы побоев Вирджила Стрэттона.

— Ну, вы собираетесь входить или нет? — насмешливо спросила Квин. Они бросились в ее объятия.

— Мы так волновались за тебя! — закричали ребятишки в один голос.

— Тебе больно? — спросил Джей-Джей, указывая на ее лицо.

— Больно, но не очень, — ответила Квин.

Уилл схватил ее за руку, и они оба с готовностью последовали за ней. Квин снова залезла под теплые одеяла и прислонилась к спинке кровати.

Мальчики положили свои головки ей на живот. Квин принялась нежно поглаживать ребятишек, чтобы развеять их страхи.

— Этот человек... он очень плохой! — заявил Джей-Джей, погладив Квин по ноге.

— Да, Джей-Джей, но больше он никому и ничего не сделает.

— Папа убил его. Я сам слышал, как шериф говорил об этом, — сказал Уилл.

Квин нахмурилась: в голосе ребенка сквозил ужас. Как бы получше ему объяснить? Вряд ли Коди одобрит, если она сообщит мальчикам все детали ее освобождения. Хорошо бы он сам им сообщил то, что сочтет нужным.

— Ваш папа спас мне жизнь, — сказала она, уткнувшись носом в густые, мягкие волосы Уилла, такие же черные, как у Коди. — Этот человек хотел нас убить. Ваш папа защищал себя... и меня. Понимаете?

Мальчики с облегчением кивнули, принимая ее слова на веру. Уилл вздохнул и обнял Квин.

— Мы приготовили тебе завтрак, чтобы ты могла поесть, не вставая с постели! — выпалил он, внезапно вспомнив цель визита.

— Я тоже помогал, — добавил Джей-Джей.

— Так несите скорее! — воскликнула Квин, обрадовавшись, что они сменили тему разговора. — Я ужасно проголодалась.

— У тебя сразу пропадет аппетит, когда ты увидишь, что они приготовили, — послышался с порога голос Донни.

Квин посмотрела на уже вполне взрослого мальчика, который с каждым днем становился все больше похож на своего отца, и улыбнулась:

— Не пропадет.

Внизу зазвонил телефон, и Донни многозначительно закатил глаза:

— Ну вот, опять!

— Что опять?

— Вот так все утро, тетя Квини. Ты стала знаменитой. Каждый житель Сноу-Гэпа считает своим долгом позвонить и справиться о твоем здоровье. Все желают тебе скорейшего выздоровления.

— Шутишь?

— А чему ты удивляешься? — спросил Донни. — Все очень любят тебя и нас тоже.

— Спасибо... — сказала Квин и запустила в Донни подушкой, чтобы скрыть таким образом смущение. Затем, взяв себя в руки, она вспомнила, какой сегодня день, и спросила: — А почему вы не в школе?

— Туда не добраться — автобус не может проехать к нам. Сегодня слишком много снега.

— Да, — подтвердил Джей-Джей, вскакивая с постели. — Сейчас мы тебя накормим и пойдем играть в снежки. Так сказал папа.

— Тогда кормите меня! Не хватало еще, чтобы я вас задерживала.

Комната опустела, и взгляд Квин затуманился. Слезы снова потекли из глаз. Надо же, в Кредл-Крике она провела всю свою жизнь, но там не набралось бы и десятка человек, кто поинтересовался бы ее самочувствием. Причем среди тех, кто все-таки беспокоился за нее, трое были ее родственниками.

— Ну и ну, — произнесла она, откидываясь на подушку и давая волю слезам. — Вот это новость! Надо было попасть в лапы Вирджила Стрэттона, чтобы узнать, как меня здесь любят. А ведь я могла погибнуть.

— Не стоит думать об этом. — В комнату вошел Коди и высыпал ей на колени кучу писем. — И знай: для нас нет ничего страшнее, чем потерять тебя, леди.

Нагнувшись, он поцеловал ее в уголок рта и тут же выпрямился, так как на лестнице послышались шаги мальчиков. Квин даже не успела смутиться, вспомнив свой вчерашний эмоциональный взрыв.

— Готовься, — предупредил Боннер.

И не успела Квин опомниться после поцелуя, как у постели ее выстроились мальчики. В руках Уилла был поднос с едой, а Джей-Джей держал в одной руке стакан с молоком, а в другой — с соком.

Взглянув на поднос, Квин чуть не рассмеялась и смело набросилась на тосты и сандвичи с арахисовым маслом и джемом. Правда, вся эта снедь слегка подгорела и уже остыла, но зато была приготовлена с искренней любовью.

На следующее утро Квин разрешили встать с постели. Она спустилась вниз как раз в то время, когда мальчики захныкали по поводу того, что дорогу уже расчистили. Занятия в школе возобновились.

Коди и не подумал дать сыновьям поблажку. Квин, улыбаясь, смотрела, как он проводил их до автобусной остановки, игнорируя жалобы и заверяя, что по возвращении из школы дети найдут и его, и Квин дома.

Теперь ей предстояло столкнуться еще с одной проблемой: она остается наедине с Коди и со своими чувствами к нему.

Рукава свитера, того самого из одежды Коди, были слишком длинны, несмотря на то что она их закатала. Тем не менее Квин решила не переодеваться: сегодня ей хотелось быть как можно ближе к Коди, и его старый свитер как раз этому способствовал. Она провела рукой по своим потертым джинсам и расстегнула верхнюю пуговицу, чтобы они не давили на болевшее бедро. Сегодня не до красоты, главное — удобство.

Услышав шум во дворе, Квин прихрамывая двинулась в гостиную и, не дожидаясь Коди, опустилась в его любимое кресло, стараясь устроиться поуютнее.

— Входите, — услышала она голос Коди и с ужасом поняла, что он вернулся не один.

А через минуту Квин уже онемела от восторга, услышав бодрое:

— Сюрприз! — К креслу Квин подошла миссис Эллер, запечатлела на ее щеке легкий поцелуй и высыпала ей на колени целую кучу подарков.

Казалось, Квин лишилась дара речи. Они с миссис Эллер не раз вели приятные беседы в ее магазине рукоделия, но девушке и в голову не приходило, что миссис Эллер может ее навестить.

Вслед за первой гостьей в гостиную вошел Абел Миллер с двумя горшками цветов. Остановившись посреди комнаты, он, смущенно улыбаясь, ждал, когда его освободят от подарков.

— Этот маленький горшочек от нашего департамента, — пояснил он, кивнув на розовые хризантемы в одной руке, — а этот плющ от парней из спасательной команды. Кое-кого из них ты видела в тот вечер. Помнишь?

Квин кивнула. Разве такое забудешь?

— Не думай, что этим все и ограничится, — заверила ее миссис Эллер. — Я точно знаю, что к тебе собираются посланцы с продуктами. Ты сможешь отдохнуть от готовки на весь этот выводок. В общем, тебе надо прийти в себя и окрепнуть.

— Не знаю, что и сказать, — ответила Квин, едва сдерживая слезы.

— Прежде всего не плачь, — заметил Коди, стараясь подбодрить ее.

— Я даже представить себе не могла... Я просто не думала... Никто никогда... — Квин закусила губу, и ее подбородок задрожал. Она не смогла продолжить. Единственное, что ей оставалось, это молча смотреть на гостей, в то время как слезы струились по щекам.

Абел Миллер сдвинул на затылок шляпу и смущенно закашлялся, прежде чем с недоумением произнести:

— Странно, что для тебя это неожиданность. Ты же стала героиней всего города. Подумать только — уцелела в лапах этого зверя! Такое тяжкое испытание... Мы все очень рады, что ты осталась жива.

— Так, а теперь посмотри подарки, — скомандовала миссис Эллер, — иначе зачем мы их принесли?

— Я одна не справлюсь, — прошептала Квин и дрожащими пальцами надорвала один из пакетов.

— Я помогу, — откликнулся Коди и, встав рядом с ней на колени, начал сортировать пакеты. — Ты нужна мне, леди, — добавил он тихо, чтобы никто не услышал. — Не забывай об этом.

Он легонько сжал ее пальцы, вложив в руку первый подарок. Случайность это или просто дружеское пожатие, но сей жест не ускользнул от внимательного взгляда Абела Миллера. В общем, сестра, которая на самом деле сестрой не была, нашла свое счастье.

Улицы Сноу-Гэпа кишели людьми. Все номера в маленьких мотелях и пансионах были забронированы вплоть до самой весны. «Снегири» — так местные жители прозвали туристов, приезжавших сюда покататься на лыжах и повеселиться, — были в отличной форме и сорили деньгами как сумасшедшие. А все ради того, чтобы съехать с горы на фанерке вощеного или полированного дерева. Это был странный, но прибыльный бизнес, и именно он поддерживал Сноу-Гэп на плаву в отличие от других маленьких городков Соединенных Штатов.

В телефонную будку на углу напротив пиццерии проскользнул, дрожа от холода, ничем не примечательный низкоросльий человек. Спасаясь от холодного пронизывающего ветра, он быстро захлопнул за собой дверь. Пальто его мешком висело на костлявых плечах, ботинки были все в снегу и насквозь промокли. Стряхивая снег, он поочередно постучал ими о стенку будки, жалея лишь о том, что дела занесли его не на юг, а на север, да еще в самый разгар зимы.

Мимо, щурясь от бьющего в лицо ветра, проходила какая-то женщина, и ее взгляд случайно скользнул по человеку в телефонной будке: тот тут же ей подмигнул. У него были близкопосаженные глаза, длинный крючковатый нос и огромный рот с тонкими губами, что делало его внешность какой-то карикатурной. Вспыхнув, женщина поспешила прочь.

Уолли Морроу был безобидным человеком, но женщины этого не знали, да и не желали знать. Впрочем, и самому Уолли ни к чему было раскрывать душу перед первой встречной. Его работа базировалась на хитрости и конспирации. Морроу был частным детективом и стоил не дешево.

Порывшись в бумажнике, он достал телефонную карточку, вставил ее в прорезь аппарата и набрал нужный номер.

— Алло.

У женщины, снявшей трубку, голос был таким же холодным, как и погода в Сноу-Гэпе.

— Это я, — сказал Уолли.

— Ну и что там у вас? — спросила женщина.

— Для вас ничего интересного, — ответил он.

— Вы-то откуда знаете? Я плачу вам не за то, чтобы вы читали мои мысли, а за информацию. Итак?

Уолли подавил в себе сильное желание прекратить разговор с этой сукой. Потом он мог бы сослаться на то, что их разъединили. Временами он просто ненавидел своих клиентов. Но его бизнес состоял не в том, чтобы обзаводиться друзьями: он работал ради денег.

— Итак, продолжаю. — Вынув из кармана блокнот, Морроу пробежал глазами свои заметки. — Вчера вечером Коди Боннер стал героем. Он собственноручно застрелил бандита, который утром того же дня убил местного почтальона, а потом взял в заложницы одну из женщин, точнее, некую Квин Хьюстон.

Женщина в трубке фыркнула. Как ни в чем не бывало Уолли продолжал:

— Известная вам... Квин Хьюстон пользуется в городе уважением. Горожане считают, что она совершенно безвредна, а после ее чудесного спасения из лап преступника она стала в Сноу-Гэпе чуть ли не святой. Более того... Вам интересно?

— Нет, если все в том же духе, — резко отозвалась трубка. — Копайте дальше. Я уверена, вам удастся найти зацепку. Не может быть, чтобы все было так хорошо, как вы описали.

— Да, мадам, — ответил Уолли. — Я позвоню вам на следующей неделе в это же время.

Женщина повесила трубку, даже не попрощавшись. Уолли только плечами пожал. За те деньги, что она ему платит, можно не обращать внимания на ее хамское поведение. Главное — деньги, а все остальное ерунда.

Квин по самую шею лежала в воде и радостно пускала пузыри. Вытянувшись во весь рост в этой старого образца ванне и упершись ногами в водопроводные краны, она наслаждалась ласковым теплом воды, которая утоляла боль, ибо все ее тело еще саднило и ныло.

Закончился уик-энд, а вместе с ним иссяк и поток гостей. Ее ни на минуту не оставляли в покое, и у нее не было времени подумать об их с Коди отношениях. Если раньше он старался избегать ее, то теперь постоянно был рядом, но она еще не поняла, радоваться ей этому или огорчаться.

Квин подняла ногу и, заметив, что ее кожа покраснела, решила закончить водную процедуру: она «отмокала» уже достаточно долго. Она закрыла кран и быстро выбралась из ванны.

Обтеревшись, Квин принялась за туалет и управилась в рекордно короткое время. Благодаря подаркам визитеров на прошедшей неделе у нее появился значительный запас одежды — есть из чего выбирать. Хлопчатобумажные голубые брючки и рубашка, как раз то, что надо. Надев их, она, боясь передумать, спустилась вниз.

Теперь Квин всякий раз сталкивалась с проблемой выбора. За те месяцы, что она прожила в доме Коди, ее скудный гардероб немного пополнился, а сейчас полки просто ломились от вещей. Такое ей не снилось даже в самых фантастических снах. Лыжники изменили менталитет жителей Сноу-Гэпа, сделав их приверженцами ярких цветов. Квин просто забросали вещами, начиная от нижнего белья и кончая мягкими домашними тапочками, которые ей носить не сносить. Но куда приятнее, чем все эти подарки, было внимание местных жителей.

Сев на ступеньку, Квин начала натягивать носки. Раздался телефонный звонок, но, прежде чем она успела ответить, телефон смолк. Значит, Коди уже снял трубку. Квин тотчас, в одних носках, отправилась на его поиски.

Услышав в гостиной его голос, Квин с улыбкой двинулась туда, радостно предвкушая встречу с ним и новым днем.

— Черт возьми, Деннис, меня это не волнует! — взорвался Коди. — И не спорь со мной. Я до посинения буду повторять одно и то же: я не собираюсь снова оставлять свою семью без присмотра... даже ради Дяди Сэма.

Радостные приветствия, готовые сорваться с губ, застряли у Квин в горле, и она, бесшумно войдя в гостиную и позабыв о приличиях, стала подслушивать.

— Да, сейчас хорошо, но все это произошло из-за меня, — сказал Коди.

Квин нахмурилась. Она считала, что они уже покончили со всем этим в тот вечер, когда он спас ее, но, по всей вероятности, ошибалась. Похоже, Коди все еще винил себя за то, что оставил ее одну. А что еще он утаил от нее? Какие дела у подполковника Денниса Макона и правительства Соединенных Штатов с Коди Боннером?

Она знала, что Коди все еще время от времени ездит на базу. Его консультации по поводу ночных кошмаров пока продолжаются.

Квин внимательно вслушивалась в ответы Боннера, посчитав, что от этого зависит как ее благополучие, так и благополучие мальчиков.

— Да, я передам ей, что ты звонил, — продолжал Коди, — но не хочу снова обсуждать этот проект.

Коди почему-то расстроился, в голосе его звучало сожаление, и Квин решила вмешаться. У нее возникло подозрение, что настроение Коди как-то связано с его постоянными визитами на военно-воздушную базу в Лоури. Настало время узнать всю правду.

— А я хочу, — заявила Квин, шагнув в комнату.

Не отнимая трубки от уха, Коди резко обернулся и сразу понял, что она слышала весь разговор.

— Не сейчас, милая, — проговорил он прямо в трубку, не сообразив, что Деннис не преминет подколоть его.

— Вот так бы сразу и сказал, — жалобно протянул фальцетом Макон. — Если ты уже устал от наших отношений, то имей мужество признаться в этом.

— Черт возьми, Деннис! Ты прекрасно понимаешь, что я сказал это не тебе.

Деннис громко расхохотался, довольный своей шуткой.

— В чем дело? — спросила Квин. — Кто тебе позвонил? Деннис?

Коди нахмурился и, отвернувшись, попытался все уладить:

— Послушай, давай поговорим позже. Я уже сказал тебе все, что думаю. Просто попытайся...

Квин подошла к Коди и выхватила у него трубку, не дав закончить разговор.

— Деннис? Привет, это Квин.

— Привет, ангел. — Голос Денниса сразу потеплел. — Давно не виделись.

— Да, пожалуй. Деннис, Коди может тебе перезвонить?

Коди Боннер потянулся к телефонной трубке, но Квин мягко отстранила его.

— В любое время, — ответил Макон, догадавшись, что Квин слышала обрывки их разговора и теперь сгорает от любопытства. Он повесил трубку в надежде, что она может повлиять на решение друга. Коди идеально подходил для их работы, главное теперь — изменить его отношение к проекту.

— Он уже отключился, — произнесла Квин, протягивая Коди трубку. — Сказал, что ты в любое время можешь перезвонить.

Коди бросил трубку и попытался выдержать ее возмущенный взгляд. Он прекрасно знал, чем это грозит: сейчас она начнет отчитывать его.

— Думаю, ты должен мне все объяснить, — начала Квин.

— Я не знаю, что ты...

— Нет, черт возьми! — Квин моментально вспыхнула. — Хватит молоть ерунду, Коди! Я не заслуживаю такого отношения. По-моему, сейчас самое время рассказать мне, что кроется за твоими визитами в Лоури.

Прежде чем ответить, Боннер отвернулся, опасаясь, что Квин прочтет все по его глазам. Впрочем, успокоившись, он с невозмутимом видом сказал:

— Меня попросили возглавить проект, а я отказался. И что тут такого?

— Какой проект? Где? И не вздумай сказать, что я стала причиной твоего отказа.

Почувствовав угрозу в ее голосе, Коди виновато отвел взгляд. Что ж, этого было вполне достаточно.

Вся горя от негодования и возмущения из-за упрямства этого человека, Квин набросилась на него:

— Черт побери, Коди! Сколько раз тебе повторять — ты ни в чем не виноват! Неужели...

Коди схватил ее в объятия, поцелуем прервав яростную тираду. Коснувшись ее груди, он пробежался пальцами по спине, осторожно спустился к ягодицам и крепко прижал к себе ее. На какое-то мгновение он потерял контроль над собой.

Квин томно застонала и с молчаливой покорностью приникла к нему, поглаживая его по спине.

Она просто поддалась порыву, но когда ее руки проникли к нему под свитер и она продолжила свои ласки, он, забыв, что сам спровоцировал ее, мягко отстранился, чтобы окончательно не потерять над собой контроль.

— Я не нарочно, — прошептал он, отрываясь от ее губ. — И я не рассказывал тебе ничего только потому, что хотел поберечь тебя. Ты и без того слишком много для меня сделала.

Квин повела плечами, пытаясь сохранить самообладание, затем закрыла глаза и вздохнула. Так она и знала.

— Ты обязан мне рассказать все, — настойчиво повторила она, — и если ты этого не сделаешь, то обещаю тебе... Я так или иначе все разузнаю, и тогда тебе несдобровать.

— Черт возьми! — воскликнул Коди, с силой ударив кулаком по столу. Надо же, она еще и грозит ему! — Ладно. Если уж ты так настаиваешь, то слушай.

Квин опустилась в кресло и, положив руки на колени, стала ждать.

— Они хотят, чтобы я возглавил новую программу на полигоне, который находится в горах, в нескольких милях отсюда, на правительственной территории. Ссылаясь на мои квалификацию и опыт, меня просят принять руководство подготовкой военных к выживанию в сложных условиях. Конечная цель обучения — оправданный риск и умение выбираться из любых ситуаций. Идея хорошая, но на ее осуществление потребуется много времени. Мне придется бывать там каждый день на протяжении месяцев, а иногда даже работать ночью. В этом все и дело. Я не могу оставлять мальчиков одних и не могу возлагать на тебя еще большую ответственность за судьбу моей семьи.

— Почему?

Этот короткий вопрос настолько ошеломил Коди, что он не сразу нашелся с ответом, а когда нужные слова были подобраны, то он сразу почувствовал, что звучат они неубедительно.

— Потому что я и так перегрузил тебя. Из-за меня ты чуть не лишилась жизни. Из-за меня не добралась до цели, о которой мечтала всю жизнь. Из-за меня ты снова оказалась с кучей детей на руках, только-только ощутив себя свободной. Из-за меня попала в снежный плен, и я чертовски боюсь наступления весны, потому что в один прекрасный день ты придешь ко мне и скажешь, что уезжаешь... а я не хочу, чтобы ты уезжала! Вот почему.

Квин от возмущения как ветром сдуло с кресла. Ну почему мужчины такие тупые и не хотят видеть дальше своего носа?

— Боже мой! Неужели ты так ничего и не понял? Я осталась здесь по своей собственной воле. Никто не принуждал меня покидать автобус. Никто не заставлял отправляться с мальчиками к ним домой, в горы, и ждать их непутевого отца. Никто не требовал помогать вам. Я сама так решила.

Зеленые глаза Квин горели огнем, волосы разметались и упали ей на лицо. От нее сейчас можно было ожидать всего: и удара, и поцелуя. Коди даже растерялся. Уже спокойнее, словно выпустив пар, Квин продолжила:

— Короче говоря, если ты сам не согласен возглавить эту программу, то нечего ссылаться на меня, потому что я не хочу уезжать. Да если бы даже захотела, все равно не смогла бы.

Квин плюхнулась в кресло и, устыдившись того, что выдала себя с головой, закрыла лицо руками.

Он отвел ее руки в сторону, впился в нее горящим взглядом своих небесно-голубых глаз и выпалил то, что она и не надеялась услышать:

— Я люблю тебя, Квин! Не знаю, поймешь ли ты сейчас, но я слишком долго таился.

— Значит, настало время доказать это, — ответила Квин, — потому что я слишком долго ждала доказательств того, что я что-то значу в твоей жизни.

Коди вытащил ее из кресла и заключил в объятия.

— Я все время доказывал тебе это, леди, — прошептал он, — просто ты не хотела замечать.

Глава 12

Квин вздохнула, стараясь подыскать нужные слова в ответ на признание Коди. Он подхватил ее на руки и понес в свою спальню.

— Да, — кивнула она, — кое-что я замечала, но отказывалась верить. И вовсе не потому, что не хочу тебя. Дурой будет та женщина, которая тебя не полюбит, Коди Боннер. Просто мне не приходило в голову, что такое может случиться со мной.

— Но почему, черт возьми? Я делал все возможное, чтобы ты почувствовала это, разве только не писал о своих чувствах в газете, — откликнулся Коди.

— Потому что мы такие разные... Ты знаешь меня исключительно как женщину, которая прервала свое путешествие в неизвестность. Ты совершенно не знаешь дочери картежника из Кредл-Крика, штат Теннесси. Ты даже представить себе не можешь, какая пропасть между моим и твоим миром. Там, где я жила... — Квин замолчала, плотно сжав губы при воспоминании об ужасах прошлого. — Ты не знаешь, как я жила... что нам приходилось делать, чтобы выжить. Ты летал на современных самолетах, оснащенных сложными компьютерными системами, в которых мне никогда не разобраться, а я мыла полы в доме владельца угольной шахты.

— И ты думаешь, что это изменит мое отношение к тебе? Похоже, ты очень плохого мнения обо мне, да и вообще о мужчинах, а?

Квин погрустнела: Коди задел ее за живое.

— Вот черт! — выругался он, взъерошив волосы. — Не плачь. Ради Бога, не плачь. Господи, я никогда не знал, как надо правильно обращаться с женщинами.

Страх, отразившийся в его глазах, в корне изменил ситуацию. Если он ее так любит, то и она должна пойти ему навстречу и нарушить свою клятву относительно мужчин... довериться ему.

— Ты сказал то, что мне хотелось услышать, Коди. Ты сказал, что любишь меня.

— Тогда в чем дело, милая? — спросил он, желая обнять ее и одновременно страшась этого. — Я сделаю все, что в моих силах, чтобы ты была счастлива. Если тебе сейчас плохо... если ты еще не готова... пожалуйста, скажи. Лучше мне остановиться сейчас, чем навсегда потерять тебя.

Квин заплакала.

— Господи! — воскликнул Коди. Он хотел погладить ее, но взгляд Квин остановил его. — Детка... не надо. — Он встал и направился к двери. — Смотри! Я ухожу. Никакого принуждения. Никаких проблем.

— Тогда помоги мне, Коди, — прошептала Квин. — Если ты сейчас уйдешь, Коди Боннер, я никогда не прощу тебя.

Коди остановился как вкопанный — ее слова потрясли его. Он думал, что она плачет от страха, а оказалось — от радости.

— Черт возьми, леди, — проворчал он, возвращаясь к ней, — ты до смерти напугала меня. Я думал, ты меня ненавидишь.

— Только однажды, — прошептала она, засовывая его руки себе под свитер. — Тогда, когда ты проволок меня по луже масла и вытащил за ноги из-под твоего старого красного пикапа.

Он удивился ее откровенности и осторожно, млея от наслаждения, погладил руками ее трепетные, шелковистые на ощупь груди. Его пальцы, лаская, обхватили каждую грудь, и он тотчас же почувствовал, как затвердела его плоть.

Квин томно застонала от охватившего ее желания. Запустив пальцы под ремень его джинсов, она начала свои собственные изыскания, с улыбкой отметив, что его дыхание участилось, а пресс напрягся.

Коди не мог поверить в случившееся. Несколько минут назад он боялся потерять ее, а сейчас испугался слишком быстрого развития событий: вдруг он не сможет утолить ее голод?

Одним рывком сорвал с нее свитер, под которым был простой хлопчатобумажный лифчик, поддерживающий ее роскошную грудь. Но не успел он снять его, как Квин, покачав головой, прикоснулась пальчиками к пуговицам его рубашки, намекая, что ему тоже не мешало бы раздеться.

Коди все понял. Квин не хотела торопиться, и его это вполне устраивало. В долю секунды он сорвал с себя рубашку и сбросил ботинки, а затем вопросительно взглянул на нее.

Квин с улыбкой расстегнула лифчик, наслаждаясь его смущением.

Он едва удержался от того, чтобы не схватить ее, и начал медленно расстегивать джинсы, с интересом наблюдая, как глаза ее широко распахнулись, а затем закрылись, чтобы скрыть вспыхнувшее желание. Коди вздрогнул всем телом при одной лишь мысли о том, что, когда его джинсы спадут, она сразу же увидит свидетельство его страсти и силы. Опустив руки, он несколько раз вздохнул, чтобы успокоиться. В то же время Коди с нетерпением ожидал дальнейшего развития этой сексуальной симфонии.

Квин улыбнулась, ее зеленые кошачьи глаза с восторгом смотрели на скульптурное совершенство его плеч, живота, на темные волосы, покрывавшие грудь... Сев на край кровати, она помахала у него перед носом ногой:

— Мне нужна твоя помощь.

— Мне казалось, что только я нуждаюсь в помощи, — заметил он с усмешкой и, шагнув вперед, раздвинул ей ноги и осторожно повалил на кровать.

Коди нежно погладил ее бедра, потом осторожно стянул сначала один носок, а за ним и другой. Затем, взобравшись на кровать, стал расстегивать пуговицы на ее джинсах. Сначала одну... потом другую...

Глаза ее широко раскрылись, а дыхание участилось, когда он придвинулся к ней вплотную, и вдруг припал поцелуем к ее губам. Она импульсивно выгнулась и обняла его за шею.

Коди жадно впивался в ее губы, отчего голова у нее пошла кругом, а затем он, втянув в себя ее нижнюю губу, стал легонько посасывать.

Его язык проник в ее рот, коснулся нёба и стал описывать круги, доставляя ей безумное наслаждение. Приятная истома охватила все тело Квин, и она, взяв руку Коди, направила ее в нужном направлении.

Подчиняясь ее молчаливому руководству, его пальцы, скользнув по мягкому животу, проникли ей под трусики... Коди захлестнула новая волна страсти, когда она, застонав, выгнулась ему навстречу, словно умоляя его «усмирить зверя», которого он только что разбудил, известным во все времена способом.

Его пальцы проникли в ее влажные глубины и замерли — он не решался двинуться дальше. Квин застонала от удовольствия, и Коди вновь вздрогнул, но, стараясь не терять контроля над собой, решил вернуться к тому, с чего начал.

Соски ее вмиг затвердели от его прикосновения, и, когда он осторожно прикусил один из них, она громко вскрикнула от наслаждения.

— Еще... нет, хватит... — шептала она, не сознавая, что противоречит себе.

Коди, подняв голову, посмотрел на нее. Квин заглянула в глубину его голубых глаз и едва там не утонула. Он вдруг горячо зашептал ей слова, которые она и не надеялась услышать, о которых и мечтать не смела.

Квин протянула руки и обхватила его голову, побуждая выполнить то, что он ей сулил. Она пропускала сквозь пальцы его черные и мягкие волосы — темную ночь при свете белого дня.

— Леди... моя... — шептал он, глядя на нее полным любви взглядом, отчего ее страсть разгоралась еще сильнее. Чуть отстранившись от нее, он тотчас почувствовал, что сходит с ума — она взяла в руки его пенис!

— Нет... Боже, — прошептала она, сжимая в руке бесспорное доказательство его мужественности.

— Квин! — невольно воскликнул он. Забыв обо всем на свете, он стал руководить ею, с наслаждением ощущая ее пальчики на своей затвердевшей, как камень, плоти. Содрогнувшись всем телом, он вдруг почувствовал, что больше не выдержит и... Но он так долго мечтал об их близости, чтобы закончить все так быстро!

— Остановитесь, леди! Я не хочу, чтобы дело закончилось таким образом. — Застонав, он нехотя отнял ее руки.

Получая удовольствие от того, что доставляет ему такое наслаждение, Квин очень удивилась его неожиданному отступлению. Но не успела она опомниться, как он сорвал с нее остатки одежды и теперь восхищенно смотрел на нее.

Порывшись в ящике прикроватной тумбочки, Коди нашел там презерватив, быстро натянул его и лег на Квин, прикрыв ее от холода своим телом.

Квин вздохнула, закрыла глаза и обвила любимого руками. Крепко прижавшись к нему, она всем сердцем желала, чтобы он поскорее утолил ее страсть. Так же, как заполнил собой ее сердце.

Коди с наслаждением ощущал ее тело, понимая, что в этот момент оно полностью принадлежит ему. Когда же Квин открыла глаза и посмотрела на него сквозь пелену слез счастья, до его сознания дошло, что она готова принять его и примет, потому что любит всем сердцем.

— Не стоит больше ждать, — шепнул он, коленом раздвигая ей ноги.

Она только вздохнула в ответ.

Он помедлил, заглянул ей в глаза, полные любви, и сильным толчком вошел в нее, с такой уверенностью, словно они занимались любовью уже тысячу раз прежде.

Она непроизвольно дернулась.

— Коди?

Вопрос прозвучал как мольба.

— Я здесь, детка, — прошептал он, слегка приподнявшись, чтобы ей было не так тяжело. — Я постараюсь не разочаровать тебя... и никогда от себя не отпущу. Клянусь.

С этими словами он начал осторожно двигаться, давая ей возможность принять его и привыкнуть. Он подавил радостный стон, когда, испытав горячую глубину ее тела, осознал, что до него там еще никто не был. Она же подталкивала его, заставляя двигаться быстрее... и проникать все глубже.

Сначала ими руководила радость. Радость от ощущения того, что они любят друг друга. Затем радость сменилась наслаждением: подчинившись единому ритму, они уже не сдерживали и не контролировали себя.

Кровь Квин пульсировала в жилах, ускоряя бег по мере приближения экстаза. И вот в ней словно что-то вспыхнуло и разлилось жарким теплом. Она просто изнемогала от страсти. Обхватив Коди ногами, Квин попыталась обрести точку опоры, так как ей показалось, что она сейчас исчезнет, растворившись в блаженстве.

— Расслабься, — прошептал Коди. — Я готов... Давай вместе.

Казалось, Квин только этого и ждала. Вздрогнув от наслаждения, она слилась с ним.

Коди же после мощного заключительного толчка со стоном рухнул на нее сверху, содрогаясь от сладостного изнеможения.

Ощутив под собой ее трепещущее тело, он вдруг приподнялся на локтях и посмотрел ей в глаза, словно стараясь заглянуть в душу.

Ее рыжие, словно янтарные, кудри, слегка взмокшие от пота, в беспорядке разметались по подушке, в глазах читалось изумление, как будто она все еще не могла понять, что же с ней произошло. Ее тело по-прежнему удерживало его плоть, и потому он испытывал неимоверное удовольствие.

Но больше всего его потрясли слезы, катившиеся по ее щекам.

Склонившись к ней, Коди обхватил ее лицо руками и стал лихорадочно покрывать поцелуями щеки, веки, губы, шептать, как много она для него значит, что без нее ему и жизнь не мила.

И Квин внезапно успокоилась. На нее снизошло умиротворение, к которому она так стремилась. Она вздохнула. Как странно! Если бы она знала, что все будет именно так, то это произошло бы давным-давно.

— Я сейчас вернусь.

Коди, встав с кровати, направился в ванную комнату. Через несколько минут он снова лежал рядом с Квин.

— Коди...

— Никакого принуждения, как мы договорились, — прошептал он и, обняв ее за шею, привлек к себе. — Отдыхай. Еще успеем все обсудить. Давай пока просто наслаждаться любовью.

Любовь! Какое простое и всеобъемлющее чувство. Разве можно лучше выразить то, что произошло между ними?! Улыбнувшись, Квин устроилась рядом с Коди поудобнее. Она подумала, насколько он прав: любовь приходит тогда, когда ты знаешь, где ее искать.

Квин так и не уснула, просто лежала и смотрела на спящего Коди, который, перевернувшись на живот, одной рукой обнимал ее, а другую сунул под подушку. Подперев рукой щеку, она откинула прядь черных волос со лба Коди и поцеловала небольшой шрам на его плече. Какой же он сильный и высокий, ее любимый! Квин с улыбкой вспомнила свое первое впечатление от его огромных ботинок, оставленных под лестницей.

«Я была права, — подумала она. — Такие ботинки может носить только очень большой человек».

Посмотрев на его мощные ноги, Квин представила себе, как его самолет был сбит и он сломал себе ногу. Она поморщилась: ужас, как ему тогда было больно! В памяти промелькнула сцена борьбы с Вирджилом Стрэттоном. Должно быть, Коди ни разу не останавливался и не прекращал погоню, несмотря на то что сильно устал и выбился из сил.

Он застонал во сне и зашевелился. Его рука опустилась с ее груди на талию, и Коди машинально притянул любимую к себе. Даже во сне ему не хотелось расставаться с ней.

Его руки, такие крепкие, сильные и ласковые, если дело касалось сыновей, такие нежные, когда он занимался с ней любовью... И вот этими самыми руками он ради нее совершил убийство. Она никогда не забудет то чувство, которое испытала, очнувшись в снегу и услышав его голос. Не забудет она и рук, поднявших ее. Как хорошо, что Господь услышал ее молитвы и послал Коди ей на помощь.

Этот мужчина... ее мужчина... За него стоит бороться... стоит держаться. Если ей удастся забыть прошлое, считая, что далеко не все мужчины похожи на Джонни Хьюстона, тогда... тогда они смогут быть вместе.

— Я люблю тебя, Коди Боннер.

Но Коди спал и не слышал ее признания, а когда он проснется, она уже не решится повторить свои слова. Даже сейчас, когда он ее не слышал, ей было нелегко произнести их.

Прошло много времени, прежде чем они выбрались из постели и оделись, и единственной причиной тому были сыновья Коди. Вернувшись из школы, они уже бежали по дорожке к дому, бросая друг в друга снежки.

Квин внезапно остановилась на пороге и испуганно прошептала:

— Ничего им не рассказывай.

Коди кивнул. Ему не надо было уточнять, о чем не рассказывать. И не надо было спрашивать почему. Произошедшее между ними было их личным делом, этим не стоит делиться ни с кем. Да и что он мог сказать? «Мальчики... сегодня я переспал с вашей тетей, которая вовсе не ваша тетя». Или того лучше: «Мальчики... сегодня я переспал с нашей домоправительницей, которая готовит вам еду». Это не тот разговор, который должен вести отец с сыновьями, особенно когда дело касается женщины, которая не является им матерью.

Квин с облегчением вздохнула, не зная, правда, как он собирается вести себя дальше. Хорошо хоть согласился делать вид, что ничего не случилось.

Донни ворвался в дом первым, опережая младших братьев. Глаза его искрились, щеки разрумянились от мороза. Он сразу кинулся к лестнице, чтобы забросить в свою комнату учебники, а потом спуститься на кухню перекусить.

— Привет, ребята! — крикнул он, пробегая мимо, но внезапно остановился и как-то странно посмотрел на отца и Квин, стоявших в разных концах комнаты.

Отказавшись от первоначального намерения подняться к себе, Донни вошел на кухню. Уилл и Джей-Джей, хлопнув дверью, влетели вслед за ним и стали требовать, чтобы их накормили. Старший же брат внезапно понял, что есть вещи поинтереснее, чем еда.

— Итак, — многозначительно изрек он, бросая учебники на стул. — Что новенького?

— Ничего особенного, сын, — ответил Коди. — К тому же мои дела тебя не касаются. А вот что новенького у тебя?

Донни пожал плечами и сосредоточил внимание на Квин — она вся зарделась и старательно отводила взгляд от отца.

— Судя по всему, весь день скучали, да? На дворе так много снега, что вы туда даже носа не высовывали, ведь правда?

Квин, рассердившись, покраснела еще больше, поняв, что они попали в ловушку маленького шалунишки.

Донни усмехнулся.

— Пахнет жареным! — закричал он, хлопнул в ладоши и выбежал из кухни.

Закатив глаза, Коди пожал плечами. Надо было думать, что Донни почувствует перемену в их с Квин отношениях.

— Донни!

Резкий окрик Квин заставил мальчика вздрогнуть. Решив, что ему сейчас сделают выговор за бестактность, он вздохнул и обернулся на зов.

— Ты забыл учебники, — проговорила Квин.

Донни снова усмехнулся и, выгнув брови в стиле Граучо Маркса*, что с недавних пор вошло у него в привычку, ответил:

— Ах да... — и вышел.

— Я не виноват... — начал было Коди, но Квин жестом остановила его.

— Не извиняйся, — сказала она. — Тут никто не виноват. Нам следовало знать, что от гормонов никуда не денешься... а у него их переизбыток.

Коди расхохотался. Квин совершенно точно охарактеризовала его сына, и она права: он не в состоянии скрыть своих чувств к ней. Это все равно что перестать дышать.

---

* Граучо Маркс (1890—1977) — американский актер.

— Ладно, обедать будем? — спросил Коди, намекая на то, что они как раз собирались перекусить перед приходом детей.

— Я не хочу. Покорми детей сам, — ответила Квин. — А я пока подошью что-нибудь... или залатаю... Короче, займусь тем, что никто, кроме меня, не сделает, а ты пообедай с сыновьями, поговори с ними. Думаю, тебе это необходимо.

Коди закатил глаза. Когда все мужчины собирались вместе, спокойного разговора не получалось. Скорее, звучали одни приказы типа: «Встань в угол. Перестань смеяться». Короче, что-то в этом духе, и Квин была в курсе.

— Благодарю за честь, леди, — отозвался Коди с нежностью в голосе.

Заметив выражение его лица, Квин улыбнулась. Казалось, он благодарил ее за то, что она предоставила ему возможность накормить сыновей, но на самом деле он был благодарен ей за те несколько часов, что они провели в объятиях друг друга.

— Не стоит благодарности, сэр, — ответила Квин. — Я получила огромное удовольствие.

Коди еще долго стоял и, глядя ей вслед, думал: «А вот здесь ты ошибаешься, любимая. Все удовольствие целиком и полностью мое».

Незаметно, как это всегда бывает в горах, подкралась ночь. Разделавшись с уроками, мальчики, немного поартачившись, отправились спать. Как это свойственно детям, они почувствовали, что атмосфера в доме изменилась, хотя и не понимали почему. Они висели на Квин, словно боясь, что она может исчезнуть. Уилл и Джей-Джей настояли на почти забытом вечернем ритуале: рассказе на ночь.

— Может, я вам почитаю, парни? — спросил Коди, увидев темные круги под глазами Квин и вспомнив, что совсем недавно она перенесла эмоциональное и физическое потрясения. А если еще учесть, как они измотали друг друга всего несколько часов назад...

— Нет... мы хотим Квини, — захныкал Джей-Джей. — Она читает с выражением и так здорово всех изображает!

— Да что вы! Тогда, может, и мне стоит послушать. Мне нравятся рассказы со звуковым эффектом.

— Ура! — закричал Уилл. — Ты можешь лечь с Донни, а Квини ляжет с нами.

Квин покраснела. Никакая сила не могла заставить ее посмотреть в лицо любимому, и она прекрасно понимала, что его забавляет ее смущение.

— Я не возражаю, — откликнулась она. — Мне все равно, кто будет меня слушать, лишь бы вели себя тихо. — Коди понял, что последнее замечание относится к нему, но решил промолчать. — И помните наши правила, — продолжала Квин. — Один рассказ, и тушим свет.

Как всегда, мальчики начали спорить. Несмотря на предупреждение Квин, война разгорелась из-за того, какой рассказ читать. Они бы и дальше спорили и пришлось бы отцу улаживать дело, если бы Квин его не опередила, выступив в роли миротворца.

— А что, если я расскажу вам сказку? — спросила она.

Новая идея показалась заманчивой, все, быстро успокоившись, затаили дыхание.

Глубоко вздохнув, Квин вдруг ясно представила себе, о ком будет ее сказка. Пора уже рассказать им историю собственной жизни... своими собственными словами... Пусть познакомятся с ее миром, так же как она познакомилась с их. И пусть примут ее такой, какая она есть.

— Жили-были... — начала она.

Коди улыбался, не представляя, о чем пойдет речь, пока не уловил, что голос ее дрогнул.

Донни почувствовал, что им предстоит выслушать не просто сказку для малышей, и зашикал на своих братьев, окинув их строгим взглядом и призывая замолчать. В комнате повисла тишина.

И в этой тишине зазвучал голос Квин, глубокий, чуть хриплый: заметно растягивая слова, как это было принято в штате Теннесси, она начала повествование о дочерях картежника.

— ...в одном маленьком городке... затерянном в горных хребтах Теннесси, жили три маленькие девочки и их отец, основным занятием которого была игра в карты...

Коди затаил дыхание и отвел взгляд, чтобы не видеть слез, затуманивших глаза Квин, так как чувствовал, что, если она заплачет, он не сможет удержаться и заключит ее в объятия. Он понял, что она решила рассказать историю своей жизни.

Мальчики слушали, и их глаза округлялись от ужаса, по мере того как она рассказывала, что девочки часто голодали и почти никогда не знали, где проведут ночь. Вместе с отцом они постоянно кочевали из города в город в поисках лучшей доли. Отец готов был заложить всех и вся, лишь бы играть в карты. Квин поведала, как девочки, лежа в одной постели, шептались ночами, строя планы на будущее. Они мечтали уехать туда, где воздух чище и где никто не знает об их нищете.

— Шли годы, девочки выросли, и случилось нечто прелюбопытное.

— Что? Что?! — закричали Джей-Джей и Уилл, перебивая друг друга, тронутые рассказом Квин о трех маленьких девочках, у которых, так же как и у них, не было мамы.

— Слушайте, и вы все узнаете, — ответила Квин, с нежностью обняв их. — Ну так вот. Хотя сестры ненавидели тот образ жизни, который вел их отец, и его методы воспитания, они поняли, что не смогут так легко расстаться с ним, как воображали себе в детстве. Они все еще были привязаны к нему. Но причиной, по которой они не могли покинуть его, была не бедность, а то, что он старел и остался бы совсем один. Они вдруг поняли, что их связывает какое-то особое чувство, и этим чувством была любовь друг к другу. И именно эта любовь удерживала девочек дома, пока старик не умер.

— Моя мама тоже умерла, — вздохнул Уилл.

— Я знаю, мое сердечко, — сказала Квин, — но не ошибусь, если скажу, что она тебя сильно любила.

Уилл кивнул.

— Вот это ты и должен помнить. Ее любовь.

Коди глаз не мог поднять на Квин. Ее рассказ тронул его до глубины души.

— А что случилось потом? — спросил Донни.

Губы Квин задрожали, но она улыбнулась и продолжила:

— Дайте подумать... На чем я остановилась?

— Картежник умер, — подсказал Коди.

Квин кивнула:

— Да, верно... Он умер, и сестры поняли, что теперь они свободны.

— Они уехали?

— Да, уехали, причем собрались очень быстро. Одна из них по зову сердца последовала за человеком, который посулил ей манну небесную. Вторая полетела на яркий свет огней, чтобы осуществить мечты своего отца.

— А что случилось с третьей? Куда она отправилась?

Квин вздохнула:

— Она оказалась самой счастливой. Уезжая, она и представить себе не могла, где окажется. Она не знала, что на земле есть особое место и особые люди, которые только и ждали, когда она найдет их.

— И она стала счастливой, встретившись с ними? — спросил Уилл.

Коди посмотрел на Квин и, затаив дыхание, с таким же нетерпением, как и его сыновья, стал ждать ответа.

Квин подняла голову и посмотрела ему прямо в глаза.

— Да, милый, мне кажется, что стала. А сейчас... всем пора спать. Завтра в школу.

Покинув теплое гнездышко двух братьев, Квин поочередно поцеловала их в щеки, укутала одеялом и отступила в сторону, давая Коди возможность пожелать им спокойной ночи.

— Спокойной ночи, Квини. Спокойной ночи, папа! — дружно закричали мальчики.

— Спокойной ночи, ребятки, — ответила Квин.

— А меня поцеловать? — спросил Донни, когда она направилась к двери.

Квин была удивлена: Донни «телячьих нежностей» не любил. Коди посторонился, и Квин склонилась над мальчиком.

— Спокойной ночи, — сказал тот, когда она поцеловала его в щеку. — Я так рад, что мы встретились, — шепнул он.

Квин не могла произнести ни слова в ответ и только молча кивнула. Коди погасил свет.

Они вместе покинули комнату, тихо закрыли за собой дверь и только в коридоре взглянули друг на друга. Коди тотчас распахнул объятия, и Квин упала в них со вздохом облегчения и умиротворения, которые приходят, когда заблудившийся человек наконец нашел дорогу домой.

Коди держал ее в своих объятиях до тех пор, пока она совершенно не успокоилась и не подняла к нему лицо, ожидая поцелуя.

Глава 13

Какой-то странный звук проник в сознание Коди, моментально лишив его сна. Не теряя времени на размышления, Коди вскочил с кровати, натянул джинсы и, застегивая пуговицы, сунул ноги в тапочки. Страх подгонял его. В висках его пульсировало только одно: заболел кто-то из мальчиков или что-то случилось с Квин.

Выбежав из комнаты, он рванулся по коридору к спальне сыновей. Все трое были на месте и крепко спали. Значит, Квин.

В комнате ее не было. Постель пуста, одеяла в спешке сброшены на пол. Халат, который он ей дал, висел на спинке стула, ночная рубашка валялась на полу.

Ванная комната была пуста. В доме было холодно и сыро. Проходя мимо термостата, Коди машинально переключил его на тепло.

Ступеньки скрипнули у него под ногами; он тотчас замер, прислушиваясь к шуму, который его разбудил, а затем двинулся на кухню. И здесь в проеме двери черного хода увидел ее.

Он узнал на ней свой старый свитер, который доходил ей до колен, тут же отметив, что ноги ее босы и она стоит на холодном полу веранды, вглядываясь в ночь. Ветер раздувал ее волосы.

— Что за черт? — тихо выругался Коди и вышел на веранду, где она застыла, словно часовой. — Квин, детка... что случилось? И почему ты так легко одета? Ты же окоченеешь!

Вздрогнув, Квин обернулась на голос и, приложив палец к губам, сделала ему знак помолчать.

— Послушай! Коди... что это? Что за звук? Откуда?

Коди прислушался и услышал, как, сбегая с гор, танцуя в кронах деревьев, гуляя по ложбинам и заполняя собой всю долину, дул ветер. Ощутив на лице его дыхание, Боннер пояснил:

— Чинук.

Для леди из штата Теннесси этот термин был незнаком.

— Это буря? Я слышала, как с крыши дома потекла вода, заливая окно в моей комнате, и решила, что идет дождь, но в стекло стал стучать ветер.

Коди обнял Квин и привлек ее к себе, придерживая подбородком ее развевающиеся волосы.

— Неужели ты ничего не чувствуешь? — спросил он. — Закрой глаза и скажи мне, что ты чувствуешь.

Ощущая себя в безопасности в его объятиях, Квин закрыла глаза и через минуту воскликнула:

— Он теплый!

— Правильно! — подтвердил Коди. — Чинук — сухой ветер, теплое дыхание с запада; он приходит со Скалистых гор зимой или ранней весной. Посмотри на деревья.

Квин вгляделась в залитые лунным светом деревья, и у нее захватило дух.

— Они тают, Коди! Весь мир тает!

Коди рассмеялся от такого сравнения.

— Нет... мир не тает, а вот снег — да, и я не скажу, что не рад этому. В этом году снег выпал рано даже для Колорадо, а ведь зима только началась.

Квин поежилась.

— Меня это не волнует, когда ты рядом, — отозвалась она. — С тобой мне ничего не страшно.

Ее слова лишили Коди дара речи, и он только крепче сжал ее в своих объятиях.

— Леди, от ваших слов у меня перехватило дыхание.

— Это от ветра, — заметила Квин, чувствуя тепло его рук.

Она закрыла глаза и вздохнула от удовольствия, когда он сжал ладонями ее груди, а затем круговыми движениями принялся ласкать, соблазняя и возбуждая ее. Наконец его руки, скользнув по ее животу, замерли в самом влажном и укромном местечке.

— Коди...

Он чувствовал, как Квин, вздрогнув, откликнулась на его ласку, и подумал, что чинук расслабляет быстрее, чем снег.

— Здесь слишком холодно, чтобы заниматься любовью, — проговорил Коди, подталкивая Квин к двери.

— Не будет холодно, если ты не станешь останавливаться, — ответила Квин, поворачиваясь к нему спиной. С ее губ сорвался тихий стон, когда Коди провел руками по ее спине, дотронулся до ее ягодиц и крепко прижал к себе — твердый бугор распирал его джинсы.

— Идем наверх, — выдохнул он. — Я хочу чувствовать тебя под собой.

Звучало очень заманчиво. С дрожью в теле Квин вспомнила его сильные движения, которые доставляли ей удовольствие и разжигали страсть.

Коди тем временем задрал на ней свитер и стал ласкать ее обнаженное тело.

— Я не могу двигаться, Коди, — простонала Квин. — Мы зашли слишком далеко. Помоги мне, потому что я бессильна что-либо изменить.

Услышав ее слова, Коди больше не раздумывал. Он чувствовал под руками ее трепещущее тело, ощущал ее гладкую кожу...

— О Господи! — скрипнул зубами он, прекрасно понимая, какой огонь сжигает ее. Он должен помочь ей погасить его.

Рывком расстегнув пуговицы на джинсах, он выпустил на волю свою затвердевшую плоть, затем приподнял Квин и, повернув, прижал к себе.

Квин сомкнула руки и ноги у него на спине, сливаясь с ним воедино.

Не передать словами то чувство, которое охватило Квин, когда он вошел в нее.

Расставив ноги, Коди еще крепче прижал ее к себе и постарался сдержать подступающий оргазм.

— Давай вместе, — предложил он.

Квин захлестнула огненная волна страсти.

Через несколько минут Коди вздрогнул, но причиной тому был не холод, а переизбыток эмоций. С трудом добравшись до стула, он вместе с Квин опустился на сиденье.

Она крепко прижалась к нему, скрестив ноги у него за спиной, все еще не желая отказываться от близости.

— О Коди!.. — только и вымолвила она.

— Я понимаю, — прошептал он, и сердце его забилось сильнее. — Господи, леди. Мы же не предохранялись!

Поджав ноги, Квин уютно устроилась у него на коленях и, положив ему руки на плечи, заглянула в глаза.

— Ну и что? Меня это не волнует, — отозвалась она. — Остается только узнать... если что-нибудь случится... готов ли ты разделить со мной ответственность или просто купишь мне билет на автобус?

Разозлившись, Коди как следует встряхнул Квин:

— Черт тебя побери! Нечего за меня решать! Я беспокоюсь за тебя, а не за себя. В душе я давно считаю тебя членом своей семьи. Просто мы никогда не обсуждали, надо ли ее увеличивать.

Вздохнув, Квин приблизила к нему лицо.

— Ты даже не представляешь, что значишь для меня, — сказала она. — В моей душе... я давно чувствую себя защищенной. Ты сделал для меня нечто очень важное... С тобой я всегда буду чувствовать себя любимой. Что бы ни случилось, я не буду тебя винить.

Их губы встретились, и этот поцелуй длился бесконечно долго. Лишь совсем задохнувшись, они оборвали его.

Коди взял Квин на руки и направился к двери.

— Идем ко мне, милая, — прошептал он. — Сейчас мы займемся любовью так, как хочу я.

— Как скажешь, Коди. Как скажешь.

На следующее утро, через час после отъезда мальчиков в школу, Коди неожиданно услышал характерный громкий шум.

Квин, выйдя из комнаты мальчиков с кучей грязного белья, застыла на верхней ступеньке лестницы и с любопытством стала наблюдать, как Коди стремительно двинулся к входной двери. Впрочем, уже через минуту она, бросив белье, быстро сбежала с лестницы.

Солнце сверкало на боках вертолета, пропеллеры невероятно гудели, и их гул эхом отдавался в горах. То скрываясь, то вновь появляясь из-за горных круч, он подлетел к дому и, сделав несколько кругов, спустился на площадку перед входом, словно пчела, устремившаяся к раскрытому цветку.

— Что происходит?

Повернувшись на голос Квин, Коди пожал плечами, стараясь сохранять спокойствие при виде спектакля, который ему устроил подполковник Макон.

— Это Деннис, — только и ответил он.

— Надо было ему перезвонить, — заметила Квин, улыбаясь.

Деннис тем временем выбрался из вертолета и, шагая по растаявшему снегу и лужам, направился к дому.

— Кофе еще остался?! — крикнул он, взбегая по ступеням.

Моторы вертолета все еще работали, взметая волосы Квин.

— Какого черта тебе здесь надо? — буркнул Коди.

— Входите, — пригласила Квин. — Сейчас посмотрим.

Вопрос Коди остался без ответа.

Деннис Макон относился к тому типу людей, которые не любят церемониться. Он бросил откровенный взгляд на Квин, чем привел ее в дикое смущение, и сказал:

— Ангел... я рад, что ты стала улыбаться.

Квин покраснела и поспешила вырваться из его дружеских объятий. Она сразу заметила, как изменилось выражение лица Коди. Не хватало еще своим поведением обострять отношения между ними! Квин чувствовала, что Деннис, хорошо зная Коди, сразу обо всем догадался.

— Спасибо, — отозвалась она. — Мне хорошо здесь, и я быстро пришла в себя.

Деннис кивнул, восхищаясь ее выдержкой и силой характера. И тут он вспомнил о виновнике произошедшей в ней перемены.

— Ах ты, Коди-негодник! — шутливо нахмурился он. — И здесь ты стал героем. Я рад... искренне рад. Значит, ты зря времени не терял.

— Черт возьми, Деннис! Говорю тебе, что я...

— Коди...

В тихом, но твердом голосе Квин звучало предостережение. Увидев выражение ее лица, Коди понял, что она никогда не простит ему, если он и дальше будет развивать эту тему.

— Зачем ты прилетел? — спросил он Денниса.

— Просто снег растаял, и ты можешь посмотреть полигон. Я надеялся, что ты приедешь сам, но ты даже не перезвонил мне. А нанести вам визит не запрещал.

Глаза Коди, вспыхнув одновременно от радости и негодования, много сказали Квин. Она видела его живой интерес к делу всей жизни, его потребность летать. Это было у него в крови. К тому же уйти в отставку в сорок два года слишком рано для такого человека, как Коди Боннер.

— Пока вы обмениваетесь любезностями, я приготовлю Деннису кофе, — сказала Квин и вышла из комнаты.

Коди проводил ее взглядом, понимая, что она уже дала ему свое благословение. Она вернула его к жизни... подарила все, чем стоит дорожить.

— Какая женщина! — заметил Деннис.

— Да, она чудесная, — согласился Коди. — Только не забудь, что она моя.

Деннис в немом изумлении приподнял бровь и лукаво усмехнулся.

— Можно подумать, я не знаю, — бросил он вдогонку Коди, поднимавшемуся по лестнице.

Когда тот снова спустился, Квин занимала Денниса беседой и угощала кофе с банановым кексом. Наблюдая за ней, Коди вдруг вспомнил, как она когда-то боялась, что не впишется в его мир. Ее страхи оказались напрасны. Ей и делать-то ничего не надо, чтобы нравиться, — просто живи и наслаждайся жизнью. А мужчины сами будут слетаться к ней, как пчелы на мед... и есть из ее рук.

Квин подняла глаза и, увидев лицо Коди, сразу потеряла нить разговора. Коди окинул ее взглядом, и она затрепетала. Дрожащей рукой переставила пустой поднос. Всего несколько часов назад она была близка с Коди! По выражению его глаз она поняла, что он вспоминает то же самое.

Деннис осекся, внезапно поняв, что его не слушают. Обернувшись, он увидел стоявшего в дверях Коди.

— Надо же! А я и не слышал, что ты вошел. Хоть бы сказал что-нибудь. — Поставив на стол чашку, Деннис поднялся.

— Я разговаривал с другим человеком, — ответил Коди, заметив румянец на щеках Квин.

— Но я ничего не слышал... — начал было Деннис. — Ну хорошо, — вздохнул он, осененный внезапной догадкой. — Я все понимаю. Тогда давай быстрее двигаться, пока кто-нибудь не умер от страсти. — Он повернулся и подмигнул Квин. — К сожалению, это буду не я.

Квин ответила улыбкой на его шутливую жалобу и пошла проводить их до двери, почувствовав, что нетерпение Коди возрастает.

— Мы вернемся до полудня, — сказал Деннис и, порывшись в кармане, протянул ей свою визитку. — А если тебе вдруг захочется связаться с Коди, позвони по указанному здесь номеру, и вас моментально соединят.

— Спасибо, старина, — хлопнул его по плечу Боннер. На душе сразу стало легче. Квин в любой момент сможет связаться с ним, а значит, она не будет чувствовать себя покинутой.

— Спасибо, — поблагодарила Квин, — но не стоит ждать моего звонка. У меня масса дел, мне некогда будет названивать.

Приподняв фуражку, Деннис вышел первым, давая влюбленным проститься друг с другом.

Квин отбросила со лба Коди непокорную прядь темных волос, подавляя желание прильнуть к нему. Он стал так нужен ей, что она уже жизни без него не представляла.

— Будь осторожен, — сказала она. — Занимайся своим делом, и пусть ничто не беспокоит тебя. Мы не будем счастливы, если не будешь счастлив ты, Коди.

Он кивнул и распахнул Квин свои объятия.

— Я безумно люблю тебя, леди! — Не успела она ответить, как Коди припал к ее губам жарким поцелуем.

Но вот он ушел. Квин видела, как он уселся в вертолет, застегнул ремни и с улыбкой помахал ей.

Квин смотрела в небо до тех пор, пока вертолет, превратившись в крошечную точку, не растворился в пространстве. Она старалась не думать, что у Коди помимо нее есть и другая страсть, затем решила не сходить с ума, ревнуя к моторам и крыльям. Когда он с ней, они тоже летают, и это только их полет.

— Я тоже безумно люблю тебя, Коди, — произнесла Квин, — и на днях обязательно скажу тебе об этом.

Войдя в дом, Квин закрыла дверь на засов и прошла в холл. Из стенного шкафа она достала большой пакет, привезенный Коди из магазина рукоделия всего несколько дней назад.

Открыв его, она так и засияла от удовольствия и высыпала себе на колени мотки пряжи. Пряжа была именно такой, какую она заказывала: десять мотков под цвет его глаз. В один из мотков были воткнуты спицы, а на дне пакета, как она и надеялась, находилось руководство с образцами вязания.

— Ты отдал мне свои, — проговорила она, перебирая пряжу и вспоминая старые свитеры Коди, — а я подарю тебе свой.

Быстро убравшись, Квин перестирала белье и, покончив с прочими домашними делами, приступила к осуществлению собственного проекта.

Начав вязать первый ряд, она постоянно подгоняла себя: спицы так и мелькали в ее умелых руках. Когда наступит Рождество, ей будет чем удивить его.

Дни тянулись привычной чередой — мальчики ходили в школу, а Квин занималась домашними делами, время от времени выезжая на «блейзере» Коди в Сноу-Гэп, чтобы походить по магазинам. Деннис и Коди с головой ушли в свой проект, а свитер для любимого обретал форму и объем.

— Ты собираешься рассказывать об этом папе? — спросил Уилл у Джей-Джея.

— А что, если он рассердится?

Уилл обиженно засопел.

— Он не рассердится, глупый. Разве ты не помнишь, что он сам запрещал нам разговаривать с незнакомыми людьми?

— Послушай, но ведь мы с ним не разговаривали. Это он заговорил с нами. А мы убежали от него.

Уилл кивнул:

— Я знаю. Но если бы мы не убежали, что бы он с нами сделал? Возможно, он бы нас похитил, как тот бандит похитил Квини. И что тогда, глупый?

Джей-Джей промолчал.

Квин с сильно бьющимся сердцем слушала их разговор. Затаившись в коридоре, она ловила каждое слово. Не важно, что она подслушивает: ведь на карту поставлена жизнь мальчиков. Что случилось с ними, если они боялись поделиться этим даже с отцом? Раньше они ничего не скрывали от Коди и сейчас даже представить трудно, чем обоснован их страх. Она непременно должна узнать, в чем здесь дело.

— Но если мы расскажем папе, что этот человек интересовался Квини... А вдруг он попросит ее уехать, чтобы тот мужчина нас больше не беспокоил? И что тогда, глупый?

Квин в испуге закрыла лицо руками. О Господи! Кто мог расспрашивать о ней мальчиков? И что можно выпытать у детей, которые и знать ничего не знают о ее прошлом?

Внезапная догадка осенила Квин: возможно, это связано не с прошлым, а с настоящим. Она живо вспомнила злое лицо Леноры Уиттьерс и ее угрозы. Постучав, Квин отворила приоткрытую дверь и вошла.

— Привет, ребятки. Вы уже выполнили домашнее задание?

— Да, — хором ответили они.

— А где Донни?

Уилл пожал плечами:

— Может, где-нибудь играет... Мы не знаем.

Сев на край кровати, Квин пожалела, что рядом нет Коди.

— Какие новости? — спросила она. — В школе все хорошо?

Мальчики отвели взгляд.

— Нормально, — ответил Уилл, не желая быть невежливым по отношению к женщине, которая принесла в его жизнь мир и уют.

— Со многими ребятами подружились? — спросила Квин в надежде, что они не выдержат и откроются ей.

— Есть кое-кто, — ответил Джей-Джей. — Рядом со мной сидит один отличный парень. Он может рыгать в любое время, стоит его только попросить... и ничего за это не берет!

— Да ну! — воскликнула Квин, еле сдерживаясь, чтобы не рассмеяться.

— Это глупо, — заметил Уилл, толкнув Джей-Джея локтем в бок.

— Вовсе не глупо. Ты просто завидуешь. Такой большой, а все еще не научился рыгать, как Вибер.

— Вибер? — с сомнением переспросила Квин. — Неужели у него такое имя?

— Ну да, — ответил Джей-Джей. — Вибер... Майкл Вибер.

— Ах, вот оно что. — Квин совершенно забыла, что в мужской среде принято называть друзей по фамилии, а не по имени. Живя в доме, полном мужчин, она каждый день открывала для себя что-нибудь новое. — Может, пригласить его сюда поиграть? — предложила она и поспешила добавить: — Конечно, если папа не будет возражать.

— Вот здорово! — закричал Джей-Джей.

И тут мальчики, не сговариваясь, посмотрели друг на друга, что не ускользнуло от внимания Квин.

— Твой папа запрещал тебе разговаривать с посторонними? — спросил вдруг Джей-Джей.

— Конечно, — ответила Квин, — ни я, ни мои сестры никогда не беседовали с незнакомыми людьми. Они могут здорово навредить детям.

Уилл кивнул.

— Я же тебе говорил, — сказал он.

— А в чем дело? — спросила Квин. — К вам кто-нибудь приставал? — Джей-Джей молчал, и она продолжала допытываться: — Расскажите мне, я все пойму. Для того и существуют взрослые, чтобы помогать детям выходить из затруднительных положений.

Джей-Джей сдался:

— Один мужчина в школе сначала спросил мое имя, а когда я ответил, стал меня расспрашивать о тебе. Спросил, хорошая ли ты, а я взял и убежал... Я промолчал, но вообще-то хотел бы сказать «да». Я бы описал ему, какая ты замечательная, Квини. Честное слово!

Квин обняла Джей-Джея, до глубины души возмущенная тем, что кто-то посмел смутить ребенка, задавая ему пусть даже самые невинные вопросы.

— Он трогал тебя? — спросила она.

— Нет! — вмешался Уилл. — Мы были на школьном дворе, а он на улице за забором. Ему ведь нельзя входить на школьный двор?

— Конечно, — ответила Квин. — Вы рассказали об этом учительнице?

Джей-Джей покачал головой.

— Если это повторится, то вы должны подойти к учительнице и сказать, что к вам пристает какой-то мужчина. Обещаете?

Джей-Джей кивнул.

— Я обещаю, — ответил он и с облегчением вздохнул оттого, что проблема была решена и никто не рассердился.

— А как он выглядел? — спросила Квин.

— Мужчина как мужчина, но весь какой-то таинственный.

Квин нахмурилась. Детское описание «таинственности» может совсем не совпадать с тем, что подразумевают под этим словом взрослые.

— В чем же выражается его таинственность, милый? — спросила она.

Джей-Джей задумался.

— У него длинное широкое пальто... похожее на плащ Коломбо в телесериале. А еще большой крючковатый нос и очень смешной рот. На горле у него такая смешная штука, которая двигается туда-сюда, когда он говорит.

Квин внимательно слушала, стараясь запомнить описание, и поняла, что ребенок говорит об «адамовом яблоке», чрезвычайно большом и подвижном.

— Он назвал тебе свое имя? — спросила Квин.

— Нет... я сразу убежал.

— Хороший мальчик! — сказала Квин, привлекая к себе и Уилла. — Ну-ка еще раз скажите мне, что вы будете делать, если он снова подойдет к вам?

— Расскажем учительнице! — дружно закричали братья.

— Правильно! А теперь, если вы покончили с домашним заданием, идите на кухню. Там вы найдете на столе бутерброды. Только не деритесь: их много и хватит всем. Договорились?

— Договорились! — закричали мальчики и побежали на кухню, оставив Квин в комнате раздумывать над тем, что она услышала.

— О Господи, — прошептала она. — Коди... где ты? Ты мне так нужен.

Она прекрасно знала, где Коди: на военно-воздушной базе Лоури, на полигоне для тренировки военных. Оставалось только дождаться, когда он вернется домой, а это будет не раньше завтрашнего дня.

Квин прошла к себе в комнату, достала из ящика комода визитку Денниса Макона и, вертя ее в руках, попыталась решить, тот ли это экстренный случай, когда надо срочно отозвать его домой.

Нет, пожалуй, дело может подождать. Завтра она сама поедет в школу, поговорит с директором и предупредит, что какой-то человек рыщет вокруг школьного двора. А когда Коди вернется, передаст ему слова Джей-Джея и расскажет, какие шаги предприняла она. А дальше пусть решает сам.

Успокоившись, Квин пошла искать Донни: пусть получше присматривает за младшими братьями. Дополнительный телохранитель мальчикам никогда не помешает.

Донни Боннер унаследовал не только внешность своего отца. Вечером, отправляясь спать после разговора с Квин, он совершенно по-новому стал относиться к младшим братьям: из маленьких детей, докучавших ему, они превратились в его подопечных, требующих защиты. Он никому не позволит тревожить их. Всякий, кто обидит Уилла и Джей-Джея, будет иметь дело с ним.

После того как мальчики легли спать, Квин еще долго смотрела на затухающий огонь в камине, вспоминая свою жизнь до встречи с Коди и его сыновьями. Чем больше проходило времени, тем с большей неохотой она вспоминала нищету Кредл-Крика и незаслуженные, непростительные обиды со стороны местных жителей. Ее жизнь наполнилась новым смыслом после встречи с Боннерами — ей стали доверять.

Они доверили ей заботиться о них, и это обернулось любовью. Она их полюбила. Как ни крути, получилось очень хорошо.

Телефонный звонок вывел Квин из задумчивости. Сняв трубку, она в волнении затаила дыхание.

— Квин?

— Привет, — с нежностью отозвалась она и тихо рассмеялась. — Я знала, что это ты, только забыла сказать «алло».

— Лишь бы ты не забыла обо мне, тогда все будет в порядке.

— Чувствуется, что тебе там хорошо, — заметила Квин.

— Если бы ты сейчас меня видела, то так бы не думала, — ответил Коди, прислушиваясь к дыханию в трубке и почему-то разволновавшись от ее голоса. — Какие новости?

Квин тотчас вспомнила о младших Боннерах.

— Так, кое-что, но думаю, это подождет до твоего возвращения. Если не ошибаюсь, завтра ты приезжаешь?

— Я же тебе обещал, — ответил Коди, отметив, что в ее голосе звучала некоторая обеспокоенность. — А сейчас рассказать не хочешь? Мальчики не заболели? Или, может, ты боишься? Если боишься, то я сразу...

— Коди, я чувствую себя превосходно, мальчики не заболели, а все наши новости подождут до завтра.

— Ладно. Но мне чертовски не нравится, что, когда меня нет дома, всегда что-нибудь да случается.

— Всему свое время, и ничего особенного здесь не случилось. К тому же я все могу решить сама, по крайней мере многое, — сделав над собой усилие, добавила она. — Помни, я здесь для того, чтобы ты был там.

— Нет, леди, это не соответствует действительности. Ты в моем доме, потому что ты в моей жизни. Я люблю тебя, милая. Спи спокойно. Увидимся завтра.

— Спокойной ночи, Коди. Я тоже тебя люблю.

Квин повесила трубку прежде, чем Коди успел ответить, и улыбнулась. Все оказалось гораздо проще, чем ей представлялось. Конечно, то, что Квин не видела его лица, намного облегчило ей задачу, и она наконец призналась ему в любви.

Телефон зазвонил снова, и Квин, все еще улыбаясь, сняла трубку.

— Проклятие, женщина! Ты специально ждала, когда я уеду так далеко и связь между нами будет только по телефону? Боже мой, леди... ты хотя бы представляешь, как я ждал этих слов?!

Коди упал на кровать и, глядя в потолок, желал лишь одного: перелететь домой на крыльях мечты, если такое, конечно, возможно.

Закрыв глаза, Квин с упоением впитывала в себя его голос.

— Не представляю, — ответила она, — но если ты поспешишь домой, то я, может быть, решусь их повторить... Так что поторапливайся.

— О, Квин, мое сердце уже с тобой! — выпалил Коди и отключился так же неожиданно, как и позвонил.

Глава 14

Внезапное чувство дежа-вю охватило Квин, когда она вошла в офис директора начальной школы Сноу-Гэпа. Она села в приемной на стул, пытаясь оценить царившую здесь атмосферу. Ей представлялось, что для всех на свете школ характерны спертый воздух, запах мела и натертых полов.

Оказалось, что эта школа разительно отличается от школы в Кредл-Крике, которую окончили Квин и ее сестры. Здесь было чисто, все соответствовало требованиям времени. Она слышала мягкий перестук клавиш электрических пишущих машинок в соседней комнате и приглушенное жужжание ксерокса.

Квин закрыла глаза, и в памяти ее ожил тот день, когда они с сестрами впервые пришли в школу в Кредл-Крике. Она вдруг снова резко ощутила страх быть отвергнутой. Правда, мир не без добрых людей. Джедда Уиллис, директриса той школы, была чрезвычайно наблюдательной женщиной, и под спокойствием и хладнокровием двенадцатилетней Квин сразу же угадала ее готовность встать на защиту сестер. Миссис Уиллис учила дочерей Джонни Хьюстона держаться с достоинством в любой обстановке.

— Мисс Хьюстон?

Голос секретарши заставил Квин вздрогнуть. Она вскочила со стула, быстро расправила юбку, пригладила волосы, охваченная непонятным волнением, и не сразу вспомнила, что в беду попала не она, а Джей-Джей, а ее обязанность в отсутствие Коди оберегать его.

— Да, — сказала Квин. — Иду.

Стэнли Брасс, приятно удивившись, взглянул на вошедшую в кабинет женщину. Затем встал из-за стола и, протянув руку, направился ей навстречу.

— Квин Хьюстон, если не ошибаюсь? Помню, помню, мы с вами познакомились в банке.

— Да, — с улыбкой ответила Квин. — Я рада, что вы меня помните. Это упрощает мою задачу.

Стэнли кивнул и предложил ей сесть.

— Что привело вас ко мне? У мальчиков какие-то проблемы?

— Можно сказать и так, — ответила Квин и передала директору содержание подслушанного разговора, а также то, что Джей-Джей поведал ей лично.

По ходу ее рассказа лицо Стэнли мрачнело все сильнее. Он вертел в руках ручку, периодически делая в блокноте какие-то пометки и время от времени прерывая Квин, чтобы уточнить описание подозрительного мужчины.

— ...Вот, пожалуй, и все, что он рассказал мне о внешности мужчины, — закончила Квин и, откинувшись на спинку стула, с облегчением вздохнула. Еще бы, ей стало гораздо лучше, ведь она переложила часть ответственности за детей на плечи другого человека.

Стэнли задумчиво хмурился. Он уже не в первый раз сталкивался с подобной проблемой. Каждый год во время лыжного сезона, с наплывом туристов в их город, появлялись и такие вот типы, которые выкидывали подобные номера. К сожалению, когда в таких делах были замешаны дети, то это касалось непосредственно его. Мир сильно изменился с тех пор, как он перестал быть ребенком, и Стэнли Брасс часто чувствовал себя совершенно беспомощным перед лицом возникавших проблем.

— Даже не знаю, как вас и отблагодарить за то, что вы ко мне обратились, — сказал он. — Конечно, я приму все меры предосторожности. После занятий соберу всех учителей и поговорю с ними. И... я немедленно сообщу обо всем шерифу Миллеру. Пусть будет настороже. Он несет ответственность за детей вне стен школы.

— Не сомневаюсь, что вы сделаете все возможное, — ответила Квин, — но меня настораживает еще кое-что: этот человек расспрашивал обо мне, а значит, доля ответственности лежит и на мне.

Стэнли покачал головой:

— Позвольте с вами не согласиться, мисс Хьюстон. Я уже достаточно давно живу на этом свете и могу с уверенностью утверждать, что вы не несете никакой ответственности за поступки других людей. Вы делаете все, что можете, и не должны сетовать на то, что вам не по плечу. Вы не можете изменить мир, и вы никогда... абсолютно никогда... не должны чувствовать себя виноватой. Не забывайте об этом.

Квин кивнула и поднялась.

— Думаю, отец мальчиков сам поговорит с вами, когда вернется домой. Надеюсь, что я не сделала ничего предосудительного, придя к вам вместо него. Мне казалось, что дело не терпит отлагательства.

— Так и есть, — ответил Стэнли. — Спасибо за то, что пришли. Пожалуйста, держите меня в курсе событий, а я, со своей стороны, буду делать то же самое.

Квин покинула школу с совершенно новым для нее ощущением. Стэнли Брасс отнесся к ней со всей серьезностью, принял ее как уважаемого жителя их города и безоговорочно ей поверил. Казалось, она опьянела от радости.

Спустившись в холл, Квин направилась было к выходу, как вдруг зазвенел звонок. Она посторонилась, пропуская детей, высыпавших из классных комнат, как пчелы из улья.

Джей-Джей сразу заметил Квин. Да ее и невозможно было не заметить: она возвышалась над головами детей и многих учителей. Ее свежесть и рост, словно маяк, притягивали к себе.

— Квини! — Восторженный крик Джей-Джея подхватили другие дети, когда он, прорываясь сквозь толпу, бросился к ней.

Квин, улыбаясь, приняла его в свои объятия, пригладила волосы, расправила воротничок. А он, приплясывая, вертелся на месте, довольный тем, что его друзья видят их вместе.

— Это моя Квини, — сообщил Джей-Джей подоспевшей учительнице.

— Вы миссис Барретт, если не ошибаюсь? — улыбнулась ей Квин. — Я Квин Хьюстон. Джей-Джей мой...

— О! — Лицо Лизы Барретт озарилось обворожительной улыбкой. — Мисс Хьюстон! Я так рада, что мы наконец встретились. Джей-Джей только о вас и говорит: Квини сказала то, Квини сказала это. Вне всякого сомнения, вы произвели большое впечатление на этого молодого человека. И позвольте мне сказать, все мы очень рады, что вы вышли целой и невредимой из того ужасного испытания, — добавила она, посерьезнев.

Неожиданные слезы навернулись на глаза Квин. Она молча кивнула и посмотрела на Джей-Джея, который с обожанием глядел на нее. Нежно погладив его по голове, она опустила руку ему на плечо.

— Он тоже произвел на меня большое впечатление. Я сказала бы, что наши чувства взаимны. Откровенно говоря, мое сердце покорила вся семья Боннеров. — Квин покраснела и поспешила добавить: — Я говорю о мальчиках... как вы понимаете...

Лиза Барретт улыбнулась:

— Не утруждайте себя объяснениями. Я встречалась с их отцом и прекрасно понимаю, о чем вы говорите. — Вздохнув, она закатила глаза. — Вот уже пятнадцать лет, как я состою в счастливом браке, но если бы я... если бы... Я вас так понимаю!

Ответа не требовалось, и Квин просто улыбнулась.

— Джей-Джей, попрощайся с Квин и поторопись. Тебе пора на следующий урок, — напомнила тут же миссис Барретт. — Мисс Хьюстон, я очень рада, что мы познакомились, и надеюсь, мы еще встретимся. У нас в школе традиция ежегодно устраивать праздник Хэллоуин. И всегда не хватает кондитеров, умеющих печь что-нибудь вкусное... Конечно, если вы ничего не имеете против.

— Квини умеет делать все, — встрял Джей-Джей. — Она самый лучший в мире повар!

Женщины рассмеялись.

— Сдается мне, я только что получила приглашение на этот праздник, — сказала Квин. — Что ж, детали обговорим потом.

Встав на колени, Квин привлекла к себе Джей-Джея и зашептала ему на ухо, чтобы не слышали другие:

— Я рассказала мистеру Брассу о том человеке, Джей-Джей. Он обо всем позаботится. Только не забывай, о чем мы говорили с тобой вчера вечером. Если ты снова увидишь его, скажи о нем миссис Барретт или мистеру Брассу и вообще любому из учителей, кто будет поблизости. Хорошо?

Лиза Барретт услышала часть их разговора и, нахмурившись, спросила:

— У вас проблемы?

Квин кивнула:

— Мистер Брасс расскажет вам все после уроков. Мне пора идти, а вам с Джей-Джеем, видимо, надо возвращаться в класс.

Джей-Джей с неохотой оторвался от Квин.

— Сегодня у нас будет пицца, — кивнула ему Квин, и мальчик улыбнулся ей в ответ.

— Вы прекрасно относитесь к мальчикам, — восхитилась Лиза Барретт.

— Совсем наоборот, — ответила Квин, — это они прекрасно относятся ко мне.

Квин покинула школу с легким сердцем. Такого с ней давно не бывало: она радовалась, что сделала правильный шаг. Однако у нее еще много дел, и ей надо спешить, чтобы все успеть к приезду Коди. Она бегом направилась к «блейзеру» и вскоре уже ехала в торговую часть города.

Завернув за угол, Квин увидела, как из соседней школы выбежали ребята постарше. Она сразу же заметила долговязую фигуру Донни.

Квин посигналила ему и поехала дальше, с улыбкой отметив его бурную реакцию, выражавшуюся в размахивании руками и залихватском свисте.

— Ну и ну, Боннер, — заметил один из приятелей Донни, тоже послав вдогонку машине Квин свой разбойничий свист. — Что за красотка? Почему я ее не знаю?

— Это не красотка, — ответил Донни. — Это Квин, леди, которая заботится о нас. И если мой отец окажется достаточно ловким, то она в любое время может стать моей мачехой.

Приятель Донни присвистнул:

— Она просто сногсшибательна и выглядит потрясающе! К тому же в ней чувствуется темперамент.

Донни кулаком ударил приятеля по руке.

— Много ты знаешь о темпераменте, — усмехнулся он. — Побереги свои слова для какой-нибудь глупой девчонки, Марв!

Окружавшие их подростки рассмеялись и разбежались по классам, оставив Донни размышлять над тем, что у него, возможно, скоро появится мать. И тут он снова вспомнил, что отвечает за братьев. Какой-то парень собирается повторить то, что не удалось сделать Вирджилу Стрэттону, и его обязанность — защитить Квини и малышей.

Донни поспешил в класс, в душе надеясь, что, когда он приедет после школы домой, отец уже будет там. Ему одному очень трудно нести бремя ответственности.

Из-за резкой смены погоды Уолли Морроу сменил свое широкое пальто на спортивную куртку и надел аккуратные солнцезащитные очки, которые полностью скрывали его маленькие, близко посаженные глазки и делали менее заметным крючковатый нос. Свою старую, с мягкими полями шляпу он скорее надел для того, чтобы прикрыть редкие волосы, а не как дань моде.

Такое переодевание спасло его от любопытного взгляда Квин, когда она вышла из аптеки и направилась к машине.

Квин могла и не обратить на него внимания, а вот от внимания Уолли не ускользнула ни одна деталь. Он случайно наткнулся на нее и впервые увидел ту, за которой его наняли вести наблюдение. Описание Леноры Уиттьерс вовсе не отражало ее красоты. Морроу подозревал, что и все другие сведения, которыми она снабдила его, не соответствовали действительности.

Уолли повернулся спиной к машине и, глядя в витрину магазина как в зеркало, стал наблюдать за дальнейшими передвижениями Квин. Бросив на сиденье какой-то пакет, она захлопнула дверцу и направилась к магазину готового платья на противоположной стороне улицы.

— Все ясно, — буркнул Морроу и, воспользовавшись паузой, стал делать пометки в блокноте: «Была в школе, у врача, в аптеке, делала покупки». Ему нужны были подробности, хотя на большинство из них Леноре Уиттьерс было наплевать.

Он занимался этой работой уже несколько недель и не слышал еще ни одного негативного высказывания о красавице, за которой следил, и не замечал ничего сомнительного в ее поведении. Но он должен продолжать работу до тех пор, пока не «нароет» что-нибудь такое, что миссис Уиттьерс смогла бы использовать против Коди Боннера.

Морроу спрятал блокнот и сунул руки в карманы, затем, пройдя для отвода глаз по улице, свернул за угол и на автобусной остановке смешался с группой бездельников-отдыхающих, которые мечтали о покорении горных вершин.

Внезапно налетевший чинок смел снег с предгорий, и им негде было демонстрировать свою удаль и дорогие костюмы.

Уолли Морроу был пресловутым «чирьем на одном месте» среди этих веселых, жизнерадостных мужчин, но это его мало беспокоило: главное, чтобы никто его не узнал.

Квин давно вынашивала мечту разнообразить свой гардероб, состоявший из тренировочных костюмов, свитеров и джинсов, чем-нибудь изысканным и женственным. Она должна выглядеть привлекательно, когда Коди вернется домой. В витрине выставлено такое платье!.. Как раз то, что ей нужно, если, конечно, подойдет по размеру.

Несколько минут спустя она уже была в примерочной. Шерстяное платье цвета спелой клюквы, которое она выбрала, должно было хорошо облегать ее тело, расширяясь книзу мягкими фалдами. Сгорая от нетерпения, она расстегнула «молнию» и примерила наряд.

О! Еще лучше, чем она ожидала! Цвет платья не убивал ее, сливаясь с цветом волос, а совсем наоборот — выгодно оттенял ее темно-рыжие волосы. Аккуратный вырез был весьма пикантным, чтобы привлечь взор к ее роскошной груди, и в то же время смотрелся совсем не вызывающе. Покрой подчеркивал ее узкую талию, плавно облегал стройные бедра.

— Заверните, — попросила Квин и расплатилась за покупку.

Через несколько минут она с обновой в руке уже стояла на улице, сияя такой лучезарной улыбкой, что если бы водители обратили на нее внимание, то на дороге наверняка образовалась бы пробка.

Но только один человек — отнюдь не шофер — наблюдал за ней. Морроу смотрел на Квин во все глаза с большим интересом, не замечая, что группа туристов, среди которых он старался затеряться, давно укатила в горы на долгожданном автобусе.

— Надо же, — вожделея, прошептал Уолли и почувствовал шевеление в паху, чего не было уже много месяцев. — Надо же! — повторил он, наблюдая за тем, как у нее под свитером соблазнительно вздымаются груди. А бедра! Как призывно она покачивает бедрами!

Квин рассеянно шла по улице к машине, предвкушая радость встречи с Коди, и чуть было не просмотрела человека, стоявшего на углу. Если бы в это время не загудела проезжавшая мимо машина, она бы не обратила на него внимания, но, к счастью, она заметила его одинокую фигуру, его пристальный и какой-то странный взгляд.

Уолли Морроу судорожно дернулся, неожиданно осознав, что Квин смотрит прямо на него.

— Вот черт! — выругался он и завертелся на месте под ее пристальным взглядом, совершенно забыв о том, чему научился за пятнадцать лет работы частным детективом: не привлекать к себе внимания и не паниковать.

Он дико сверкнул глазами и юркнул в первую попавшуюся подворотню, не смея оглянуться назад. И тут он внезапно понял, как чувствуют себя люди, за которыми он шпионит. Вернее, шпионил многие годы.

В душе Квин все перевернулось. Но не успела она справиться с собой, как засигналила еще одна машина: оказалось, Квин все еще стоит посреди дороги. Быстро перебежав проезжую часть, она рванулась к «блейзеру». Ей нестерпимо захотелось домой, закрыться на все замки и отгородиться от мира до тех пор, пока не вернется Коди.

Что-то подсказывало ей: это наблюдение не было случайным. Особенно если учесть странное поведение незнакомца, едва он понял, что она его заметила. К тому же она готова поклясться, что из-под его дурацких солнцезащитных очков торчал острый крючковатый нос, точь-в-точь такой, какой описывал Джей-Джей.

Коди снова нащупал в кармане маленькую, обтянутую бархатом коробочку.

— Я и так быстро еду, — сказал Деннис, взглянув на своего приятеля.

— Я не проронил ни слова, — ответил Коди.

— И не надо. Я все читаю по твоему лицу. Ты волнуешься, как желторотый юнец перед первым свиданием.

Откинувшись на сиденье, Коди попытался расслабиться. Деннис прав: он чувствовал себя точно так же, как во время первой боевой тревоги, только волнение, с которым пилоты бегут к своим самолетам и взмывают в небо, не шло ни в какое сравнение с той лихорадкой, какая охватила его сейчас. Это чувство появилось у него после сообщения Квин о некой «проблеме» дома, и было не из приятных.

Коди вздохнул: возможно, он напрасно так волнуется. Поскорее бы добраться домой, увидеть милое лицо Квин, запустить пальцы в ее волосы и заключить любимую в свои объятия. Только тогда он успокоится.

— Почти приехали, — бросил Деннис, взбираясь на последний холм.

— Спасибо, что подвез. В следующий раз я сам сяду за руль.

— В следующий раз у тебя будет своя собственная машина — подарок Дяди Сэма. По правительственному спецзаказу.

— Потрясающе!

Ирония Коди была должным образом воспринята Деннисом Маконом — тут же прозвучал его веселый смех. Наконец они свернули к дому.

— Приехали, — сказал Деннис, въезжая во двор и останавливаясь.

— Весьма сожалею, что не могу тебя пригласить. — Коди бросил на Денниса многозначительный взгляд.

— Очень любезно с твоей стороны, — ответил Деннис и, взглянув на веранду, увидел Квин. Она махала им рукой, так и сияя от радостного возбуждения. — Впрочем, я отлично понимаю тебя.

Коди ничего не ответил, но Деннис и не ждал ответа. Неприятно быть третьим лишним. Глядя на Квин, Макон вспомнил, что, если бы не она, ему бы никогда не удалось уговорить Боннера возглавить проект. В общем, сейчас ему лучше ретироваться.

Коди взбежал по лестнице и с радостным смехом обнял Квин. Господи, как же он соскучился по дому! Неожиданно в памяти всплыла Клер. Странно, при ней он никогда так не торопился домой. Она всегда была чем-то занята или просто боялась, что он испортит ей прическу и макияж. Удивительно, чем он заслужил такую любовь такой женщины, как Квин?

— Я ужасно соскучилась, — прошептала Квин, ощутив бурный отклик его естества в ответ на ее страстные объятия.

— А ты, я думаю, и сама видишь, как я безумно соскучился по тебе, — ответил Коди, взяв в руки лицо Квин и целуя ее в губы.

От ее податливых губ пахло клубникой. «Интересно, что она готовила?» — пронеслось у него в голове. Ну и ну, с чего бы такие мысли: меньше всего ему сейчас хотелось есть.

Квин впитывала в себя его запах, радуясь и торжествуя, что одним взглядом, одним прикосновением вызвала в нем страстное желание. Он жадно целовал ее лицо, губы, и эти поцелуи становились все требовательнее и требовательнее.

С ее губ сорвался какой-то животный стон, когда Коди, обхватив руками ее ягодицы, крепко прижал Квин к своим взбугрившимся джинсам.

— Коди, я...

— Идем в дом, — прошептал он и подхватил ее на руки.

— Но нам нужно...

— Я знаю, что нам нужно, леди. Нам нужна близость.

— Да, но...

— Никаких «но». К тому же ясно слышится твое «да». Или я не прав?

Ветер взъерошил его волосы, растрепав густую цвета воронова крыла шевелюру. Его глаза, голубые, как небо над их головами, смотрели на нее с такой страстью, что она сдалась без боя.

Вздохнув, признавая свое поражение, Квин улыбнулась. У нее больше не было сил противиться страсти.

— Да, любимый, — прошептала она, — ты, как всегда, прав.

Вне себя от радости, Коди внес ее в дом, захлопнул дверь и, прежде чем взлететь вместе с ней наверх, повернул в замке ключ.

Войдя в спальню, он со все возрастающим возбуждением сорвал с себя и с нее одежду.

— Помнится, вчера ты сказала мне что-то такое... — прошептал Коди, укладывая Квин на кровать и ложась рядом. — Что-то такое, чего я долго ждал.

Квин ерошила его волосы, прядь за прядью пропуская сквозь пальцы. Ее веки от истомы наливались тяжестью, она чувствовала его все усиливающееся нетерпение, чувствовала учащенное биение его сердца и уже не могла сдержать охватившего ее трепета.

Коди вошел в нее, и она обхватила его спину руками, выгнулась ему навстречу и, подгоняя его, всем своим естеством с нетерпением ждала первого толчка.

Коди и не собирался сопротивляться. Стон, слетевший с его плотно сжатых губ, был стоном исступленного восторга, поскольку она уловила ритм его движений.

— О Коди! — выдохнула она, когда темп их любовного танца вдруг участился. Разум ее затуманился, все слова забылись, мир раскололся надвое, и ее накрыла волна экстаза.

Она чувствовала лишь упоительное единение со своим любимым...

Но вот он вздрогнул и как-то разом обмяк. Дыхание его сбилось, тело было влажным от пота.

— Ты знаешь, я люблю тебя, — прошептала Квин, когда Коди затих у нее на груди.

Он приподнял голову, оперся на локоть и заглянул в зеленый омут ее глаз. Через минуту, поддавшись порыву, Коди вновь целовал ее, понимая, что этот омут уже поглотил его с головой и ему нет дороги назад. Впрочем, он и не хотел искать эту дорогу.

— Спасибо, миледи, — проговорил он, глядя на ее улыбающееся лицо, — за все, о чем только может мечтать мужчина.

Квин услышала бой часов внизу и вздохнула.

— Ты получишь еще больше, если сейчас же дашь мне возможность встать и одеться. Не успеешь оглянуться, как на пороге появятся мальчики, а мне кажется, они не готовы к подобной сцене.

Коди улыбнулся, вспомнив о коробочке в кармане пиджака, валявшегося где-то на полу.

— Ты удивишься, — отозвался он, перекатившись на бок и позволяя ей подняться, а затем с восторгом глядя на ее наготу, которую она постепенно прикрывала одеждой, — но они еще и не к тому готовы.

Квин улыбнулась и тотчас вспомнила о возникшей проблеме.

— Когда оденешься, — сказала она, — спускайся вниз. Мне надо кое-что тебе рассказать.

Квин вышла, а Коди, прочитав по ее глазам, что дело очень и очень серьезное, моментально вскочил с постели и привел себя в порядок.

Квин на кухне уже старалась вовсю. По ее нервным движениям и по тому, как она избегает его взгляда, Коди стало ясно: тянуть с разговором нельзя.

— В чем дело? — спросил он. — Ради Бога, милая, не надо бояться. Что бы ни случилось, ты всегда можешь положиться на меня.

У Квин сразу отлегло от сердца. Она знала, что так и будет, просто ей хотелось услышать эти слова.

— Какой-то человек приставал с расспросами к Джей-Джею, когда тот был в школе. Он ничего мне не рассказал, но я подслушала его разговор с Уиллом.

— Вот черт! — выругался Коди, схватившись руками за голову. — И что ты сделала? — спросил он.

— Я обняла его, и тогда он мне все сообщил, вплоть до того, что у мужчины «на горле смешная штука... двигается туда-сюда», когда он говорит.

Коди выдавил из себя улыбку:

— Слава Богу, что ты здесь.

— Сегодня я ходила в школу и говорила со Стэнли Брассом. Решила, что надо сделать это как можно скорее.

Коди заключил Квин в свои объятия.

— Спасибо, Квин. Ты все сделала правильно.

Он поцеловал ее в щеку и обхватил ее лицо руками, стараясь вселить в нее уверенность, что она всегда получит полное одобрение, защищая его сыновей. Если его план сработает, то очень скоро они станут и ее сыновьями.

— Это еще не все, — продолжила Квин, отстраняясь от него. Надо побыстрее рассказать все до конца.

Коди умолк.

— Человек, который приставал к Джей-Джею... интересовался мной.

Коди вздрогнул от неожиданности.

— Что ты хочешь этим сказать? — спросил он изменившимся голосом. По-видимому, он не на шутку встревожился.

— Только то, что он расспрашивал Джей-Джея обо мне. И сегодня, после того как я покинула школу... у меня создалось впечатление, что за мной следят.

— Проклятие!

Расстроившись, Коди что есть силы ударил кулаком по столу. Его обуял страх, что над Квин снова нависла угроза, а его, как всегда, не было дома.

— Не сходи с ума, Коди, — попыталась успокоить его Квин. — Я не вынесу...

— О, милая! — В голосе Коди чувствовалось раскаяние. Положив руки ей на плечи, он привлек ее к себе. — Я не хотел грубить. И злюсь не на тебя, а на себя. Каждый раз, когда моя любимая в опасности, меня рядом нет.

— Не могу сказать, что я почувствовала какую-то опасность, — вздохнув, ответила Квин. — Когда мужчина понял, что я заметила его, он просто убежал.

Коди прищурился и холодным взглядом уставился в пространство. В голове его проносились вопросы: «Может, у Вирджила Стрэттона была семья, которая решила отомстить? Или кто-то из прошлого Квин?..»

— Квин?

Она посмотрела на Коди, догадываясь, о чем он спросит.

— У тебя были враги в Кредл-Крике? Кто-то имел зуб на тебя или твоих сестер? И вот теперь этот кто-то...

— Нет. Я уже думала над этим, — ответила Квин. — И если уж говорить честно, то ко времени моего отъезда из Кредл-Крика там не было ни одного человека, который тем или иным образом проявлял бы ко мне интерес.

Боннер задумчиво покачал головой, озадаченный случившимся:

— Коди, мне кажется, это никак не связано с моим прошлым... — Он внимательно посмотрел на Квин. По ее голосу он понял, что она сообщит ему нечто важное. — Мне кажется, это связано с *твоим* прошлым.

— Что за чушь ты несешь! Никто из моих старых знакомых даже не подозревает о твоем существовании, дорогая... О тебе знаю я... да Деннис.

— Твою бывшую тещу от одного моего вида выворачивает наизнанку.

Коди побледнел и изумленно посмотрел на Квин. Да, он допускал такую возможность.

— Если за всем этим стоит она, то я лично сверну ее проклятую шею! — воскликнул он. — Да как она смеет пугать моих сыновей?! Пугать и третировать тебя?!

— Послушай, Коди, это ведь только предположение. Джей-Джей не говорил, что тот человек пытался дотронуться до него или каким-то образом причинить ему боль. Он просто расспрашивал обо мне.

Квин принялась мерить комнату шагами.

— И сегодня, когда он увидел меня, то даже не сделал попытки к нападению. Наоборот, убежал так быстро, будто за ним гнались черти. Мне кажется, я просто... как это говорится... под наблюдением.

— Я сейчас же позвоню Абелу.

Квин тотчас схватила Коди за рукав:

— Думаю, Стэнли Брасс уже сказал ему.

— Тогда какого черта ты все это мне рассказываешь, Квин? Только для того, чтобы я оставил все как есть? Будь я на твоем месте, не рассуждал бы так спокойно. Я никому не позволю совать нос в нашу жизнь, в том числе и ищейкам, которых могла нанять Ленора.

— Я просто говорю, что мы пока ничего точно не знаем, а раз так, то тебе не надо ничего предпринимать, чтобы не усугубить ситуацию. Вот и все.

Обвив Коди руками, Квин спрятала лицо у него на груди. Они долго стояли молча, наконец Квин почувствовала, что его злость улеглась.

— Хорошо, миледи, на этот раз будь по-твоему, но если...

— Я уже давно поняла, что ты стараешься ради меня, любимый. Ты всегда готов защитить меня, знаю. Взять хотя бы Вирджила Стрэттона... Я этого никогда не забуду.

Коди еще крепче прижал ее к себе.

И тут они услышали шаги мальчишек на крыльце.

— Ура! Папа приехал! — закричали братья, увидев его сумку у порога.

Улыбнувшись, Коди поцеловал Квин в нос и пошел встречать сыновей.

Глава 15

— Я отвезу мальчиков в школу, — сказал Коди.

Квин кивнула. Так у них было заведено.

— Почему бы тебе не поехать с нами? — предложил он.

— Нет, мне не хочется. У меня много работы по дому, к тому же вчера я купила все, что нужно.

Коди медлил, придумывая предлог, под которым мог бы вытащить ее из дома. Ему не хотелось оставлять ее одну.

— В школу опоздаете, — бросила Квин.

В этот миг в комнату вошел Донни с ранцем в одной руке и пиджаком в другой. Он оценивающим взглядом окинул Квин, внезапно вспомнив своих приятелей и их замечания по ее адресу.

Квин тем временем рассеянно собирала в пучок волосы, так как падавшие на лицо кудри здорово ей мешали. На ней были старый отцовский свитер и протертые чуть ли не до дыр джинсы. На одном из колен красовалось пятно от теста для блинчиков, которые она пекла на завтрак. Донни долго и внимательно разглядывал ее и даже, прищурившись, отступил назад, чтобы рассмотреть получше.

— Что-нибудь не так? — спросила Квин, заметив пристальный взгляд мальчика.

Он покраснел и пожал плечами.

— Нет, — сказал он. — Просто я задумался.

Квин взяла у него ранец, и он стал надевать пиджак. Когда Квин протянула Донни ранец, он шагнул вперед и поцеловал ее в щеку. Поцелуй весьма смахивал на клевок, но это было большой неожиданностью.

— Чем я заслужила такой подарок? — поинтересовалась польщенная, но крайне удивленная его поступком Квин.

Тот в ответ многозначительно выгнул брови:

— Один из моих приятелей находит, что ты красотка. Вот я и решил проверить.

Квин от удивления раскрыла рот и покраснела.

— Как он назвал меня? — переспросила она.

— Красотка. Знаешь, ты очень привлекательная и, как сказали бы взрослые, сексуальная. — Донни усмехнулся.

— Черт побери, Донни! Ты хоть понимаешь, что говоришь?..

Парень рассмеялся, заметив, что отец начинает сердиться, нет, скорее даже ревновать.

— Я был прав, сказав им, чтобы они не строили далеко-идущих планов, потому что ты уже «забил клинья» и у них нет ни малейшего шанса.

Коди потерял дар речи.

— А ты думал, мы идиоты? — спросил Донни, увидев его изумленное лицо.

— Да... идиоты? — хором повторили за Донни Уилл и Джей-Джей, толком не понимая, о чем идет речь.

Квин весело расхохоталась:

— Скажи своим друзьям, что я им очень благодарна!

— Я уже это сделал, — ответил Донни.

Придя в себя, Коди подтолкнул сыновей к двери, молча указав на машину. Затем, не дав Квин опомниться, схватил ее в охапку и поцеловал так сильно, что она чуть не задохнулась.

— Итак... красотка, будешь ли ты ждать моего возвращения? — Глаза Коди искрились, он бросил на нее плотоядный взгляд.

Квин снова рассмеялась и захлопнула дверь прямо у него перед носом.

Как только машина отъехала, она бросилась к себе в комнату, достала из-под одеяла почти законченный свитер и принялась за вязание.

Через две недели Хэллоуин, а там не за горами и Рождество. Ей осталось совсем немного довязать, и на Рождество она преподнесет Коди сюрприз. Спицы Квин так и замелькали. Утро прошло быстро.

— Абел, я хочу с тобой поговорить.

Шериф Миллер, увидев сердитый взгляд Коди, пригласил его к себе.

— Я знал, что ты приедешь, — сказал он, предлагая Боннеру сесть.

— Квин сказала...

— Я в курсе, — перебил его Абел. — Вчера мне звонил Стэнли Брасс.

— Да. Но Квин полагает, что за ней кто-то следит. Она видела мужчину, который смотрел на нее во все глаза. Заметив, что она обратила на него внимание, он бросился бежать, словно вор.

— Черт побери, Коди! Твоя сестра... которая не сестра, красива, и мне кажется, мужчины заглядываются на нее.

Коди бросил на шерифа свирепый взгляд.

Абел вздохнул:

— Я пошутил, старина. Я уже навел справки. Действительно, в городе появился человек, который только и делает, что задает вопросы, но не об одной только Квин. Он интересуется и тобой, и твоими сыновьями.

— Что именно его интересует? — спросил Коди.

— Какой образ жизни вы ведете? Как ты заботишься о сыновьях? Как ты и твоя... Между тобой и Квин... — Абел замялся. — Короче, какие между вами отношения, кроме официальных?

Коди ударил кулаком по столу.

— Будь я проклят, если это не ее рук дело! — воскликнул он.

Абел нахмурился:

— Ты кого-то подозреваешь?

— Квин считает, что за всем этим стоит моя бывшая теща. Она с мужем недавно навещала нас, и им все не понравилось, включая Квин.

— А, Уиттьерсы. Я видел эту фамилию в заявлении, которое сделали мальчики, когда искали тебя.

— И как прикажешь быть?

Абел пожал плечами:

— Законом не запрещается задавать вопросы, Коди. С этим ничего не поделаешь.

— Клянусь Богом, что, если он снова придет в школу и будет пугать моих мальчиков, я ему такое устрою!.. Пусть пеняет на себя.

— Предоставь это мне, — сказал Абел. — Тебе лучше вообще не вмешиваться. Если Уиттьерсы собирают на тебя компромат, то, затеяв драку, ты только сыграешь им на руку.

Коди выругался.

— Я высказал тебе свое мнение, — продолжал Абел. — Как насчет чашечки кофе?

Боннер поднялся и пожал шерифу руку.

— Нет, как-нибудь в другой раз. Спешу домой. Не хочу надолго оставлять Квин одну.

— Она чудесная женщина. Обидно было бы потерять ее.

Сунув руки в карманы, Коди уже было направился к двери, но вдруг резко остановился и посмотрел на шерифа. Сейчас самое подходящее время дать всем знать, что она ему небезразлична.

— Я не собираюсь терять ее, — произнес он. — Я собираюсь жениться на ней.

— В таком случае просто чертовски здорово, что она не твоя сестра, верно? — с усмешкой спросил Абел.

— Тебе не кажется, что в твоем возрасте нельзя быть таким занудой? — в свою очередь, спросил Коди, наблюдая как Абел расплывается в улыбке.

— Моя жена того же мнения, — ответил он.

— Вырази ей мое сочувствие, Абел, — хмыкнул Коди и с шумом захлопнул дверь.

Абел упал на стул и, откинув голову назад, расхохотался. Еще долго он вспоминал выражение лица Коди, шлепал себя по ляжкам и хохотал громко и заразительно.

— Это я, — задыхающимся голосом сообщила Ленора Уиттьерс. — Что у вас нового?

Уолли Морроу, глядя в зеркало, осторожно щупал нежную кожу под глазом.

— Ничего особенного, кроме синяка под глазом, — пожаловался он.

— Я плачу вам не за это, — фыркнула Ленора.

Уолли закатил глаза.

— Докладываю, — сказал он, не давая ей продолжить нотацию. В последнее время она разговаривает так раздраженно, что ему пришлось дважды вешать трубку. И какого черта она еще от него хочет — выдумать то, чего не существует?

— Продолжайте, — вздохнув, сказала Ленора.

— Все дело в том, что докладывать-то нечего. Мисс Хьюстон посетила фармацевта и делала покупки.

Ленора услышала сарказм в его голосе, и ей захотелось заорать. Ощутимых результатов, на которые она так надеялась, у него не было.

— К тому же, — добавил Уолли, — мои вопросы привлекли всеобщее внимание. Вчера, когда я спросил одного из местных, что он о ней знает, вместо ответа я получил удар в нос. Как я вам уже говорил, жители городка любят ее. У них свой менталитет, и они не терпят, когда чужаки суют свой нос в их дела. Правда, туристов привечают.

Внезапно в голову Уолли пришла мысль, которая немало удивила его самого. Он не собирался отказываться от порученного дела — в конце концов, это его бизнес, — но что-то подсказывало ему, что самое лучшее в сложившейся ситуации — поскорее убраться из Сноу-Гэпа.

— Слушайте, — сказал он, — почему бы нам все это не прекратить? Ведь эта семья является образцовой. Я даже слышал, как кто-то сказал, — Уолли сделал паузу, чтобы произвести бо́льший эффект, — конечно, это пока только слухи, но я слышал, что Коди Боннер собирается жениться. Разве это не естественно? Более нормальной ситуации и не придумаешь.

Ленора чуть не задохнулась от злости. При одной только мысли, что в руках этой женщины будет судьба ее внуков, Ленора почувствовала такую ярость, что выпалила:

— Выясни все как следует! Узнай, насколько это соответствует действительности!

Уолли тяжело сглотнул, внезапно осознав, что лишь сильнее распалил ведьму.

— Да, мэм, — ответил он. — Но на это потребуется время. Сейчас мне лучше лечь на дно и, может, даже изменить внешность.

— По мне, хоть пластическую операцию сделайте! — кричала Ленора. — Мне все равно, как вы поступите. Делайте то, что я вам сказала, и позвоните, когда все выясните.

— Да, мэм, — произнес Уолли, но на другом конце уже бросили трубку. — Старая ведьма, — добавил он, зная, что она его уже не слышит, и сразу почувствовал себя лучше. — Ну и что теперь? — вслух спросил он самого себя.

Разве изменишь свою внешность, если уж таким уродился? Морроу не брился с тех самых пор, как Квин Хьюстон засекла его на углу улицы, но светлая, редкая щетина, отросшая за три дня, ничуть не изменила его лицо. А Сноу-Гэп это не тот город, где можно купить накладные усы и бороду.

Схватив солнцезащитные очки, Уолли надел их на нос, чтобы прикрыть безобразный синяк под глазом, и сменил свою видавшую виды шляпу на бейсбольную кепку. Но у него было всего два пальто, и он не мог обойтись без них, так как октябрьский ветер пробирал до костей. «Главное — постараться не попадаться никому на глаза», — решил он, надевая широкое длинное пальто. Итак, теперь задача изменилась: ему предстоит выяснить, тверд ли Коди Боннер в своих намерениях или это просто одна из сплетен маленького городка относительно красивой женщины и мужественного, привлекательного мужчины.

Припарковав машину, Коди открыл дверцу со стороны Квин, которая приехала в город с ним вместе.

Синоптики прогнозировали, что в ближайшие несколько дней наступит похолодание и пойдет снег. Значит, у нее, полагала Квин, больше не будет возможности выбраться из дома. К тому же ей все время хотелось быть рядом с Коди.

Он помог ей выйти из машины, застегнул верхнюю пуговицу на ее пальто и с восторгом посмотрел на ее порозовевшие от резкого ветра щеки.

— Может, я пойду с тобой? — спросил он.

— Чтобы сидеть и нервничать, пока я примеряю туфли? Думаю, тебе это ни к чему, — с улыбкой ответила Квин.

— Ради тебя я готов на все, — отозвался Коди.

— Мой герой, — откликнулась Квин, пожав ему руку, несмотря на то что публичная демонстрация своих чувств приводила ее в смущение и заставляла краснеть, особенно сейчас, когда половина города считала, что она его сестра, а другая половина в этом сомневалась.

Но Боннеру не было никакого дела до того, что думают о ней люди, и он, нагнувшись, нежно поцеловал ее в губы.

— Коди! Что скажут люди?

— Скажут, что я тебя люблю, и будут правы, — ответил он.

Квин закатила глаза. Когда Коди в таком настроении, с ним бесполезно спорить. Похлопав себя по карману, чтобы проверить, не забыла ли список, она уже двинулась было к магазину, но Коди остановил ее вопросом:

— А денег тебе хватит? Два дня назад я, как обычно, перевел тебе зарплату на счет в банке, но вдруг тебе не хватает...

— Надеюсь, ты помнишь, у меня есть собственные деньги. — Несколько недель назад Квин наконец рассказала Коди и об этом.

— Это понятно, но ты же заработала.

Квин отвела взгляд, плотно сжала губы и гордо расправила плечи. Судя по всему, его слова вызвали у нее недовольство.

— Мне кажется, я больше не вправе брать у тебя деньги. С тех пор как мы... с тех пор как я...

— Послушай, милая! — Коди порывисто схватил ее за руку. — Наши отношения не изменили того факта, что ты зарабатываешь каждый цент своим трудом, и я буду попрежнему перечислять деньги на твой счет.

— Это меня связывает, — ответила Квин.

Коди рассмеялся:

— Вот и хорошо! Как, по-твоему, я должен себя чувствовать? Только ты и сумела спасти нас. Именно ты уберегла семью от развала, а меня избавила от жутких ночных кошмаров. И благодаря тебе... Ты знаешь, я начинаю верить в существование Санта-Клауса.

Коди весело рассмеялся и, как бы заставляя ее улыбнуться, пальцами растянул уголки ее рта.

Квин нечего было ему возразить.

— Ладно, — ответила она, вздохнув. — Ты выиграл, и я отвечу на твой вопрос: да, денег мне хватит. Я вернусь сюда, как договорились, а ты накормишь меня ленчем.

— Слушаюсь, мэм, — ответил Коди.

— И не притворяйся, что грустишь оттого, что не пойдешь со мной по магазинам, — заметила Квин. — Ложь тебе не к лицу. — Она шутливо скривилась и ушла.

Коди провожал ее взглядом до тех пор, пока она, остановившись на углу, не помахала ему рукой. Квин счастливо улыбалась.

Сунув руки в карманы, Коди перешел улицу и забежал в небольшой ресторанчик. Если он что и знал о женщинах наверняка, так только то, что их походы по магазинам иной раз длятся дольше, чем некоторые войны.

Коди пил кофе и то и дело посматривал на часы, висевшие на стене. Квин отсутствовала почти два часа. Разве можно так долго выбирать туфли? Или ты их покупаешь, или нет, и никаких проблем.

Боннер, естественно, забыл, что туфли бывают разного цвета, а еще можно долго-долго подбирать оттенки.

Он вспомнил вчерашний вечер. Какие у нее удивительные глаза! Во время любовного танца они становились то темными, то яркими, иногда дикими, а потом сонными. Воспоминания будили в нем желание, и он постарался переключиться на другое.

Кольцо! Надо же, совсем о нем забыл! Главное теперь — выбрать подходящий момент. Коди улыбнулся. Интересно, как она себя поведет? Если заплачет, то он с радостью поцелуями осушит каждую ее слезинку.

— Привет!

Коди поднял глаза и расплылся в улыбке при виде вошедшего в ресторанчик Абела Миллера.

— Не возражаешь, если я присяду? — спросил Абел.

Коди кивнул.

— Есть что-нибудь новенькое? — спросил он.

— Нет. Похоже, тот, кто здесь шнырял, уехал. За прошедшие два дня его никто не видел. Не знаю, что нужно было этому мерзавцу, но мы явно загнали его в угол. Я хотел установить за ним слежку, но все описывают его по-разному, и мне уже стало казаться, что мы гоняемся за тенью.

— Хотелось бы надеяться, — кивнул Коди. — Моя семья и без того натерпелась. Пожить бы теперь спокойно.

Абел был с ним согласен.

— Так ты решил вопрос или нет? — спросил он, но, заглянув в глаза Коди, протянул: — Чувствую, что нет. Или... ты сделал ей предложение, а она отказала. Так?

— Мне кажется, я сделал ошибку, рассказав тебе прежде, чем спросил ее, — ответил Коди. — Ты хуже всякой сплетницы!

— Значит, ты пока ничего ей не говорил. Интересно, что тебя сдерживает? Трусость?

— Нет. Просто я жду подходящего момента, — ответил Коди, разглядывая кофейную гущу на дне чашечки.

— А как насчет дня ее рождения? — спросил Абел. — Вот-вот наступит. По-моему, самый подходящий момент.

Коди ошеломленно уставился на шерифа. Только сейчас до него дошло, что он не знает, когда у Квин день рождения.

— Как же так, черт возьми, ты знаешь, когда ее день рождения, а я нет?! — возмутился он.

— Я проверял ее водительскую лицензию. — Абел едва сдерживал улыбку. — Ах да, я совсем забыл, ты же тогда был в тюрьме.

— Черт побери, Абел, как шериф ты просто невыносим! Сам-то хоть об этом знаешь? — Коди вздохнул и пригладил волосы. — Как тебе удалось запомнить этот день... и когда он?

— Я запомнил его потому, что он совпадает с днем рождения моей жены: двадцать восьмого октября. Я всегда говорю своей благоверной, что она немного не дотянула, чтобы стать маленькой ведьмой. Правда, она моей шутки не понимает, но я не отчаиваюсь.

Коди улыбнулся. На Абела невозможно долго сердиться. Значит, двадцать восьмого? Осталось несколько дней. Пожалуй, это самое подходящее время.

— Спасибо, старина, — сказал Коди. — Наверное, я так и поступлю, если, конечно, ты не проболтаешься и не выступишь вместо меня.

Абел поднял руки вверх:

— Конечно, нет. У меня нет привычки вмешиваться в чужие дела.

— Сдаюсь. — Коди рассмеялся.

К их столику подошла официантка — принесла Боннеру еще чашечку кофе и приняла заказ у Абела. Они вместе стали дожидаться возвращения Квин.

Через несколько минут Коди увидел, как она вышла из-за угла и направилась к ресторанчику.

— Наконец-то, — с облегчением вздохнул он, указывая на нее Абелу.

Абел повернулся, чтобы рассмотреть получше.

Трудно сказать, кто из них отреагировал первым, но в долю секунды оба пулей вылетели на улицу и, не обращая внимания на машины, бросились через дорогу спасать Квин: Уолли Морроу следовал за ней по пятам.

Он был не более чем тень, которую она увидела краем глаза. Ей показалось, что он плод ее воображения. Повернувшись, она наверняка никого не увидит. Никого, кто бы шел за ней следом.

Но тревога нарастала, и инстинкт самосохранения, который не раз выручал ее в Кредл-Крике, подсказывал, что дело — дрянь.

Теперь Квин не сомневалась: ее преследуют. Значит, надо сделать вид, что она ничего не замечает, успокоить бдительность мерзавца, а потом навязать ему свои правила игры.

Полдня проторчав в обувном магазине, Квин внезапно осознала, что терпение продавца и ассортимент туфель ее размера подходят к концу.

— Я беру эти. — Она указала на ту пару, которую примеряла второй, и проигнорировала страдальческое выражение лица продавца.

Выйдя из магазина через несколько минут, Квин плотнее запахнула пальто от пронизывающего ветра и резко обернулась, делая вид, что, мотнув головой, убирает волосы, упавшие ей на глаза. И вот тут она впервые заметила его, заметавшегося в поисках укрытия и испуганного ее внезапным и совершенно неожиданным отпором. Глядя на стекло витрины, Квин не спеша рассматривала отражение своего преследователя.

Со стороны казалось, что она просто изучает витрину, но, как профессионал, Уолли Морроу должен был понять, что его засекли. Квин не на шутку разозлилась. Как смеет какой-то совершенно посторонний ей человек играть в прятки с ее жизнью? Как он смеет совать нос в чужие дела, выслеживая, вынюхивая и тем самым пугая ни в чем не повинных детей?!

Квин отвернулась от витрины и неторопливо двинулась по улице, глядя прямо перед собой. Ее мозг лихорадочно просчитывал все варианты, и она уже пожалела, что отказалась от сопровождения Коди. Уж он бы знал, как поступить с этим негодяем! Вопрос заключался лишь в том, избил бы он его или позвонил Абелу Миллеру и попросил его с ним разобраться. Зная Коди, Квин была уверена, что он предпочел бы первое.

Она ускорила шаг. Беспокойство возрастало по мере того, как она приходила к заключению, что он, возможно, не столь и безобиден, как кажется. А что, если это новоявленный Вирджил Стрэттон? Нет, такого ей больше не вынести.

— Господи, Коди, где же ты? Ты мне так нужен! — прошептала Квин, стараясь не бежать.

Загорелся красный свет, и она с трудом подавила желание оглянуться и посмотреть, не стоит ли незнакомец у нее за спиной с ножом в руке или каким-либо другим оружием. И все-таки она не обернулась, а едва зажегся зеленый, стремглав бросилась через дорогу, благо предлогом было начавшееся движение машин с противоположной стороны.

Уолли Морроу выругался: за такой длинноногой ему не угнаться. В общем, надо или бежать за ней, стараясь не упустить из виду, или остановиться для своей же пользы и потерять ее в толпе. Вспомнив грозный приказ Леноры Уиттьерс, он принял решение, о котором потом горько сожалел: несмотря на интенсивное движение, выскочил на дорогу и стал преследовать ее на почтительном, как ему казалось, расстоянии.

Слава Богу — ресторанчик! Квин свернула за угол и увидела «блейзер» Коди. Хорошо бы он сидел в ресторанчике за чашкой кофе и ждал ее.

В спешке Квин споткнулась и, чтобы не упасть, уперлась рукой в витрину ближайшего магазина. В стекле тотчас мелькнуло зловещее отражение: преследователь был всего в нескольких шагах от нее.

В ней что-то разом оборвалось, и она пришла в такую ярость, какой не испытывала с той самой ночи, когда одна со старым ружьишком Джонни в руках уличила Мортона Уайтлоу в рукоблудии. Бросив на землю коробку с туфлями, Квин резко обернулась.

— Что вам от меня надо?! — заорала она, и не успел Морроу опомниться, как схватила его за воротник и стукнула лбом о витрину с такой силой, что чуть не разбила ее.

— Отпустите меня! — закричал он в ужасе. — Вы не имеете права!

— Нет, — свистящим шепотом сказала она ему прямо в лицо, — это вы не имеете права!

* * *

Коди был в панике. Он и подумать не мог, что Квин перехватит инициативу и попытается заставить этого человека говорить. Судя по крючковатому носу и мешковатому длинному пальто, это именно тот, кого они искали. Боннер летел как сумасшедший, боясь, что негодяй смертельно испугает Квин, если они не успеют вовремя.

— Господи, Квин, отпусти его!

Она вздрогнула, но тут же узнала голос Коди и ощутила его надежные руки. Он оторвал ее от мужчины и передал в объятия Абела Миллера.

В тот самый момент, когда Уолли Морроу почувствовал себя спасенным, он заглянул спасителю в глаза, дикие, голубые, сверкающие от злости, — и тут же понял, что тех денег, которые переводит ему Ленора Уиттьерс, никогда не хватит на оплату счетов в больнице.

— Отпусти его, Коди.

Спокойный, ровный голос шерифа Миллера охладил пыл Коди. Он вздрогнул, ослабил хватку и бросил преследователя к ногам Абела Миллера.

— О-о-о, вы меня ушибли! — простонал Уолли, упав на землю.

— Не так, как вы того заслуживаете, — отозвался Абел. Он рывком поставил мужчину на ноги, отряхнул его пальто и одним взглядом пригвоздил к месту. — Вы все скажете здесь или я должен вас арестовать? — спросил он.

— О Господи, — простонал Уолли. — Но я же не сделал ничего плохого. С каких это пор законом запрещается ходить по улицам?

— Когда вы вторгаетесь в чью-то личную жизнь и тем самым пугаете людей, я просто обязан вмешаться. — Абел расстегнул пальто, и на солнце сверкнул символ его власти — звезда шерифа.

Уолли снова застонал. Дело принимало дурной оборот.

— Я не сделал ничего плохого и могу это доказать.

— А как насчет того, что напугали моего сына? Или, к примеру, угрожали женщине, которая всего несколько недель назад подверглась насилию?

Коди кипел от злости, и Уолли решил, что самое лучшее для него — сдаться на милость шерифа.

— Ведите меня в тюрьму, — сказал он, — а я позвоню своему адвокату.

— Прекрасная идея, — ответил Абел. — Только когда будете разговаривать со своим адвокатом, скажите ему, что вас обвиняют в незаконной слежке с целью запугивания...

— Я просто делал свое дело, — возразил Уолли. — Я частный детектив, и это моя работа.

— Кто вас нанял? — Коди схватил детектива за шиворот, собираясь вытрясти из него душу, чтобы получить ответ на свой вопрос.

— Это мое дело. Оно касается только меня и моего клиента...

Коди оторвал его от земли.

— А то, что я сейчас с вами сделаю, будет моим личным делом, — предупредил он. — Я требую ответа на свой вопрос!

— Прошу тебя, Коди, — взмолилась Квин, понимая, что они устроили на улице безобразную сцену, что терпению Абела пришел конец и он готов арестовать их всех за нарушение общественного порядка. — Не марай руки. Пусть Абел сам во всем разберется. И потом, надо подумать о мальчиках.

Настойчивость, с которой Квин тащила его за рукав, и мольба в ее голосе несколько остудили пыл Коди, готового вновь перейти к действиям. Он опять отшвырнул от себя Уолли. На этот раз Уолли попытался смягчить удар руками, но, упав на спину, расшиб себе локти и, стиснув зубы, застонал от боли. Если его еще раз ударят, он не вынесет...

— Идем, Коди, ты обещал накормить меня ленчем, — сказала Квин и, нагнувшись, подняла с земли коробку с туфлями.

Абел надел на Уолли наручники и повел арестованного в полицейский участок.

Коди с удивлением посмотрел на Квин и увидел веселые искорки в ее глазах.

— Ты в состоянии есть? — спросил он. — Неужели?

— Я не чувствовала себя так хорошо с тех пор, как взяла на прицел Мортона Уайтлоу.

— Взяла на прицел... Кто, черт возьми, этот Мортон Уайтлоу?

Он замолчал, подумав о страшной жизни, которую она вела до того, как попала под крышу его дома.

— Накорми меня, и я расскажу тебе все, что захочешь, — пообещала Квин.

Коди вздохнул, обнял Квин за плечи и повел в ресторанчик.

«В кого я влюбился? — мысленно спросил он самого себя. — Не женщина, а настоящий Рембо в юбке!»

Эта мысль вызвала у него улыбку. К тому времени, когда они заняли места за столиком, где он сидел несколько минут назад, смех вырвался наружу, и Коди громко и заразительно засмеялся.

Квин улыбнулась, взяла меню и стала выбирать блюда, внезапно ощутив зверский голод. Впрочем, она была счастлива. Наконец-то все разрешилось само собой.

Но дважды слепец тот, кто не хочет видеть. Квин с Коди должны были хоть на мгновение задуматься о том, что предпримет человек, нанявший Уолли Морроу, после позорного провала детектива.

Глава 16

— Не понимаю, почему я не мог с ней поехать? — хныкал Уилл, стоя у окна и наблюдая, как «блейзер» с его любимой Квини за рулем исчезает за поворотом.

— Потому что ей сейчас помощь не понадобится, — ответил Коди, — и кроме того, как только Донни и Джей-Джей спустятся вниз, я задам всем вам один вопрос.

— Я не трогал твою бритву, папа. Честное слово!

Коди рассмеялся: вот, значит, что случилось с остатками его крема для бритья.

Уилл тяжело опустился на стул. Он предупреждал Джей-Джея, что их поймают, но тот заверил его, что никто и не заметит. Тем более что в бритве даже не было лезвия. Дети просто не учли, что им придется объяснять, как это вдруг тюбик с кремом стал пустым.

— Джей-Джей тоже виноват, — со вздохом добавил Уилл.

— Да я не об этом хотел поговорить. — Коди с нежностью взъерошил волосы на голове сына. — Эй, парни, спускайтесь, и побыстрее. У меня к вам важный разговор.

Коди вернулся в комнату и сел на софу, Уилл примостился рядом. Притянув сына к себе, отец начал с ним бороться, и вскоре оба оказались на полу.

— Сколько раз я просил вас, дети, чтобы вы не делали этого дома! — назидательно произнес Донни и рассмеялся, увидев отца вместе с братом на полу у кофейного стола. — Я практикуюсь, чтобы стать хорошим отцом, — добавил Донни.

Дав возможность Уиллу нанести последний удар, Коди вскочил на ноги, снова сел на софу и пригласил сыновей расположиться рядом.

— Как только вышло, что я не боролся с вами, — подосадовал Джей-Джей, усаживаясь в кресло и весьма сожалея, что он пропустил такое событие. Бороться с отцом было его любимым занятием.

— Слушайте, — начал Коди, — мне надо серьезно с вами поговорить.

Донни нахмурился. Он знал: того человека, который приставал к Джей-Джею, уже арестовали. Значит, случилось что-то еще.

— О чем же? — спросил Донни и взмахом руки заставил младших братьев успокоиться.

Опершись локтями о колени, Коди наклонился и поочередно заглянул в три пары голубых глаз, точно таких же, как и у него. Эта троица была самым дорогим в его жизни, и все его поступки будут отражаться в них. Но он уже не представлял своей жизни без Квин. Господи... А что, если они не согласятся?

Сделав глубокий вдох, Коди высказал первую мысль, которая пришла ему в голову:

— Насколько хорошо вы помните свою маму?

Вопрос озадачил всех троих. Нельзя было сказать, что они о ней часто думали. Прошло более трех лет с тех пор, как ее не стало. Им сейчас многое приходило в голову... но еще больше было навсегда забыто. Мальчики задумались над вопросом, и в комнате повисла тишина.

— Донни, начнем с тебя.

Донни закусил губу, стараясь сглотнуть комок, внезапно подкативший к горлу. Сейчас, когда уже начали расти волосы у него на груди, он считал себя достаточно взрослым и не мог позволить себе плакать.

— Ну... я помню многое. Например, ее любимое блюдо и как она весело смеялась, когда смотрела фильмы Чева Чейза, как она не любила готовить и всегда просила тебя, чтобы мы пошли поесть куда-нибудь... ну и еще многое... — Донни пожал плечами. — Ты сам все знаешь.

Коди кивнул.

— Ну а ты, сын? Что ты помнишь о своей маме?

Губы Уилла задрожали, он отвел взгляд.

— Иногда... — глубоко вздохнул парнишка и залпом выпалил все, что наболело: — Иногда я даже не могу ее вспомнить. — Он виновато и в то же время страдальчески скривился. — Но я хорошо помню, что мы делали. Я помню, что мы с ней всегда приезжали на базу встречать тебя, когда ты возвращался с задания. И... я помню, как все мы ходили в зоопарк, и Донни бросал в гориллу фруктовые косточки.

Донни закатил глаза.

— Почему они вспоминают всякий вздор?

Коди с нежной улыбкой посмотрел на сына. Ему и в голову не приходило, что Уилла может волновать то, что из его памяти постепенно исчезает образ матери.

— Нет ничего страшного, просто твоя память немного притупилась. Тебе ведь было всего семь лет, когда она умерла, — успокоил мальчика отец.

Уилл кивнул, ему стало гораздо легче оттого, что его не ругают за забывчивость, особенно когда речь идет о матери.

— Джей-Джей, а ты? Ты хоть что-то помнишь о маме? Не пугайся, если ничего не помнишь, ведь, когда она умерла, тебе было только четыре года.

— Я помню! — закричал Джей-Джей. — Помню, что от нее хорошо пахло и она брала меня на колени, когда я болел. Помню, у нее были короткие вьющиеся волосы и красивая губная помада. Я очень хорошо помню эту помаду.

Коди посадил Джей-Джея к себе на колени, другой рукой обнял Уилла. Увидев пристальный взгляд Донни, он едва перевел дыхание, ощутив реакцию собственных детей.

— Как я понял... вы иногда скучаете по маме. Вы хорошо понимаете, что ваша мама никогда больше не вернется... Но неужели вам не хотелось бы, чтобы кто-нибудь заботился о вас, как она?

— Нет! — закричал Уилл.

— И я так считаю, — сказал Джей-Джей.

Сердце Коди упало. «Вот этого я и боялся», — подумал он.

— Но почему? — спросил Коди. — Неужели вам не хотелось бы, чтобы кто-то встречал вас, когда вы приходите из школы, и чтобы кто-то присматривал за вами, когда я занят? А как быть с такими важными праздниками, как дни рождения и Рождество? Ведь женщина устроит все гораздо лучше, чем я.

Уилл с возмущением посмотрел на отца:

— Но нам никто не нужен, папа, особенно сейчас, когда у нас есть Квини. Я не хочу никого, кроме Квини. — Парнишка гордо приподнял подбородок — точь-в-точь как это делал сам Коди, когда сердился.

— Да, Квини хорошо заботится о нас, и нам больше никто не нужен, — нахмурился Джей-Джей, подражая Уиллу.

Слава Богу!

Донни усмехнулся и, с облегчением вздохнув, откинулся на спинку кресла.

— Когда ты наконец расколешься и откроешь нам свою тайну, папа? — спросил он.

Коди с радостной улыбкой посмотрел на сына:

— Значит, ты уже догадался, о ком идет речь?

— Черт побери, отец! Я знал, что у тебя на уме с самого первого дня. К тому же она настоящая «красотка».

Коди рассмеялся и обнял сыновей.

— Значит, парни, вы не возражаете, если Квин поселится здесь навсегда?

— Нет, — дружно ответили младшие братья, не понимая из-за чего устроили этот сыр-бор. Зачем надо было всем собираться? Они думали, Квин и без того поселилась здесь навсегда.

— Ни малейших возражений, — произнес Донни.

— Значит, вы не против, если я попрошу ее выйти за меня замуж?

Уилл задумался на минуту, а Джей-Джей просто молчаливо ждал. Решение брата было для него всегда законом.

— А она по-прежнему будет читать нам на ночь, играть с нами и вкусно готовить?

— Сколько угодно, дружище, — сказал Коди. — Сколько угодно!

Все дружно рассмеялись, Уилл тут же улыбнулся и кивнул.

— Вот и хорошо, — сказал Коди. — Значит, мы с вами все решили. Скоро к нам придет подполковник Макон. Он отвезет вас в город, и вы вместе с ним поможете мне подготовить для Квин сюрприз. Ну, что скажете? Справитесь?

— Да! — дружно закричали мальчики, даже Донни заметно оживился. Он любил делать сюрпризы, и ему нравилась Квин. Наконец-то жизнь в их доме налаживается.

— Тогда бегите переодеваться, — скомандовал Коди. — Наденьте что-нибудь поприличнее. Я вам дам каждому немного денег, но вы потратите их на Квин. Сегодня у нее день рождения, а она даже не подозревает, что мы знаем об этом. Представляете, как она удивится, когда вечером я привезу ее в город, а вы с подполковником Маконом будете встречать ее в ресторане?

— Вот здорово!

Идея потратить деньги, пусть даже не на себя, была великолепной, не говоря уж о самом сюрпризе.

Через час Деннис повез мальчиков в город. Коди остался один в пустом доме, прислушиваясь к тишине, и тут впервые понял, как должна себя чувствовать Квин, когда все они разъезжаются по своим делам. Конечно, здесь немного одиноко, но зато никакого шума и полный покой. Захочет ли она провести в этом доме всю оставшуюся жизнь, занимаясь домашними делами?

«Достаточно ли будет тебе моей любви, чтобы решиться на это?» — подумал Коди.

Оставалось только надеяться.

Квин долго крутилась перед огромным, во весь рост, зеркалом, закрепленным на дверце шкафа, и наконец, довольная, улыбнулась. Она выглядела прекрасно.

На самом деле она выглядела просто великолепно, и только врожденная скромность мешала ей признаться в этом себе. Впервые в жизни она соответствовала своему имени — королева. Шерстяное платье клюквенно-красного цвета невероятно ей шло. Оно подчеркивало ее женственность, определяло стиль.

Она подтянула низкий вырез и расправила рукава. Туфли, которые она купила, по цвету идеально подходили к платью. Но самое главное — они были на каблуках, и теперь она могла смотреть в глаза мужчине, укравшему ее сердце.

Она с нетерпением ожидала его реакции.

— Все это пустяки, — буркнула она себе под нос, накинула пальто и, взяв сумочку, вышла из комнаты.

Дело в том, что, вернувшись из Сноу-Гэпа, она с удивлением узнала, что Деннис с мальчиками уехали в город. Ее удивление сменилось радостным волнением, когда Коди как бы между прочим сказал, что вечером они обедают в городе, надо, мол, поговорить о проекте. Что ж, для нее это была прекрасная возможность продемонстрировать новое платье.

Конечно же, она и думать не думала, что они знают про ее день рождения. Сама она не заговаривала об этом, да никто и не спрашивал.

Весь день она боролась со щемящей тоской по сестрам, ведь это ее первый день рождения без них!

Слезы навернулись на глаза Квин, когда она вспомнила, как Даймонд пекла торт на каждый день ее рождения, но слезы тотчас сменились улыбкой при воспоминании о том, с какими ужасными последствиями все это было сопряжено. Даймонд пела словно ангел, но совершенно не умела готовить.

Как истинная дочь картежника, Лаки всегда настаивала, чтобы на торте было нужное количество свечей, иначе не будет удачи. В прошлом году они весело смеялись, втискивая двадцать восемь тоненьких восковых свечек в залитое кремом месиво. В этом году ей исполняется двадцать девять... до тридцати всего год... и он пролетит незаметно.

Квин тяжело вздохнула: пора спускаться. Прошлого все равно не вернешь.

Остановившись на верхней ступеньке, Квин пригладила подол и вдруг занервничала оттого, что Коди сейчас увидит ее в новом наряде, отличном от ее обычных голубых джинсов и свитера. И тут она с улыбкой вспомнила, как темнеют его глаза — словно небо в летнюю грозу — перед тем, как он занимался с ней любовью, и поняла: что бы она ни надела, он предпочтет увидеть ее в первозданном виде.

Коди услышал в коридоре ее шаги. Он не позволит ей спуститься одной, они вместе пройдут весь оставшийся путь. Коди вскочил с кресла, выбежал в холл, намереваясь вместе с ней спуститься по лестнице. Ему хотелось дать ей понять, как она нужна и важна для них всех.

Но ему не удалось сделать ни шагу вверх. При взгляде на Квин удивление его было настолько велико, что он схватился за перила, чтобы не упасть.

— О, милая!

Этого ласкового слова и взгляда было достаточно, чтобы побудить ее спуститься.

— Тебе нравится? — спросила она чуть неуверенно, с волнением ожидая, что ответит мужчина, который олицетворял для нее целый мир.

Коди принял у Квин сумочку и пальто. Как бы ему хотелось дотронуться до нее... обнять, но он боялся помять ее туалет.

— Нравится?! Да у меня просто дух захватывает, леди!

Он погладил ткань платья, коснулся ее кожи и сразу же почувствовал запах духов. Наклонившись вперед, он закрыл глаза и, наслаждаясь, вдохнул:

— От тебя фантастически пахнет!

— Это духи «Белый бриллиант». Их мне подарили в магазине, где я купила платье. Вот, приберегла для особого случая.

— Ты считаешь меня особым случаем? — спросил Коди и улыбнулся, заметив, как Квин покраснела.

— Я собиралась встретиться с теми мальчиками из класса Донни, которые назвали меня красоткой, помнишь?

Коди громко засмеялся и никак не мог остановиться. Подхватив ее на руки, он закружил по холлу, с удовольствием наблюдая, как вместе с ней кружились, словно осенние листья, и ее волосы, а платье прилипло к телу, как вторая кожа.

Уже гораздо позже он вспомнит, что она не остановила его, не сказала, что он изомнет платье или испортит прическу. Она была прямой противоположностью Клер. Ему вдвойне повезло.

— Коди, поставь меня на пол, — взмолилась наконец Квин. — У меня кружится голова.

— Вот и хорошо, — ответил Коди — Тогда я этим и воспользуюсь. — Он пригладил волосы и снова вдохнул чудесные запахи ее тела и духов.

— Воспользуешься этим? Да у меня сейчас в глазах троится, и я не могу различить, кто из вас настоящий.

«Пора, — подумал Коди. — Сейчас самое время».

Его пальцы нащупали маленькую коробочку в кармане пиджака, и он, не извлекая ее на свет Божий, вынул кольцо и зажал его между пальцами.

— Может, именно потому, что ты видишь троих, ты не посмеешь сказать «нет» одному из них, — заявил он.

Улыбка на лице Квин исчезла. Все вокруг, казалось, замерло, включая и ее сердце. Она дважды пыталась протянуть руку и каждый раз безвольно опускала ее, так как ей стало казаться, что стоит дотронуться до кольца — и оно исчезнет.

— Коди? — произнесла она с тревогой в голосе, не смея даже надеяться.

— Я люблю тебя, Квин Хьюстон. Почему тебе трудно в это поверить? — спросил Коди, погладив ее по щеке.

— Кольцо...

— Да, кольцо, и с очень большим бриллиантом. Тебе не кажется, что название духов было не случайным совпадением?

Квин покачала головой.

— Значит... ты не умеешь читать мысли?

Она снова покачала головой и закусила губу, стараясь не расплакаться.

— В таком случае, я прямо спрошу тебя об этом. — Голос Коди звучал весело, а сердце наполнилось радостью.

Если бы она сейчас попросила у него достать луну с неба, то он и в этом не смог бы отказать ей, не говоря уж о душе. Коди взял левую руку Квин и приложил кольцо к соответствующему пальцу.

— Квин Хьюстон, для меня будет большой честью и радостью, если ты согласишься стать моей женой. Обещаю любить тебя... заботиться о тебе...

— Да!

Коди улыбнулся:

— Не торопись, милая. Как мне ни трудно говорить, я еще не закончил. Подожди немного. Так где я остановился? Ах да... заботиться о тебе. Я также обещаю защищать тебя...

Квин начала плакать.

— Не плачь, милая. Зачем же плакать? — Все слова, которые он хотел сказать, моментально вылетели у него из головы, и он быстро надел кольцо ей на палец. — Не плачь. Посмотри, оно тебе впору.

Квин зарыдала еще сильнее и обвила его шею руками.

Коди вздохнул и прижал ее к себе. Ох уж эти женщины! От них с ума можно сойти. Ругаешь — плачут. Делаешь их счастливыми — опять плачут. Он так никогда и не научится их понимать.

— Да, да, да, — говорила Квин между рыданиями. — Я выйду за тебя замуж, за каждого из трех.

Коди с облегчением вздохнул. Это была та самая Квин, которую он знал и любил.

— Спасибо, — сказал он, целуя ее. — Ты сделала счастливыми нас всех.

Квин плакала и целовала Коди. Слезы, любовь, «Белый бриллиант» — все слилось в одном поцелуе.

Наконец они сели в «блейзер» и поехали в город.

Квин умиротворенно прижалась к любимому, и так они доехали до самой парковки у ресторана.

— Они знают? — спросила Квин.

Неожиданный вопрос Квин прозвучал именно тогда, когда Коди начал припарковываться. Он усмехнулся: как это похоже на женщин — всю дорогу молчать и начать разговор в последнюю минуту.

— Им известно, что я собирался сделать тебе предложение, но они еще не знают, что ты сказала мне «да».

Даже в полумраке машины Коди увидел, как Квин покраснела.

Он улыбнулся, взял ее за подбородок и крепко поцеловал в полуоткрытый рот, причем плоть его тотчас затвердела. Закрыв глаза, Квин упала в его объятия.

— Запомни, на чем мы остановились, — прошептал он. — А сейчас нас ждут.

Все еще чувствуя на губах вкус поцелуя Коди, Квин со вздохом вылезла из теплой машины на промозглый вечерний ветер.

Парковочная площадка ресторана наполовину была заполнена машинами любителей горных лыж, которые все еще надеялись на хороший снег, а пока посещали ресторанчики Сноу-Гэпа.

Квин дрожала от холода, ветер лепил ее платье к ногам, и она внезапно пожалела, что на ней тонкие чулки и изящные туфельки, а не старые голубые джинсы и ботинки. Быть сексуальной и чувствовать себя комфортно — это не одно и то же.

— О Господи, Коди! Мне вдруг стало страшно!

— Ты даже представить себе не можешь, как мне было страшно услышать твое «нет»!

— Я же ни разу не сказала тебе «нет» с нашей первой встречи. С чего ты взял, что скажу это сейчас?

Квин первая вошла в ресторан, Коди же следовал за ней с улыбкой на лице и слегка возбужденный видом ее покачивающихся бедер.

— Ты уже? — удивилась Квин, повернувшись и увидев, что Коди уже припарковался и догнал ее.

— Господи, надеюсь, что нет, — ответил он, вкладывая в эти слова совсем иной смысл, и громко рассмеялся, заметив ее смущение. — Во всяком случае, пока.

Деннис Макон вздрогнул, услышав смех Квин, и внутри у него все перевернулось. Он знал, о чем ее просил Коди, и сейчас, увидев улыбку на лице друга, сразу понял, что она сказала «да». Это еще раз утвердило его в мысли, что у него никогда не было шанса на выигрыш.

— Эй, ребята, — произнес Деннис, — похоже, мы победили.

Три пары совершенно одинаковых голубых глаз внимательно посмотрели на него; затем понимающе кивнули три черные головки. Странно, почему взрослые делают столько шума из ничего. Все и так давно ясно: Квини их любит и у нее нет причин отказывать папе.

Когда Квин подошла к столику, Деннис встал.

— Позволь посмотреть кольцо, — попросил он тихо.

Именно этого она и ждала. Квин протянула руку, и Деннис сначала заглянул в сверкающую глубину камня, а затем в ее глаза.

Неожиданно для себя Квин прочитала в его взгляде такое!.. Казалось, он впервые не находил слов, а она впервые за все время знакомства поняла, что он сам возлагал на нее большие надежды. Макон почтительно склонился к ее руке.

— Прими мои поздравления, ангел. Надеюсь, ты будешь очень и очень счастлива.

Его поцелуй был нежным и осторожным, и Квин сквозь слезы улыбнулась лучшему другу Коди:

— Спасибо, Деннис. Я уже счастлива.

Тут между Уиллом и Джей-Джеем начался спор, кому сидеть рядом с Квин, и только ее спокойное, но решительное вмешательство позволило разрядить ситуацию и не обидеть никого из мужчин в такой важный для нее вечер.

— Один из вас сядет с одной стороны, второй с другой, — сказала Квин, бросив быстрый взгляд на Коди и прося у него извинения, что отвергает его в первый же вечер. — Думаю, ваш папа не будет сильно возражать. Я буду с ним всю оставшуюся жизнь, а сегодня он поделится с вами. Я правильно говорю, ребятки?

— Правильно!

Сердце Коди было слишком переполнено счастьем, чтобы возражать. Он знал лишь одно: его леди не только приняла его любовь, но и окружила его сыновей такой заботой, словно они были ее собственными детьми.

— Ладно, парни, — заключил Коди, — но позже... когда настанет время... ну, вы понимаете, я должен сесть по ее левую руку, туда, где кольцо.

Мальчики дружно кивнули и весело рассмеялись, предвкушая сюрприз, который они приготовили для своей Квини.

* * *

Уолли Морроу стоял на улице и, запустив костлявый палец под парик с длинными блондинистыми волосами, чесал голову. «Черт возьми, — думал он, — какой же зуд от этой штуки!»

Он смотрел на семью, собравшуюся за столиком ресторана, видел, как Квин Хьюстон гордо демонстрирует кольцо со сверкающим бриллиантом и принимает поздравления. Он увидел то, что ему необходимо было увидеть.

Чувствуя себя в безопасности под такой серьезной маскировкой, он чуть спустил лыжные штаны, плотно облегавшие тело, удивляясь, как только мужчины могут носить такую дрянь. Его словно заковали в нейлон и латекс. Так ведь можно лишиться и самого дорогого... и остаться без наследников, если он, конечно, захочет их иметь.

— Вот так-то, миссис Уиттьерс, — прошептал он, — теперь вы получите прямое доказательство того, чего так боялись, и уж поверьте мне, впереди у вас трудные времена.

Он с важным видом перешел через дорогу, стараясь держаться так же солидно, как все те, кто носит подобную экипировку. Быстро собрав вещи, он заплатил по счету и во взятой напрокат машине выехал из города. Он полностью выполнил свою задачу в этом Сноу-Гэпе, штат Колорадо, и видел всю семью Боннеров, собравшуюся вместе. Ему все еще снились по ночам кошмарные сны с участием этой сумасшедшей рыжей и ее своенравного мужика, который отбил ему весь зад. Но он выстоял и сейчас уезжал из города с удовлетворенной улыбкой. Он уже и не надеялся выбраться отсюда, но, к счастью, все завершилось. Леноре Уиттьерс эта слежка обойдется в кругленькую сумму. Пусть теперь знает, что у ее внуков скоро появится новая мать.

— Ну, все готовы к десерту?

Вопрос Коди был встречен визгом и смехом, Квин нахмурилась. И что на них нашло? Что тут смешного?

Коди взмахом руки подозвал официанта и улыбнулся Квин.

Она посмотрела на Денниса, затем на мальчиков и снова на Коди. Очень уж странно все, а лица у них невинные.

И в это время из кухни вышел официант, неся огромный трехслойный торт, сияющий свечами.

— Счастливого дня рождения! — хором закричали мужчины, но тотчас умолкли.

Квин плакала навзрыд. Правда, она все же силилась улыбнуться.

— О Боже! — повторяла она снова и снова. — Я и не подозревала, что кто-то знает о моем дне рождения. За всю свою жизнь я еще не была так счастлива. Спасибо вам, мальчики, за все. — Она поочередно обняла всех столпившихся вокруг ее стула и подмигнула Донни, который с трудом скрывал радость.

— Папа... если она счастлива, то почему плачет? — спросил Джей-Джей, наклонившись к уху отца.

Коди рассмеялся и, протягивая Квин носовой платок, взъерошил сыну волосы.

— Урок первый, сынок: женщины всегда плачут, когда они счастливы.

— А что же они делают, когда им плохо?

— Тоже плачут.

— Не вижу в этом смысла. — Уилл недоверчиво взглянул на отца.

— В этом все и дело. Тем самым они отличаются от нас. Их трудно понять, а поэтому с ними никогда не соскучишься. Уловил?

— Может, я их пойму, когда стану постарше, — вздохнув, ответил Уилл.

Донни рассмеялся.

— Сомневаюсь, Уилл, — сказал он. — Папа взрослый, но он до сих пор не разгадал их.

После этого разговора все переключили внимание на торт.

— Ты должна загадать желание! — сказал Донни.

Квин оглядела сидящих за столом:

— Мне трудно желать большего, чем то, что у меня уже есть.

Лицо ее приобрело торжественное выражение. Она внезапно прониклась важностью момента и, набрав в легкие воздуха, наклонилась вперед и дунула. Свечи потухли, и только тоненькие струйки серого дыма продолжали струиться к потолку, постепенно исчезая.

— Какое желание ты загадала? — спросил Джей-Джей. — Ты выглядела такой печальной. Наверное, ты загадала что-то такое, что сделает тебя счастливой.

— Она не может сказать тебе о своем желании, иначе оно не исполнится, глупый, — заметил Уилл. — И нет ничего страшного в том, что она была печальной. Женщинам это свойственно, да, пап? Нам только кажется, что она грустная, а на самом деле Квин очень счастлива, потому что здесь ее семья.

Коди кивнул. Но он уже заметил, как она опечалилась и как погас свет в ее глазах. Впрочем, слова Уилла навели его на кое-какие мысли, и он внезапно понял, о чем подумала Квин.

Он заглянул ей в глаза, еще блестевшие от слез, увидел робкую улыбку и решил, что она пытается отогнать печальные воспоминания. Где-то далеко были ее сестры, две другие дочери Джонни Хьюстона. По всей видимости, она сильно скучала по ним.

— Это еще не все, — сказал Коди, нарушая торжественность момента. — Сейчас мы будем вручать тебе подарки, милая. Деннис с мальчиками сегодня днем совершили набег на магазины. Правильно я говорю, парни?

Из-за спины Денниса появились обернутые бумагой коробки, которые все это время лежали под каучуковым деревом, стоявшим рядом.

— Открой мой подарок первым! — закричал Джей-Джей.

— Я открою их все, — откликнулась Квин. — Пока ваш папа режет торт, я буду открывать подарки, а потом мы поедем домой.

В знак согласия все заулыбались и закивали, и только улыбка Денниса Макона была горькой. В этот момент его охватила сокрушительная зависть к другу. И причиной этой зависти была не столько любовь Квин и Коди, сколько отсутствие в его жизни женщины, которая любила бы его так же сильно.

Деннис с сожалением подумал о том, что ему придется переночевать в мотеле, а утром вернуться в Денвер на военно-воздушную базу в Лоури и продолжить жизнь, которую выбрал, предпочтя ее женитьбе и семье. Но он подарил Квин частицу самого себя. Сегодня ее день рождения, и он делает это с полным правом.

Затаив дыхание, Деннис наблюдал, как Квин медленно снимает бумагу с изящной коробочки, в которой лежит его подарок.

— Это от тебя, Деннис? — спросила она, развязав ленточку и разворачивая бумагу.

Но стоило ей открыть коробочку, как улыбка застыла, а глаза расширились от удивления. Подняв папиросную бумагу, она увидела булавку с парой крыльев, тех самых воздушных крыльев, о которых каждый пилот мечтает со дня поступления в академию и до того самого дня, когда эти самые крылья крепятся у него на груди.

— Деннис! Ты не можешь отдать мне свои крылья!

Деннис пожал плечами и грустно улыбнулся:

— Могу, дорогая. Какой же ангел без крыльев?

Коди, сверкнув глазами, посмотрел на своего друга, и их взгляды встретились.

— Ты счастливый человек, — произнес Деннис и пожал Коди руку. — Ты всегда действовал решительно. Желаю тебе всего самого лучшего и говорю это от чистого сердца.

Коди промолчал. Да и что тут скажешь? Он посмотрел на Квин, сидевшую за столом с куском торта и кучей подарков, и понял, что его жизнь наполнилась новым смыслом.

Глава 17

Однако в ту счастливую минуту Коди не мог предположить, что его будет преследовать прошлое.

Ленора Уиттьерс пришла в ярость. Она заплатила этому пустоголовому дураку немыслимую сумму денег, и только для того, чтобы узнать, что она и так уже знала. Квин Хьюстон стала неотъемлемой частью жизни Коди, и он решил жениться на ней. Только убив Квин, Ленора могла предотвратить этот брак. К счастью для всех заинтересованных лиц, она отмела эту мысль.

Неделя шла за неделей, и ей все чаще приходила в голову мысль как-то дискредитировать женщину, которая пытается занять место Клер.

— Я этого не допущу! — говорила Ленора, меряя шагами спальню, окнами выходящую на террасу, и не замечая всей красоты вокруг ее дома во Флориде. — Должно быть, я что-то упустила. Как может совершенно незнакомая женщина влезть в семью моей дочери?..

И тут ее осенило. Она взялась за дело не с того конца. Ей не следовало устанавливать слежку за этой женщиной, надо было узнать, откуда она родом... каково ее воспитание и что она делала до прибытия в Сноу-Гэп.

Ленора подбежала к телефону, схватила телефонную книгу и, щурясь, стала искать номер конторы «Морроу инвестигейшн». Даже дома, когда никто ее не видел, она не позволяла себе надевать очки.

— «Морроу инвестигейшн»... Говорит Уолли Морроу. — Откинувшись на спинку кресла и водрузив ноги на стол, Уолли плечом прижал трубку к уху.

— Мистер Морроу, это Ленора Уиттьерс.

Уолли машинально поставил ноги на пол и вытер пыль, оставшуюся от ботинок, хотя женщина на другом конце провода не могла видеть, в каком состоянии его офис.

— Да, миссис Уиттьерс. Чем могу быть полезен? — спросил Уолли, от всей души желая, чтобы она сгорела в аду. Прошли недели с тех пор, как он закончил это дело в Колорадо, но он до сих пор подкладывал под зад подушку, и все из-за того пинка, которым наградил его сумасшедший Боннер. Несмотря на уверения трех специалистов, что с ним все в порядке, Уолли был убежден, что у него сломан кобчик.

Ленора изложила суть дела.

— Это будет дорого стоить, — ответил Уолли. — Дорожные расходы... ну и, конечно, плата за риск. Насколько я понимаю, это задание относится к разряду опасных.

— Меня не волнует, сколько это будет стоить. Я хочу иметь информацию. Причем в ближайшие три дня.

— Ничего не получится, — ответил Уолли. — Хорошо еще, если я успею купить билет на самолет. Сейчас каникулы, скоро День благодарения, и тариф на билеты повышен.

— И без вас знаю, что сейчас каникулы! По-моему, вы меня не поняли: вы отправляетесь не развлекаться, а собирать информацию. Надеюсь, вы очень скоро дадите о себе знать.

Ленора бросила трубку, оборвав Уолли на полуслове.

— Чертова ведьма! — чертыхнулся он, вешая трубку. — Она хочет, чтобы все произошло как по мановению волшебной палочки. Поеду в Теннесси тогда, когда мне это будет удобно.

Но это были лишь слова. Морроу уже набирал номер туристического агентства и мысленно составлял список вещей, которые ему понадобятся в Кредл-Крике, штат Теннесси.

Квин не могла заснуть и утром проснулась с чувством щемящей тревоги. Она терзала ее душу и никак не проходила. Пересилив себя, Квин встала и оделась. Шумные разговоры мальчиков за столом во время завтрака немного отвлекли ее, после их ухода в школу беспокойство снова стало почти невыносимым.

Она скверно провела утро, не в силах ни на чем сосредоточиться, и желала лишь, чтобы Коди поскорее вернулся с базы. На сердце у нее было тяжело.

Но когда он, уставший, но счастливый, улыбаясь, вошел в дверь и радостно сообщил, что выпустил первую группу стажеров, Квин с трудом сдержалась, чтобы не убежать и не спрятаться. Она молча выслушала его рассказ о преимуществах тренинга, который он собирался опробовать в понедельник, после Дня благодарения, с очередной группой стажеров.

Она еле дождалась возвращения мальчиков из школы. Дети влетели в дом в радостном возбуждении от предстоящих двухдневных каникул.

Квин старалась занять себя домашней работой, готовила еду, подавала на стол, но все валилось у нее из рук. Она уронила на пол бутылочку с кетчупом, разбила стакан, и наконец, не выдержав, чуть не плача ушла из кухни, наказав Коди проследить, чтобы мальчики помылись и вовремя легли спать.

Ему хотелось посидеть с ней после ужина, поделиться планами относительно своей работы, поговорить о будущем и предстоящей свадьбе, а она ушла, сославшись на головную боль.

Уже у себя в комнате Квин внезапно стало стыдно за свое поведение. Надо бы спуститься, попросить у Коди прощения, объясниться и поделиться своими тревогами, но это было выше ее сил.

Впрочем, не смогла она и заснуть. Уже в полночь, откинув одеяло, Квин встала с постели и подошла к окну. Шторы были плотно задернуты, чтобы холодный зимний ветер

Колорадо не проник в комнату, и она, отодвинув их дрожащей рукой, стала вглядываться в ночь, боясь увидеть что-нибудь страшное, и в то же время не в силах отойти от окна. Опасность надо встречать лицом к лицу, а не поднимать лапки кверху.

Всматриваясь в кромешную тьму, Квин вдруг вспомнила, что не так давно тоже испытывала страх, но проигнорировала его. В тот день Вирджил Стрэттон чуть было не лишил ее жизни.

Однако сейчас Квин так ничего и не увидела. Луны на небе не было, а фонарь полностью не освещал двор. То, что пугало ее, по всей вероятности, было вне пределов видимости, а может, даже за несколько миль отсюда и ждало своего часа.

Квин задрожала. Ей внезапно захотелось почувствовать надежные руки Коди. Из-за детей они договорились спать врозь, пока не поженятся. Сейчас ее неудержимо влекло к Коди. Если уж ей суждено встретить опасность, то по крайней мере она будет не одна.

В коридоре было холодно. Хорошо, что Уилл подарил ей на день рождения фланелевый халат с длинными рукавами, теплого красного цвета. Мальчику он очень нравился, и она теперь постоянно его носила.

Сейчас, когда Квин заплела на ночь длинную косу и сняла с лица всю косметику, она походила на долговязого ребенка, пытавшегося от страха спрятаться у родителей. Впрочем, если приглядеться повнимательнее, то под красной фланелью можно было заметить пышную грудь, взволнованно вздымавшуюся под кружевом ночной рубашки.

Осторожно дотронувшись до ручки двери в комнату Коди, Квин быстро прошмыгнула внутрь.

— Коди...

Он моментально проснулся, уловил страх в ее голосе, и вспомнил о ее странном поведении накануне вечером. Сначала ему хотелось выяснить у нее, что случилось, но потом он решил, что женщины нуждаются в покое так же, как и любой из мужчин.

— Что? Ты заболела, дорогая? Что-нибудь с мальчиками?

— Я боюсь.

Коди выскочил из постели и заключил Коди в объятия.

Прижавшись щекой к груди любимого, она слушала, как бьется его сердце, и понемногу успокоилась.

— Что напугало тебя, дорогая? Забирайся ко мне в постель, а я пока пойду осмотрю дом.

— Нет, все в порядке, — сказала Квин, крепко обнимая любимого. — Извини, что напугала тебя. Я просто глупая и напрасно заставила вылезать тебя из постели.

— Тогда ложись со мной, — предложил Коди.

В его голосе звучала нежность. Квин, вздохнув, расслабилась в его объятиях. Хорошо, что она сюда пришла. Теперь ей стало гораздо лучше.

— Забирайся ко мне в постель, — повторил Коди.

Он чувствовал ее нерешительность и потому любил еще больше. За благоразумие. Квин, как всегда, ставила интересы мальчиков выше своих собственных. Как бы сильно ни хотел он, чтобы она делила с ним постель, она оставалась непреклонной, решив до свадьбы жить в своей комнате. Конечно, они были официально помолвлены, но мальчики уже кое-что смыслили в жизни, и необходимо было дать им достойный пример для подражания.

— Ну хотя бы ненадолго, — настаивал Коди. — Ты вся дрожишь и к тому же босиком. — Он в шутку потянул ее за косу. — Тебе подарили прекрасные домашние тапочки, а ты бегаешь босиком.

— Привычка, Коди. Я все время забываю про них, потому что росла без предметов роскоши.

Коди нахмурился. Он и представить себе не мог, что домашние тапочки — это роскошь. Подхватив Квин на руки, он отнес ее в постель.

Квин теперь согревалась в его объятиях. Прижавшись к ее спине, Коди обхватил ее руками, сунув их в то самое местечко, которое он давно для себя открыл: стоило ему только дотронуться до ее груди, и он сразу же ощущал, как вскипает кровь в ее жилах. Приятно сознавать, что человеческое тело так отзывчиво.

Жажда жить явно не покинула Квин, несмотря на то что она чуть не погибла.

— Поговори со мной, милая. Тебе приснился плохой сон? — Коди гладил любимую поверх халата и все крепче прижимал ее к себе. — Поверь, я все пойму. Благодаря тебе я избавился от ночных кошмаров, но может, теперь ты стала плохо спать?

— Дело не в этом.

Ее голос и то, что она вдруг замерла в его объятиях, насторожили Коди. Он чувствовал слезы в ее голосе, страх, охвативший ее, и заранее ненавидел того, кто стал тому причиной.

— Тогда расскажи мне, Квин. Ты можешь рассказать мне все без утайки, и я тебя пойму.

Квин вздохнула.

— Мне трудно объяснить. — Она вдруг понизила голос до шепота — не дай Бог, их разговор разбудит мальчиков в соседней комнате.

— Я тебя слушаю.

— Мне нелегко подобрать слова, чтобы выразить то, что я чувствую, — продолжала Квин. Она глубоко вздохнула, считая, что ее рассказ покажется Коди бредовым. — У меня нехорошее предчувствие.

— Ты хочешь сказать, что обладаешь даром ясновидения? Так это же просто здорово! Но у меня никогда не было и не будет от тебя секретов, сколько бы мы ни прожили вместе. Пока будем живы.

Именно эти слова Квин и хотела услышать. Теперь она могла выложить ему все как на духу.

— Я не ясновидящая, — обиженно ответила она, думая, что Коди насмехается над ней.

Он почувствовал, как Квин затрепетала.

— Просто... у меня появилось предчувствие, которое я не могу объяснить и выразить словами. Я могу описать это так: временами совершенно неожиданно для меня в мире что-то меняется. Все вроде бы нормально, но у меня возникает такое чувство... Ты понимаешь, о чем я? Не знаю, как и назвать, но я всегда предчувствую беду. Так было и с Вирджилом Стрэттоном. Плохое предчувствие не покидало меня весь день.

Коди замер, вспомнив, что в тот день она была одна, и крепче прижал ее к себе. И как он мог оставить ее одну?!

— Милая, я бы сказал, что у тебя просто-напросто инстинкт выживания. Я знаю солдат, которые во время войны попадали в подобные ситуации. Говорят, они прекрасно чувствовали, что вот-вот начнется атака, хотя вокруг все было тихо и никто ничего не подозревал.

Квин вздохнула:

— В общем, что-то произойдет. — Она еще теснее прижалась к Коди, словно хотела набраться от него сил и спокойствия. — И я боюсь.

— В любом случае, знай, мы будем вместе. Пока мы живы, тебе больше не придется одной встречать беду.

— О, Коди!

Он почувствовал, как Квин расслабилась, дыхание стало ровным, пульс успокоился, и она уснула. Коди еще крепче прижал ее к себе, согревая теплом своего тела и понимая, что его жизнь стала гораздо богаче, не только потому, что она его любит, но и потому, что доверяет. Прежде она не доверяла ни одной живой душе.

Шли часы, а Коди не спал, глядя на бегущие по стенам тени. Вот и забрезжил рассвет. Беспокойство Квин передалось и ему.

Он вспомнил о слежке. Человек, который шпионил за ними, похоже, уехал из города, но он так и не сказал, кто его нанимал.

Неожиданно Квин потянулась во сне и перевернулась на другой бок. Теперь, когда она уткнулась ему в грудь, Коди не мог не обнять ее покрепче. Что или кто пытается проникнуть в их мир и нарушить их покой?

Он держал ее в объятиях, боясь строить догадки, боясь своего собственного страха. Но вот Квин, едва проснувшись, прижалась к нему, и его страх исчез. Настало утро, и нужно было встречать новый день.

Она еще не успела открыть глаза, а он уже занимался с ней любовью. Снова и снова, со всей своей страстью. На этот раз она с восторгом приняла его ласки, тихо вскрикивая от наслаждения. Когда пришел час расставаться, она ушла из его комнаты, освободившись от страха. Квин была переполнена любовью и сознанием того, что любима. День начинался великолепно.

«Ад».

Только таким словом Уолли Морроу охарактеризовал бы Кредл-Крик, штат Теннесси. Он ехал по городу на взятой напрокат машине, все еще надеясь увидеть что-то более привлекательное, но надежды его не оправдались. Судя по всему, весь город именно такой, каким предстал перед ним с самого начала.

Казалось, дома здесь выкопали из-под земли вместе с углем, который, как было известно Уолли, добывался в этом месте, пока запасы его не истощались. Горстка запыленных шлаком домов — это и был Кредл-Крик.

Только жиденькие струйки дыма, поднимавшиеся к небу из печных и каминных труб, свидетельствовали о том, что в этой Богом забытой дыре живут люди.

Тонкая корка льда с хрустом проломилась у Морроу под ногами, ботинки промокли, едва он, выйдя из машины, направился в поисках информации к заправочной станции.

— Черт! — выругался он, взглянув на свои любимые ботинки, и, наклонившись ниже, понял, что грязь не единственное, что так его обеспокоило: от ботинок шел отвратительный запах.

Вытащив из кармана носовой платок, Уолли очистил обувь от грязи и брезгливо выбросил его в мусорный ящик. Начало не предвещало ничего хорошего: он уже жалел, что взялся за это дело, и корил себя за жадность. Если бы не долги, он бы никогда не взялся за такую поганую работу. Копаться в грязи и тревожить занятых людей — самое последнее дело.

Уолли вошел в помещение заправочной станции и час спустя с радостной улыбкой двинулся к машине. На такое он и не рассчитывал! В общем Морроу узнал все о семье Хьюстон, которая здесь теперь не жила.

Посмотрев на склон горы за заправочной станцией, он сквозь густые ветви сосен увидел кладбище, о котором упоминал осведомитель. Со слов этого человека, в городе остался единственный член семьи Хьюстон, да и тот на глубине шести футов. Его кости смешались с угольной жилой, на которой когда-то строился Кредл-Крик.

Уолли сел в машину и поехал в сторону «Бара Уайтлоу».

Судя по всему, Мортон Уайтлоу был самым осведомленным человеком относительно игрока и его дочерей. Все то время, что семья находилась в Кредл-Крике, они жили по соседству с баром.

— Это ей наверняка понравится, — шепнул себе под нос Уолли, представив, как заблестят глаза Леноры Уиттьерс, когда она узнает о происхождении Квин Хьюстон. — По соседству с баром... через дорогу от шлюх. Черт... и это в расцвете сил!

Морроу свернул за угол и увидел горевшую красными огнями вывеску: «Бар Уайтлоу».

Итак, он его разыскал. Сейчас надо просто получить подтверждение тому, что он узнал на заправочной станции, и он сможет покинуть город еще засветло. Если поторопиться, то он доберется до Ноксвилла и первым утренним рейсом улетит домой. А вот если он припозднится, придется ночевать в машине. Мало приятного в том, чтобы оказаться в таком положении в разгар зимы, в затерянном где-то в горах городишке, похожем на те, что он видел в фильмах по романам Стивена Кинга... Бр-р-р!

Судя по всему, люди здесь бедствуют. Удивительно, чтобы картежник — и жил в таком месте?! Впрочем, Джонни Хьюстон, как и все остальные жители Кредл-Крика, не жил, а вел полуголодное существование.

Открыв дверь, Уолли вошел в бар. Ему тут же захотелось зажать нос или вообще перестать дышать. Он решил закурить. Вдыхать никотин гораздо здоровее, чем дышать вонью, которая так и била ему в нос.

Первый же вопрос Уолли вызвал ответный вопрос хозяина бара.

— Вы хотите знать о семье Хьюстон? — Мортон Уайтлоу заулыбался. Он не сомневался, что когда-нибудь придет час расплаты для дочерей Джонни Хьюстона за их мерзкое отношение к нему. — Как много... и почем?

Уолли сморщился и полез в карман. Надо было думать, что он встретится здесь с одним из подонков. В бизнесе, которым он занимается, часто попадаются люди, готовые за деньги наплести все, что угодно.

— Вот деньги за все, что знаете, — сказал он, выложив на стойку бара пять двадцаток и прижимая их рукой, пока человек с одутловатым лицом не кивнул головой в знак согласия. Только Морроу отнял руку, как Уайтлоу в мгновение ока заграбастал купюры.

За беседой время пролетело незаметно. Не успел Уолли опомниться, как солнце стало скрываться за вершинами деревьев.

— Мне пора, — бросил он, пряча блокнот в карман и потуже натягивая шляпу на голову. — Спасибо за информацию, мистер Уайтлоу.

Мортон кивнул.

— Всегда к вашим услугам. — Он улыбнулся, обнажив гнилые зубы.

Уолли содрогнулся. Он хорошо знал о своих физических недостатках, но в этой дыре он чувствовал себя джентльменом и чуть ли не красавцем.

Добежав до машины, Морроу сел за руль и захлопнул дверцу. Впервые за все то время, что он работал на Ленору Уиттьерс, Уолли пожалел ее жертву. Каким образом женщина в таком месте, как Кредл-Крик, осталась порядочной, было выше его понимания.

Почему дочери Джонни Хьюстона не попали в находящийся рядом с их домом бордель, на что Уайтлоу прозрачно намекал, было для Уолли загадкой. Понятно, что Мортон все выдумал и никогда не был в близких отношениях ни с одной из сестер. Понять всю горечь унижения может только тот, кто испытал это на себе. Мортон Уайтлоу мог хотеть... мог мечтать... но ему ни разу не удалось переспать ни с одной из дочерей картежника, Уолли это прекрасно понял. Он видел Квин Хьюстон, а кроме того, хорошо чувствовал женщин. Квин скорее перережет себе горло, чем переспит с таким, как Уайтлоу. Да ни за что на свете!

Сейчас перед Уолли стояла дилемма: изложить то, что он чувствует, или то, что ему поведали: одни лишь сплетни.

Вздохнув, Морроу нажал на газ и выехал из Кредл-Крика. Чертовски плохо, когда в бизнес вмешивается совесть.

Аллен Уиттьерс пришел в ярость. Он случайно обнаружил, что Ленора заплатила какой-то частной сыскной фирме огромную сумму денег. Ему не надо было спрашивать за что. Он слишком хорошо знал жену, чтобы питать иллюзии, будто она заподозрила его в любовной связи. Ленора всегда совала нос не в свои дела, и сейчас у него не было сомнений, что вся ее деятельность связана с их внуками.

Аллен в бешенстве стал расхаживать по кабинету, перебирая в уме различные варианты. Он мог прижать Ленору и заставить ее признаться, мог притвориться, что ничего не знает, как делал многие годы, и будь что будет. Или... мог бы своими собственными руками задушить ее!

Весьма заманчивая перспектива. Аллен даже вздрогнул от этой мысли и направился к бару. Плеснув в стакан виски, он залпом осушил его. Жидкость обожгла горло и вышибла слезу. Но теперь Аллен мог списать свои слезы на спиртное, а не на обуревавшие его эмоции.

Однако вновь бросив взгляд на оплаченные чеки, он пришел в ярость, виски придало ему решимости. Схватив чеки, Уиттьерс вылетел из кабинета. На этот раз его жена зашла слишком далеко.

Ленора была во дворе — поучала садовника, ругалась с чистильщиком бассейна, в общем, занималась чем угодно, только не своими делами. Увидев Аллена, выходившего из патио, она в ужасе замерла.

Даже отсюда было видно, что он в бешенстве. Об этом свидетельствовали его расправленные плечи и тяжелый взгляд.

Душа Леноры ушла в пятки. Она ненавидела, когда он начинал отстаивать свои права.

— Ленора!

Ленора нахмурилась. Он никогда не кричал на нее. Вернее, она не могла припомнить, чтобы он хоть когда-нибудь повышал голос. Сначала она хотела сделать вид, что не замечает его, но что-то подсказывало ей: лучше объясниться сейчас. Отдав последнее распоряжения, она, словно девочка, ринулась к дому по свежескошенной лужайке.

— Аллен!

Раньше она с помощью одной интонации могла поставить его на место, но сегодня...

— Что это такое, черт возьми?

Аллен помахал чеками у нее перед носом. И несмотря на то что Ленора была без очков, а один из чеков упал на землю, она сразу догадалась, в чем дело.

Она сначала вся вспыхнула, а затем побледнела.

— Ты безответственная сука, — заявил Аллен.

Бесстрастный голос мужа напугал Ленору больше, чем если бы он кричал на нее.

— Да как ты смеешь?! — взорвалась она, стараясь перехватить инициативу и перейти в наступление.

— Нет, Ленора, как смеешь ты? Неужели ты не любишь наших внуков? Почему без зазрения совести вмешиваешься в их жизнь и жизнь их отца? Я не замечал за Коди Боннером ничего плохого. Уверен, ты не любишь его только потому, что он не позволяет тебе взять над ним верх. Ведь именно это тебя и бесит, а?

— Я не желаю разговаривать с тобой в таком тоне, — заявила Ленора, с тревогой оглядываясь по сторонам. Не дай Бог, их услышат рабочие в саду. Это просто недопустимо.

Оттолкнув мужа, она направилась к дому, чтобы продолжить разговор при закрытых дверях, но Аллен, схватив ее за руку, резко развернул лицом к себе.

— Ты не только выслушаешь меня, но и сделаешь то, что я тебе прикажу! — воскликнул он.

Ленора стала хватать ртом воздух.

— Ты не смеешь приказывать мне, как какой-то служанке. Предупреждаю тебя, Аллен! И кроме того, я сделала это потому, что люблю своих внуков и желаю им добра.

— Я думаю, они будут куда счастливее, если ты отстанешь от них. Ты превратила их жизнь в ад. Может, ты забыла лица мальчиков во время последнего судилища, а я вот помню. Коди Боннер — честный и прямой человек и к тому же прекрасный отец.

— Но женщина, которую он нанял, таковой не является! — Ленора, распалясь, говорила все громче: — Она не достойна жить под одной крышей с нашими внуками, и я докажу это.

— Каким образом? С помощью грязного детектива, которого ты нашла в «Желтых страницах»?

Ленора снова покраснела, и Аллен догадался, что попал прямо в точку.

— Ты ведь именно так и поступила? О Господи! Какая глупость! И мне хотелось бы знать, что тебя не устраивает в Квин Хьюстон? На мой взгляд, она чудесная женщина и очень привязана к мальчикам. Что тебе в ней не нравится?

— Она дрянь... просто грязная нищенка! Я не желаю, чтобы о моих внуках заботилась какая-то оборванка.

— Значит, чем больше у человека денег, тем он честнее и порядочнее? Помнится, у твоего отца в избытке было первое и ничего из последнего.

В наступившей тишине раздался звук звонкой пощечины. Ленора с удивлением посмотрела на свою покрасневшую ладонь, а затем на лицо Аллена.

Муж угрожающе улыбнулся, и Ленора невольно отступила.

— Не бойся, — хмыкнул он. — Я не унижу себя настолько, чтобы ответить тебе тем же, Ленора. Но знай: завтра утром я позвоню Коди и извинюсь перед ним.

— Ни за что, — отозвалась она. — Я уже заказала нам билеты на самолет. Мне кажется, мы должны воочию убедиться, что о наших мальчиках заботятся должным образом. Иначе я не успокоюсь. Верь мне, Аллен. Информация просто ужасная.

— Нет, Ленора, это ты ведешь себя ужасно. Однако я готов полететь с тобой. По крайней мере поговорю с Коди с глазу на глаз и расскажу все, что я хотел сообщить ему по телефону.

Аллен повернулся и ушел. Щека его горела от пощечины, но никогда еще ему не было так хорошо. Ленора же теперь места себе не находила. Нет, она этого никогда не допустит. Не позволит Аллену сделать такую глупость. Прежде чем Коди услышит извинения Аллена, ему придется выслушать ее.

Стараясь не думать, что скажут о ней садовник и уборщик, если они, конечно, слышали их ссору, Ленора прошла в дом, не бросив ни единого взгляда в их сторону.

У нее есть дела поважнее, чем думать о каких-то наемных рабочих: надо еще собрать вещи, успеть на самолет... и испортить жизнь этой женщине.

Глава 18

Снова вернулась зима, не оставляя надежды на теплые дни и прохладные ночи. Полуденный ветер гнул верхушки деревьев, грохотал по крыше дома и несся дальше по долине до самого Сноу-Гэпа.

Меньше часа назад на землю стали падать первые хлопья снега, и вскоре все вокруг покрылось белым пушистым одеялом.

Квин нервно вздрагивала, стараясь отделаться от нехорошего предчувствия, поскольку оно явно было вызвано мрачным завыванием ветра и волнением перед грядущими праздниками.

Ее предчувствие беды пока не оправдалось. Прошло больше недели с тех пор, как она в ужасе прибежала в комнату к Коди, но так ничего и не случилось, Квин почти убедила себя, что ничего страшного уже не произойдет.

Это будет ее первое Рождество без сестер. И хотя она собиралась справлять его со своей новой семьей, ей все равно было немного не по себе, и сердце ее охватывала печаль, которую она пыталась заглушить домашней работой и подготовкой к празднику.

В доме пахло праздничной выпечкой, хотя еще до самого праздника осталось несколько недель. Домашнее печенье в разных стадиях изготовления лежало на столе, подоконниках. Уилл и Джей-Джей перемазались мукой и тестом. Помощи было больше чем достаточно, мальчики только мешали ей, но Квин не хотела выгонять их из теплой кухни.

— Квин, можно, я вырежу следующую партию?

Просьба Джей-Джея вывела Квин из задумчивости. Она посмотрела на мальчика и, улыбнувшись, кивнула:

— Да, конечно, ты вырежешь следующую партию, а Уилл тем временем замесит тесто. Как, Уилл?

Уилл был согласен. Изготовление домашнего печенья было делом новым для обоих мальчиков. Прежде его разрешалось только есть. Когда же они поняли, что Квин дает им полную свободу, радости братьев не было предела. Подкрашенный во все цвета и оттенки сахар пятнами просыпался на стол и на пол. Квин делала вид, что не замечает красно-зеленых сахарных усов у них под носами — живое свидетельство того, что не весь сахар попал в тесто.

— Донни, так ты съешь все печенье, — жалобно сказал Уилл, взглядом призывая Квин навести порядок.

Квин сделала вид, что сердится. Донни усмехнулся и направился к выходу, положив в рот печенье в виде звезды.

«Господь спас меня от мальчишек-сорванцов», — подумала Квин и только тут внезапно осознала, что ей еще долго придется опекать вечно голодных парней.

— Квин! Кто-то приехал!

Раздавшийся в передней голос Донни сорвал младших Боннеров с высоких стульев.

— Сначала умойтесь, — приказала Квин. — Папа сам откроет дверь. По всей вероятности, это Деннис, — добавила она.

Макон взял за правило навещать их каждую неделю, ссылаясь на то, что им с Коди надо обсудить дела по подготовке стажеров, хотя все вопросы без труда можно было решить по телефону.

Впрочем, для Боннера не было секретом, почему в действительности к ним приезжал Деннис. Его привлекала теплая домашняя атмосфера их семьи. К тому же Макону нравилось, как Квин готовит.

Мальчики резко развернулись и побежали в ванную, расположенную на первом этаже. Не прошло и минуты, как они выскочили оттуда с мокрыми от воды лицами и прошли в гостиную, оставив Квин на кухне вынимать из плиты очередную партию печенья. Она с облегчением вздохнула: наконец-то можно отдохнуть в тишине.

Услышав, что хлопнули две дверцы, Коди нахмурился: Деннис всегда навещал их один. Интересно, кто еще мог заявиться без приглашения и звонка? Приехать в горы, да еще в такой пасмурный день?

Раздался короткий отрывистый стук. Коди открыл дверь, и широкая гостеприимная улыбка исчезла с его лица.

— Аллен! Ленора! — только и смог вымолвить он.

За спиной Коди появился Донни. Увидев бабку и деда, он уже вознамерился уйти к себе, но вдруг понял, что его увидели. Улыбаясь через силу, Донни вышел навстречу гостям.

— Привет, дед. Привет, ба. Я и не знал, что вы приедете. Пап, почему ты нам ничего не сказал? Может, решил сделать нам сюрприз?

— Да, — как всегда, опередила Коди Ленора. — Мы решили сделать сюрприз вашему папе и вам. Я всегда считала, что сюрпризы — самое интересное на свете.

Ленора улыбалась загадочной улыбкой. Коди посторонился, пропуская ее в дом, и при этом заметил, что выражение лица у нее было такое же, как погода на улице: холодное и не предвещающее ничего хорошего.

Аллен тепло пожал руку Боннера, стараясь сгладить агрессивность жены и грубость их неожиданного вторжения.

Уилл и Джей-Джей с улыбочками до ушей выбежали в переднюю. Поскользнувшись на натертом полу, они чуть не упали, резко затормозив при виде бабушки, — высокие каблуки, меховое манто, покрытые лаком волосы и прочее в том же духе. Лица братишек вытянулись и, чтобы не дать сыновьям опомниться и предотвратить глупые вопросы, Коди решил вмешаться:

— Мальчики, поздоровайтесь с дедушкой и бабушкой. Они приехали издалека, чтобы преподнести нам сюрприз.

Ленора подставила каждому из них щеку, вытерла сахарное пятно с рубашки Уилла и точно такое же с лица Джей-Джея.

— Чем вы тут занимаетесь? — удивилась она. — Коди, почему они такие грязные?

— Мы с Квин пекли печенье, — дружно ответили мальчики, сразу вспомнив, как им было весело несколько минут назад. — Идемте с нами! Вы все увидите сами! Там есть звезды, рождественские елки и еще всякое...

— С удовольствием, — откликнулся Аллен. — Вот только положу вещи...

— Я сам отнесу их в гостиную, дед, — предложил Донни, — а ты присоединяйся к ребятам. Только не ешьте все зеленое печенье: оно мое любимое.

Аллен весело рассмеялся, когда мальчики, взяв его за руки, потащили на кухню.

— Ленора, а ты с нами не идешь? Мне кажется, там сейчас очень уютно и к тому же такой запах, что просто пальчики оближешь!

— Мне надо поговорить с Коди, — ответила жена. — Я приду чуть позже.

Аллен нахмурился, сомневаясь, оставлять ли ему жену наедине с зятем. Они спорили целых три дня, пока она не дала обещания не предпринимать ничего такого, что дискредитировало бы Квин. Ведь не может же она нарушить слово. Мальчики стали подгонять его, и Аллен выбросил из головы дурные мысли.

— Ведите меня, — сказал он. — Я уже проголодался.

Внуки, весело смеясь, потащили его на кухню.

— Как здесь чудесно пахнет! — произнес Аллен, вырвавшись из их рук.

Квин повернулась и с удивлением посмотрела на Уиттьерса, но широкая улыбка на лице Аллена успокоила ее, и она приветливо кивнула:

— Аллен... Простите... мистер Уиттьерс, рада видеть вас снова.

— Пожалуйста, зовите меня Алленом, — попросил он. — А сейчас, когда мы покончили с формальностью, скажите, сколько печенья мне можно съесть?

Квин рассмеялась и придвинула к нему тарелку.

— Вы были настолько любезны, что можете есть без ограничений.

Склонившись к тарелке, он взял печенье, оценив работу, похвалил мальчиков и отправил печенье в рот.

— Гм-м... На вкус оно даже лучше, чем на вид!

Тем временем Ленора затащила Коди в холл. Невзирая на обещание, данное Аллену, она не отказалась от задуманного.

— Коди... если ты не возражаешь, давай поговорим.

Начало не предвещало ничего хорошего, и Коди нахмурился.

Посторонившись, он пригласил Ленору в гостиную и жестом предложил ей сесть, но она в ответ только головой покачала:

— Нет. Лучше уж я сообщу тебе обо всем стоя. К сожалению, я приехала к тебе с плохими новостями.

Сунув руки в карманы, Боннер молча смотрел на свекровь.

— Мне стало известно, что женщина, которую ты нанял ухаживать за моими внуками, вышла из низших социальных кругов.

Коди тяжело вздохнул. Ему совсем не нравилось, что Ленора называет его любимую безликим словом «женщина».

О, как Квин была права, предположив, что за спиной Уолли Морроу стоит Ленора. Иначе как еще она смогла бы раздобыть информацию о Квин?

— Неужели ты не понимаешь, Ленора, что это не твое дело. Я знаю о Квин буквально все, как знаю и то, что люблю ее и собираюсь на ней жениться.

— Нет! Ты не сделаешь этого!

Крик Леноры разнесся по всему дому. Аллен вскочил, бросил надкушенное печенье и ринулся в гостиную. Черт бы ее побрал! Она же обещала!

Квин понимала, что приезд Уиттьерсов не предвещает ничего хорошего. Неужели ее предчувствия оправдались?

— Мальчики, — сказала она, — возьмите тарелку с печеньем и угостите бабушку с дедушкой.

Мальчики кивнули, но по их хмурым личикам она читала, что им совершенно не хочется этого делать. Сама она с удовольствием бы пошла в гостиную и вложила разум в голову этой ведьмы. Какое ей до них дело? Почему нельзя просто любить внуков и не вмешиваться в жизнь Коди?

Коди был того же мнения.

— Меня не волнует, нравится вам это или нет, — хмыкнул он. — Я уже давно обхожусь без ваших советов. Что бы я ни сделал, вам это всегда не нравится. Вы приносите в мой дом беду.

Спокойный тон бывшего зятя взбесил Ленору еще больше.

— Ну хорошо же... посмотрим, что ты скажешь, когда прочитаешь это! — закричала она и помахала у Коди перед носом бумагой с последним сообщением Уолли Морроу.

Коди отбросил листок, даже не взглянув на него, чем лишь усугубил положение: теперь Ленору остановить не мог и влетевший в гостиную Аллен Уиттьерс.

— Она из семьи бедняка! — истошно кричала теща Коди, забыв о своем воспитании и положении в обществе. — Ее отец был нищим картежником. Они жили в ужасной трущобе по соседству с баром и всего через дорогу от шлюх. Только подумай, что она собой представляет! Вообрази себе, чем она могла заниматься! Может, они все там были шлюхи!

Звонкая пощечина Аллена вмиг оборвала тираду Леноры. Все онемели: Коди — оттого, что стал свидетелем этой сцены, Аллен — оттого, что ударил жену, а Ленора — от нанесенного оскорбления.

Звук разбитой тарелки разорвал наступившую тишину, и все трое моментально повернулись к двери. На пороге гостиной стояла Квин с младшими мальчиками. У ее ног лежала разбитая тарелка с печеньем.

Квин вошла в комнату как раз в то время, когда Ленора выкрикивала свои мерзкие обвинения. Как только Квин услышала это, в ней что-то надломилось, комната поплыла у нее перед глазами, и тарелка выпала их рук.

Печенье и куски фарфора разлетелись в разные стороны вместе с ее последними надеждами. Страшные обвинения, преследовавшие ее всю жизнь, докатились и сюда. Они только ждали своего часа, дав ей возможность полюбить... довериться... и надеяться, что ее никогда не оскорбят снова.

Квин вздрогнула, шум в ушах усилился, в глазах потемнело, и она погрузилась в темноту. Последнее, что она видела, — это испуганные лица Уилла и Джей-Джея.

— Милая... — начал было Коди, но осекся на полуслове, ибо Квин, побледнев у него на глазах и с удивлением взглянув на разбитую тарелку с печеньем, как подкошенная рухнула на пол.

— Господи, нет! — закричал Аллен, и этот крик отдался в сердцах всех членов семьи Коди.

Все, за исключением Леноры, тут же бросились к Квин, которая без сознания лежала на полу среди кусочков печенья и битого фарфора.

Мальчики застыли на месте от страха. Они слышали, как вопила их бабушка, и видели, как Квин упала на пол. Джей-Джей заплакал, а Уилл, потупившись, встал в сторонке.

— Квин, милая...

Но она не отвечала. Коди, встав на колени, осторожно приподнял ее голову и прижал к себе. Руки его дрожали, когда он гладил покрывшийся испариной лоб. Она, по всей вероятности, была в глубоком обмороке.

— Будь ты проклята, Ленора, — прошептал он, не поднимая головы.

— Я не виновата, — ответила Ленора, внезапно испугавшись. А что, если эта глупая женщина расшиблась? Надо поскорее оправдаться.

— Да! Это все ты! — закричал Уилл.

Присутствующие вздрогнули от его крика. Пятясь из комнаты, он указывал дрожащим пальцем на бабушку. Лицо его исказилось от возмущения.

— Это ты виновата, ты. Ты плохо говорила о Квин. Ты обидела ее. Я ненавижу тебя! Ненавижу! — кричал Уилл.

— А, вот видите! — взорвалась Ленора. — Она уже успела настроить его против меня. Что я говорила тебе, Аллен? Им нельзя жить рядом с этой женщиной. Они должны жить с нами, как и прежде. Только мы можем дать им...

Коди тоже взорвался:

— Черт бы тебя побрал, женщина! Заткнись сейчас же! — Он бросил умоляющий взгляд на тестя. — Аллен, ради Бога, уведи ее отсюда.

Аллен словно только этого и ждал. Он вскочил, оставив Квин заботам тех, кто ее любил, схватил жену за руку и, несмотря на протесты, поволок из комнаты.

Коди взял Квин на руки и понес к софе.

— Донни, принеси мне мокрое полотенце, — попросил он, убирая с бледного лица Квин прилипшие кудри.

Сын бросился выполнять поручение.

— Джей-Джей с Уиллом, сходите на кухню за веником и совком и уберите с пола осколки, пока кто-нибудь не порезался.

Слезы катились из глаз Джей-Джея, когда он, склонившись над Квин, грязной рукой гладил ее по щеке. Он так и не успел вымыть руки.

— Она умирает? — в страхе прошептал он.

Сердце Коди упало: конечно же, они так и подумали. Последний раз они видели свою мать в гробу во время похорон. Она была такой же неподвижной... и такой же бледной.

— Нет, сынок, нет. У нее обморок. У женщин это иногда бывает. С ней ничего не случится.

— Клянешься?

— Клянусь, — ответил Коди. — А сейчас беги за веником. Квин будет довольна, что ты помог убрать.

На лице Джей-Джея мелькнула слабая улыбка. Услышав, что Квин скоро поправится, он кинулся выполнять поручение отца.

Коди гладил Квин по лицу.

— Любимая, и чего только ты не натерпелась от моей семьи. — И тут ему в голову пришла ужасная мысль, стало так страшно, что он побоялся высказать ее вслух: «Достаточно ли ты меня любишь, чтобы в один прекрасный день не купить билет на автобус?»

В комнату вбежал Донни с мокрым полотенцем. Отдав его отцу, он сел на краешек софы и молча наблюдал за происходящим. Щеки его горели от возмущения, голубые глаза были широко раскрыты.

Как и отец, он был возмущен несправедливостью бабушки по отношению к Квин. Он вспомнил сказку о трех маленьких дочерях картежника и о том, как они тяжело жили. Он не дурак и сразу понял, что Квин рассказывает о себе, но этот рассказ ничуть не умалил ее достоинств в его глазах.

Поразмыслив над рассказом, Донни стал воспринимать ее как спасительницу. Квин спасла своих маленьких сестер от голодной смерти, а может, от чего-то еще... Затем она спасла его самого и его братьев от приюта.

Сжав кулаки, Донни увидел, что отец приложил мокрое полотенце ко лбу Квин, и тут же поклялся про себя впредь не допускать подобного. Если хоть кто-то посмеет... он об этом горько пожалеет.

— Квин, любимая... ты слышишь меня?

Коди говорил с такой теплотой и нежностью, что его голос постепенно проник в сознание Квин. Она потихоньку начала приходить в себя.

Квин еще не открыла глаза, а Коди уже понял, что она очнулась: подбородок ее задрожал, из глаз покатились слезы.

Коди наклонился к ее руке, с нежностью пожал ее, борясь с желанием схватить Квин и убежать куда глаза глядят, чтобы больше не возвращаться сюда. К сожалению, это невозможно по многим причинам.

Одна из причин сидела на краешке софы и внимательно следила за каждым его движением. Не было сомнений, что Донни не позволит ему и до двери дойти с Квин на руках. Он был настоящим сыном своего отца.

— Папа, с ней ничего не случится?

— Нет. Почему бы тебе не приглядеть за Уиллом с Джей-Джеем? Квин понадобится время, чтобы прийти в себя.

Донни кивнул и, бросив на Квин еще один взгляд, вышел из комнаты. По пути к двери он нагнулся и подобрал осколок тарелки — видимо, Джей-Джей, подметая пол, не заметил. Зажав его в руке, Донни отправился на поиск братьев.

— О Коди! — Квин словно в отчаянии выдохнула эти слова и, открыв глаза и обхватив за шею Коди, села. — Не понимаю, почему так случилось? — прошептала она. — Раньше я никогда не падала в обморок.

— Прекрати сейчас же, любимая, — сказал Коди. — Тебе не перед кем извиняться. Это у тебя должны попросить прощения. Судя по тому, как Аллен вытащил Ленору из комнаты, он устроит ей хорошую выволочку.

Квин попыталась улыбнуться, но увы... вместо улыбки вышла кривая усмешка.

— Это на нее никак не повлияет, — отозвалась она. — Незачем даже утруждаться. Мне ее извинения не нужны. К тому же после этого случая она еще больше возненавидит меня.

Коди обнял Квин, а затем, не удержавшись, крепко поцеловал ее в губы, стерев поцелуем всю ее горечь и отчаяние.

— Я люблю тебя, леди, — сказал он. — Тебе не о чем беспокоиться. Мальчики чуть не растерзали свою бабушку, особенно сердился Уилл.

Внезапно Квин вспомнила испуганные и обеспокоенные лица мальчиков. К сожалению, ребятишки не могли помешать Леноре вмешиваться в их жизнь.

Затем на Квин нахлынул тот самый страх, который несколько дней назад погнал ее ночью в комнату Коди.

— Это все-таки случилось, Коди, ведь так?

Боннер кивнул. Ему не надо было спрашивать, о чем она говорит, и так все ясно.

— Да, дорогая, похоже. Теперь я не сомневаюсь, что ты в состоянии предчувствовать беду.

Улыбнувшись, Коди провел большим пальцем по губам Квин, освобождая ее от остатков паники.

Схватив его руку, она приложила ее к груди, туда, где билось сердце.

— Я все еще боюсь, Коди. Вряд ли Ленора успокоится. А что, если она заберет мальчиков? А что...

— Тс-с... Скорее луна погаснет на небе, чем ей это удастся. Мы не дадим.

Он скрепил обещание новым поцелуем и прижал Квин к себе. Вместе с ней он справится со всеми невзгодами... даже

Ленорой, злой ведьмой с юга — точнее сказать, с юга штата Флорида.

Аллен был вне себя от ярости. Втащив жену в кабинет Коди, он плотно прикрыл за собой дверь.

— Ты зашла слишком далеко, — прошипел он. — Я предупреждал тебя, Ленора. Я, черт возьми, тебя предупреждал!

Ленора, как всегда, не слушала мужа.

— Нет, ты видел? Она не выдержала, услышав правду о себе. Остолбенела от шока, узнав, что разоблачена. — Ленора размеренно зашагала по комнате, ударяя для убедительности кулаком одной руки по ладони другой. Она строила планы на будущее: — Когда мы вернемся домой, я позвоню адвокату и попрошу начать судебное разбирательство. Надо любыми средствами отстоять свою точку зрения. Я абсолютно уверена, что поступаю правильно!

Аллен вздохнул и дрожащей рукой провел по лицу. Она никогда не изменится, но с него хватит. Неизвестно, сколько он еще проживет, но тратить силы, живя с ней под одной крышей, больше незачем.

— Раз уж ты взялась за дело, — изрек он, — то заодно поговори с адвокатом и о нашем разводе. Я сыт по горло, и меня уже тошнит от тебя. Ты лжешь и манипулируешь людьми, а я не могу принимать в этом участия. — Он с радостью отметил, что у жены вытянулось лицо. — Советую тебе как следует подумать, прежде чем просить опеки над детьми. Вряд ли судья доверит опеку подростка и двух мальчиков женщине твоего возраста.

— Аллен! — только и смогла выдавить Ленора.

— Если ты попробуешь исполнить задуманное, я выступлю в защиту Коди и против тебя. — Аллен погрозил жене пальцем.

— Аллен!

— Ты уже это говорила, Ленора. Неужели впервые в жизни тебе нечего больше сказать?

Задав этот короткий вопрос, Аллен вышел из комнаты, оставив жену переживать горечь поражения. Внезапно ее стал бить озноб. Отступив назад, она, не глядя, нащупала позади спинку кресла и буквально рухнула в него.

— Аллен...

Но, как он грубо заметил... она уже говорила это. Закрыв лицо руками, Ленора впервые после похорон дочери заплакала... и это были слезы раскаяния.

— Пап!

Едва Коди увидел отчаяние на лице Донни и какой-то дикий взгляд, как сердце его оборвалось: что-то случилось!

— В чем дело, сын? Что-то с Ленорой...

— Пап... я не могу найти Уилла.

Квин моментально вскочила. Тревога в голосе Донни заставила ее справиться со своими страхами. «Уилл! Куда он мог уйти?» — пронеслось в голове.

— Но он и Джей-Джей только что были здесь...

— Джей-Джей говорит, что не смог найти Уилла, и потому подметал сам.

— О Господи! — воскликнула Квин и побежала на второй этаж. — Уилл! Уилл! — кричала она, заглядывая во все комнаты и открывая шкафы в надежде, что он спрятался где-то в глубине, но Уилл так и не нашелся.

Коди бегал в поисках сына по первому этажу. Ворвавшись в кабинет, он увидел там заплаканную Ленору.

— Уилла не видели? — крикнул он.

Теща покачала головой, и Коди пулей вылетел из кабинета, не дав ей опомниться и спросить, почему он разыскивает Уилла. Быстро вскочив и выбежав из двери, Ленора присоединилась к бестолковой беготне по дому в поисках пропавшего ребенка.

— Уилл! — закричала Квин, вбегая к себе в надежде, что он нашел убежище здесь, но и тут его не было. Приложив пальцы к дрожащим губам, она на секунду задумалась, и внезапно в голову ей пришла идея. Уилл и Джей-Джей всегда неразлучны. Может, Джей-Джей подскажет, где искать брата.

— Ты нашла?..

Не успел Коди договорить, как Квин схватила его за руку:

— Где Джей-Джей?

Коди сразу все понял и посмотрел на старшего сына.

— Донни?

Донни повел их на кухню, где сидел Аллен с Джей-Джеем на коленях.

Квин подбежала к ним, встала на колени и, глубоко вздохув, попыталась успокоиться, понимая, что ничего не добьется от ребенка, пока сама в такой панике. Он и так уже ережил достаточно для семилетнего мальчика.

— Милый...

Джей-Джей молча посмотрел на нее и перекочевал с коен Аллена к ней на руки.

— Все хорошо, мое сердечко, — сказала Квин. — Все орошо. Я чувствую себя прекрасно.

Джей-Джей вздохнул и, положив голову ей на плечо, огладил по щеке.

— Я же говорил тебе, сын, — Коди потрепал мальчика по голове, — что с вашей Квин ничего не случится, она поправится.

— Милый, — продолжала Квин, увидев, что Джей-Джей успокоился, — Уилл помогал тебе убирать мусор?

Джей-Джей покачал головой:

— Я его не нашел и убрал все сам.

— Ты такой молодец! — похвалила его Квин, взглядом ища поддержки у Коди.

Джей-Джей поднял голову и гордо улыбнулся.

Аллену стало стыдно: все неприятности этой семье после смерти Клер доставляли они с Ленорой. Однако, посмотрев на заплаканную пожилую женщину, одиноко стоявшую в дверях, он впервые за все годы их совместной жизни проникся к ней жалостью. Не выдержав, Аллен встал со стула и, бросившись к ней, заключил в объятия. Ленора прижалась к нему, закрыв лицо руками.

— Скажи, Джей-Джей, когда ты видел Уилла в последний раз? — продолжала расспросы Квин.

Мальчик пожал плечами: слишком много случилось за это время, чтобы помнить детали.

— Вы вместе ходили за веником?

Джей-Джей задумался.

— Нет, — наконец ответил он.

— А может быть, ты его видел, когда Донни пошел за мокрым полотенцем? — спросил Коди.

Ему хотелось закричать, схватить сына за плечи и вытрясти из него ответ, но так он еще больше напугает мальчика, и они никогда не узнают, что же случилось.

— Подумай, милый, — настаивала Квин. — Ты не помнишь, что делал Уилл, когда ты видел его в последний раз?

Лицо Джей-Джея озарилось улыбкой. Судя по всему, он вспомнил..

— Доставал пальто из шкафа, — сказал он.

— О Боже! — воскликнул Коди.

В голове мелькнуло: «На улице темнеет... и снегопад не прекратился».

Коди бросился к двери и выглянул наружу. Никого. Во дворе стояли его «блейзер» и «шевроле» Аллена, взятый напрокат.

Боннер обежал дом по веранде, надеясь найти хоть какие-то следы. «Может, он спрятался в сарае?» — подумал Коди. Но на снегу у сарая не было никаких следов. Посмотрев на серое, затянутое тучами небо, он понял, что снег прекратится не скоро.

Окинув рассеянным взглядом задний двор, Коди обомлел. Сердце его разом оборвалось.

— Нет, Уилл! Нет!

Но Коди уже ничего не мог изменить. В считанные секунды он сбежал с веранды и с ужасом вгляделся в маленькие следы, ведущие к лесу. Не раздумывая он бросился в том направлении, но его остановил пронизывающий до костей ветер — он был одет явно не по погоде.

Вернувшись в дом, Коди побежал одеваться, даже не взглянув на собравшихся на кухне.

Квин передала Джей-Джея в руки Донни и рванулась за ним.

— Что? — выкрикнула она, увидев, что он одевает теплое пальто и сует в карман фонарик. — Господи, Коди, в чем дело?

— Он убежал, — ответил Коди. — Я видел его следы на заднем дворе. Они ведут к лесу.

Квин побледнела, вспомнив, как Верджил Стрэттон волок ее по снегу и как быстро она утратила способность ориентироваться. Если сейчас им не удастся догнать Уилла, то он наверняка заблудится.

— Может, он просто где-то спрятался? — с надеждой спросила Квин.

— А если нет?

Коди дотянулся до верхней полки, достал оттуда какую-то коробку.

— Это рация, — пояснил он, передавая один радиопередатчик Квин. Второй он взял себе. — Если я найду его, то дам тебе знать.

— А если не найдешь?..

На этот вопрос Коди не ответил. Он привлек к себе Квин и крепко ее обнял.

— Будем поддерживать связь друг с другом, — сказал он.

— Пап, можно, я с тобой? — спросил Донни, услышав обрывки их разговора.

Коди покачал головой:

— Квин нельзя оставлять одну.

Донни молча согласился. Он как-то разом повзрослел.

— Не беспокойся, папа. Можешь положиться на меня.

— Поторопись, — подтолкнула его Квин, глотая слезы. — Скоро стемнеет.

Коди пулей выскочил из дома.

Глава 19

Коди бежал, стараясь не думать, как далеко мог уйти Уилл за это время, стараясь не вспоминать, что в прошлый раз, когда он шел по следу, все закончилось убийством человека.

— Уилл!.. Уилл!

Он звал сына, затем останавливался и прислушивался в надежде, что тот отзовется. К несчастью, ответом ему на это было глухое эхо да позвякивание льдинок на ветвях деревьев, качавшихся от сильного ветра.

— Уилл!

Он кричал и снова бежал, стараясь не сбиться со следа. В густом лесу снег не успел запорошить следы мальчика, но местами Коди руководствовался только интуицией. Следы то пропадали, то появлялись вновь, и это вселяло надежду и придавало ему сил.

Но вот Коди выбежал из чащи и чуть было не сорвался в пропасть с края обрыва. Хорошо хоть он вовремя успел остановиться! Теперь же, широко расставив ноги, Коди в ужасе смотрел вниз, стараясь припомнить: а бежал ли он по следу? Оглянувшись, он увидел позади только свои следы.

Повалившись на живот, Коди свесил голову и посмотрел вниз, страшась увидеть ярко-красную куртку и черную головку сына, переломавшего себе все кости и истекающего кровью. Ничего подобного он не увидел, но царившее вокруг безмолвие лишь усилило его страхи. Коди бросило в жар. Он встал на колени и посмотрел на часы. Довольно скоро будет совсем темно. Он отер руками лицо, недоумевая, почему оно такое мокрое. Надо же, слезы. А он и не заметил.

Откинувшись назад, Коди прислонился к выступу скалы, чтобы перевести дыхание. Холод его нисколько не беспокоил. Дрожащими руками он расстегнул пальто, достал из кармана рацию и нажал кнопку.

— Коди — Квин... Коди — Квин... Ты меня слышишь? Прием.

Сквозь пощелкивание и треск он явно услышал голос любимой. Это придало ему сил. Пусть она далеко отсюда, но сердцами они были вместе.

— Это Квин. Мы слышим тебя хорошо. Прием.

— Ждать больше нельзя. Позвони Абелу Миллеру. Мне нужна помощь. Прием.

Квин глубоко вздохнула, стараясь держать себя в руках, несмотря на то что ей хотелось куда-нибудь спрятаться. Итак, худшие предположения оправдались. Коди отсутствовал уже полтора часа, за это время он так и не нашел Уилла. И уж если он просит помощи, то, значит, потерял надежду.

— Я немедленно ему позвоню. Что ему сообщить дополнительно? Прием.

— Просто скажи, чтобы торопился. Позже я сообщу, где нахожусь. Прием.

— Коди... я люблю тебя. Прием.

Неожиданное молчание обескуражило ее. А ведь за ней молча наблюдали четыре пары глаз: наконец в рации пискнуло и раздался четкий и громкий голос Коди:

— Я тоже люблю тебя, леди. Молись за нас. Конец связи.

Положив рацию на стул, Квин рванулась в холл к телефону. Набирая номер, она терла пальцами переносицу, чтобы не расплакаться. Шерифу Миллеру нужна четкая информация, а не рыдания истеричной женщины.

Через несколько минут она вернулась в гостиную. Увидев обеспокоенные лица, тихо сказала:

— Они уже выезжают.

— Мне так жаль... так жаль! Я одна во всем виновата.

Рыдания Леноры разорвали царившую в комнате тишину. И как это ни печально, справедливость этого признания отрицать никто не стал.

— Ленора, когда Уилл вернется домой, скажите ему, что раскаиваетесь, — предложила Квин.

— А если он?..

— Молчите! — закричала Квин, обводя всех сердитым взглядом. — Лучше молчите! Даже думать не смейте!

Аллен кивнул.

— Я, пожалуй, отведу Ленору в комнату, — сказал он. — Ей надо прилечь...

— Можете воспользоваться комнатой Коди, — предложила Квин. — Он ночью не вернется, во всяком случае, пока не найдет Уилла.

Аллен повел наверх свою охваченную ужасом жену, надеясь, что она наконец придет в себя. Да к тому же она только всем мешает.

— Мне страшно, — захныкал Джей-Джей, обхватив ноги Квин.

Взяв на руки мальчика, она села на софу рядом с Донни.

— Мне тоже, — сказала она, — но твой папа обязательно найдет Уилла. Вот и шериф Миллер тоже едет к нему на помощь. Вместе они еще быстрее найдут Уилла. Вот увидишь.

Донни то и дело моргал, изо всех сил сдерживая слезы. Оказалось, и у Квин глаза на мокром месте. Она устало прислонилась к Донни, и он мужественно обнял ее за плечи. А как же, он ведь должен вести себя как мужчина!

Джей-Джей, тем временем соскользнув ей на колени, закрыл глаза. Он явно падал от усталости и вскоре заснул. А

Квин так и не сдвинулась с места — сидела, баюкая одного и прижавшись к другому, ждала возвращения Коди и Уилла.

Уилл мчался со всех ног, спасаясь от погони. Если его схватят, ему больше никогда не увидеть отца. Вспомнив, какой неподвижной была Квин, когда отец склонился над ней, он зарыдал в голос. Что, если она тоже умрет, как умерла мама?

Голые ветки деревьев, цепляясь за одежду, удерживали его в своих лапах. Уиллу казалось, что это костлявые руки мертвецов, пытавшихся поймать его и разорвать на части. Он в панике рвался вперед, дальше. Один раз он остановился на поляне и посмотрел назад, не сомневаясь, что слышит звуки близкой погони. Знай он, что это всего лишь завывание ветра, наверняка не бежал бы так быстро и не забрался так далеко.

Он бежал, пока его несли ноги и пока холодный воздух не обжег легкие. Только тогда он остановился, чтобы перевести дух. Наклонившись, он для устойчивости обхватил колени руками и стал хватать воздух открытым ртом.

Чуть успокоившись, Уилл посмотрел по сторонам, и паника с новой силой охватила его: он не имел ни малейшего представления о том, где находится. Слезы хлынули у него из глаз, но он, закусив губу, постарался их унять. Он заблудился! Слезы щипали нос и комом стояли в горле, но слезами горю не поможешь. Остается только одно: искать дорогу домой. Приняв решение, Уилл расправил плечи, сделал глубокий вдох и повернул назад.

Надо же — он только что шел по твердой земле, и вот она уплывает из-под его ног! Уилл почувствовал, что падает.

Казалось, что земля разверзлась, чтобы поглотить его. Падая в какую-то яму, он попытался ухватиться за ветви кустарника, но удержаться не смог. Темнота полностью поглотила мальчика. Когда острая боль пронзила его тело, он закричал. Последнее, что он видел, — это кусочек голубого неба, невероятно похожего на цвет глаз его отца.

Деннис Макон съехал на обочину, уступая место патрульной машине с красно-голубыми сигнальными огнями, а увидев позади еще три таких же машины, нахмурился.

— Что за черт? — пробормотал он, кинув взгляд через плечо, и, убедившись, что патруль проехал, продолжил свой путь. Что-то подсказывало ему: в доме Коди беда.

Обогнув холм, он выехал на дорогу, ведущую к дому Боннера, и чуть не остолбенел от ужаса, сообразив, что его подозрения оправдались. Увидев перед собой красно-голубые огни, Деннис нажал на газ и помчался вперед, взметая снег. Ударив по тормозам, он резко остановился, выскочил из машины и без стука ворвался в дом.

Увидев его встревоженное лицо, Квин бросилась к нему. Он с готовностью распахнул ей объятия и, быстро поцеловав в висок, немного отстранился, чтобы заглянуть ей в глаза.

— Ангел... что происходит?

Увидев, как задрожали губы Квин, он понял, что силы ее на исходе.

— Деннис... Уилл потерялся в горах. Коди ищет его уже два часа. Он попросил меня связаться с шерифом Миллером, и я только что объяснила ему ситуацию.

— Черт! — выругался Деннис. — Как такое могло случиться?

— Долго рассказывать. Коди сам тебе все объяснит... когда они с Уиллом вернутся домой.

Деннис слушал ее вполуха, стараясь не пропустить ни слова из распоряжений шерифа. Макон поймал Миллера уже на выходе.

— Шериф! У меня в лагере целая команда спасателей. Они долетят сюда за двадцать минут. Имейте в виду: военно-воздушные силы в вашем распоряжении.

Абел Миллер кивнул:

— Не откажусь. Скоро совсем стемнеет. Как бы они с отцом там не замерзли. — Увидев исказившееся от ужаса лицо Квин, он пожалел о своих словах. — Прости, детка, — извинился он, — меня и мой длинный язык.

— Просто найдите их, Абел, — попросила Квин. — Найдите, и все.

Деннис, не теряя времени, бросился к телефону.

Квин слышала, как он четко и быстро отдавал приказы. Она впервые видела полковника Макона в действии. Теперь это не просто Деннис, друг семьи и лучший друг Коди.

— Мне нужна теплая одежда, — попросил Деннис. — Предстоит длинная прогулка.

Квин указала ему на лестницу.

— Возьми там, у Коди. У вас вроде бы один размер, что-нибудь найдешь. Донни, помоги Деннису одеться как следует.

Уиттьерсы уже покинули комнату Коди и сейчас, спустившись вниз, закрылись в его кабинете. Аллен понимал: единственное, чем он может помочь, — это тем, что будет держать Ленору под своим неусыпным контролем.

— Квин, мне холодно. — Джей-Джей вдруг проснулся и заплакал.

Конечно же, он плакал не от холода, а от страха.

— Идем со мной, милый, — сказала она. — Сейчас мы разожжем камин. Папа с Уиллом почувствуют запах дома даже на расстоянии.

Джей-Джей кивнул. Мысль о дыме как о своеобразном сигнале ему понравилась, и он успокоился.

Квин бросила на Абела многозначительный взгляд. Выходя из дома, он все пытался определить, был ли то приказ или сердечная мольба, но чуть позже решил, что в любом случае ему надо как можно скорее найти мальчика, а времени у них в обрез.

— Надо торопиться, — сказал он. — У Боннера есть рация. Настройте свои приемники на его частоту.

Спасатели ушли, оставив Квин молиться и всем сердцем ждать, чтобы ее молитвы были услышаны.

Через несколько минут вниз спустился Деннис. На какое-то мгновение Квин показалось, что Коди вернулся, но она тут же поняла, что ошиблась. Деннис ободряюще улыбнулся.

— Слышишь? — спросил он, указывая на потолок.

Квин подняла голову и прислушалась.

— Вертолеты... Уже прилетели?..

— Мальчики приземлились, ангел. Как сказал Джон Уэйн: «Не сдавайте форт, пилигримы...» Я скоро вернусь. — Деннис улыбнулся. — Слово даю.

Квин впервые за весь день улыбнулась, и это было хорошим знаком.

* * *

Радость, охватившая Коди, когда прибыли первые поисковики, а затем и дополнительная помощь в лице Денниса и его команды, улетучивалась по мере того, как садилось солнце. Они так и не нашли ребенка, и сейчас поиски затрудняла спустившаяся на землю ночь.

Только безлунной ночью и искать! Коди никак не мог отвязаться от мысли, что сам чуть не свалился в пропасть, а ведь это произошло при свете дня.

На поляне между вершиной горы и домом Коди был разбит лагерь. Коди не сомневался: мальчик где-то здесь, и он не нашел его только потому, что Уилл либо потерял сознание, либо расшибся. От подобных предположений Коди старался сразу же отмахнуться. Он жизни себе не представлял без одного из сыновей.

Пригнув голову из-за высокого роста, он мерил шагами палатку, стараясь не смотреть на Денниса. Не в силах побороть страх, Боннер с надеждой ждал наступления следующего дня и молил Бога, чтобы Уилла нашли. Ребенок при такой погоде может протянуть только одну ночь. Коди прекрасно знал это.

— Ты ел? — спросил Денни.

— Как я могу есть, зная, что мой сын голоден? — В голосе Коди слышалось страдание. Скрестив ноги, Деннис сидел на спальном мешке, зная, что сейчас ничем не может помочь другу.

— Тогда попытайся немного отдохнуть, — сказал Деннис и, прежде чем Коди возразил, поспешно добавил: — Я не предлагаю тебе спать. Просто отдохни. Ради Уилла. Откуда ты возьмешь силы для поиска, если ничего не ешь и не спишь?

Коди лег в спальный мешок и только сейчас почувствовал дикую усталость. Сердце ныло, мысли в голове путались. Неужели Деннис и впрямь считает, что он может заснуть?

Положив руки за голову, Коди уставился в пространство, затем осторожно закрыл глаза, заранее зная, что сейчас воображение преподнесет ему картину распростертого на земле Уилла. Если бы он сейчас был дома, то, ни минуты не раздумывая, без всякой жалости свернул бы Леноре шею.

— О Господи! — с отчаянием выдохнул Коди, и эти слова прозвучали как молитва.

— Знаю, дружище, знаю, — сказал Деннис и, повернувшись на бок, погасил свет.

Их поглотила темнота. Коди мог слышать только завывание ветра да тихое похрапывание Денниса. Он провел рукой по лицу, вытирая катившиеся из глаз слезы и всем сердцем желая, чтобы Квин оказалась рядом, утешила его и заверила, что все будет хорошо.

Ее сила и мужество были ему сейчас куда нужнее, чем глоток воды в пустыне. Тогда на карту была поставлена его собственная жизнь, а сейчас жизнь ребенка... его ребенка!

Уилл ушибся и ничего не видел. Сначала он решил, что ослеп, но оказалось, на землю просто опустилась ночь. Он смутно припомнил, что, падая, видел кусочек неба над головой, сейчас же на небе не было ни луны, ни звезд. Закрыв лицо руками, он вдруг ощутил дикий холод. Пальцы онемели, а подушечки горели, словно от ожога. Пощупав болевшую ногу, Уилл понял, что дело плохо. Видимо, он сломал ее.

— Значит, я не смогу идти, — прошептал он и даже не вздрогнул. И тут он припомнил кое-что из рассказов отца о том, как выжить при температуре ниже нуля: «Тепло уходит через макушку. Лицо, руки и ноги отмораживаются первыми. Надо все время двигаться, чтобы не застаивалась кровь».

Сердце Уилла забилось от страха, когда он услышал свой собственный голос, эхом отозвавшийся в горах. Он испугался и дернулся. Боль, пронзившая ногу, заставила его закричать еще громче.

— Паа...аа!.. Помогите! Кто-нибудь, помогите!

Стараясь сдерживать дыхание, он прислушался, в надежде уловить знакомый голос, который отзовется на его крики, но услышал только звон в висках. Застонав, Уилл закрыл глаза и, чтобы не думать о боли, постарался переключиться на что-нибудь приятное. Он вспомнил Квин, вспомнил, как им весело было, когда всего несколько часов назад они все вместе пекли на кухне печенье.

Из его горла вырвалось рыдание, когда он вспомнил ее... дом... свою мягкую уютную постель. Какие теплые одеяла и как спокойно жить в доме, зная, что папа и Квин рядом и всегда могут защитить его! Сейчас все угрозы бабушки казались пустяками по сравнению с тем, что он потерялся и до костей промерз.

Он со стоном сдвинулся с места, пытаясь устроиться между камнями поудобнее. Закрыв уши воротником пальто и сунув руки в рукава, Уилл постарался не думать об онемевших ногах и пустом желудке.

«Квин, забери меня отсюда! Пожалуйста, найди меня и забери».

С мыслью о Квин Уилл забылся.

Тяжело опустившись на стул, стоявший у камина, Квин задремала, но то и дело вздрагивала во сне, открывала глаза. Ей надо было лишний раз убедиться, что все происходящее не сон, а ужасная действительность.

Джей-Джей и Донни лежали на софе, где их сморил наконец сон. У Квин не хватило духу отправить их в постель, поскольку она понимала, что им хочется быть рядом с ней.

Вздохнув, Квин потянулась, чтобы поправить одеяло, и тут ее рука замерла, дыхание стало учащенным, ресницы вздрогнули и затрепетали.

Внезапно она проснулась, резко выпрямилась и вцепилась в подлокотники так сильно, что пальцы ее побелели. Глаза ее были широко раскрыты, но она не замечала затухающего огня в камине.

Квин пыталась удержать видение, разгадать его смысл. Внезапно она очнулась, посмотрела вокруг, плохо соображая, где она и что с ней.

— Боже! — прошептала она, вскакивая. — Надо все рассказать Коди! Рассказать немедленно.

Она стала бегать по дому в поисках рации, которую куда-то сунула, когда приехал шериф и его люди. Войдя на кухню, освещенную слабым светом ночника над плитой, она пошарила взглядом и нашла аппарат на краешке стола. Схватив его дрожащими руками, Квин внезапно поняла, что поиски будут удачными, если только Коди полностью доверится ей.

Закрыв глаза, она прошептала молитву и, набравшись храбрости, нажала на кнопку. Громкий треск разорвал тишину кухни.

— Квин — Коди... Квин — Коди... Коди... пожалуйста, выходи на прием.

Сначала Коди подумал, что ему это снится. Сквозь завывание ветра он явственно слышал голос Квин, и ему на мгновение показалось, что она здесь, рядом, но затем он вспомнил, где находится, и понял, что слышит ее голос по радио. В поисках рации Коди нечаянно разбудил Денниса, который спросонья еле расстегнул «молнию» спального мешка, и включил фонарик.

Люминесцентный свет осветил палатку как раз вовремя: Коди уже нащупал рацию.

— Коди слушает. Что случилось?

Естественно, в такой час, да еще после того, что случилось, вызов Квин не предвещал ничего хорошего.

— Коди... я видела сон. Прием.

Коди вздохнул.

— Мне тоже снились плохие сны, милая, — спокойно ответил он, зная, что Деннис и вообще все в лагере, чьи приемники настроены на их волну, слушают сейчас их разговор с Квин. Наплевать, на его месте они поступили бы так же.

— Нет! — чуть не плача, закричала Квин. — Как ты не понимаешь! В моем сне... я видела Уилла. Я слышала его голос! Мне показалось, он хочет нам что-то сказать. Прием.

— Я что-то не понимаю. Прием.

Вот когда ей нужно его полное доверие! Коди ей не верил, но сейчас это не важно. Она готова была жизнь отдать, лишь бы вернуть Уилла.

— Коди... Мне кажется, вы не там его ищете. Прием.

— Черт... нет ни одного места, которое я бы не обшарил! — закричал Коди, но тут же спохватился и, глубоко вздохнув, закрыл лицо руками, стараясь подавить внезапную вспышку злости, а вместе с ней и гадкий липкий страх. — Извини. Пожалуйста, объясни, о чем ты. Прием.

— Я слышала, как Уилл кричал. Его голос звучал откуда-то из-под земли, но я слышала, как он плачет... Я даже слышала его дыхание. Прием.

— Черт! — опять выругался Коди, чувствуя, как по его телу поползли мурашки. Она доведет его до сумасшествия. — Что ты пытаешься сказать, Квин? Прием.

— Я пытаюсь сказать... когда наступит утро, не надо искать его на горе... ищите внутри ее. Коди... мне кажется, Уилл где-то внутри горы. Прием.

Рация выпала из рук Коди. Он тяжело сглотнул, пытаясь что-то ответить, но тут Деннис подобрал рацию и нажал кнопку.

— Привет, ангел, это Деннис. Мы тебя отлично слышим. Успокойся... мы обшарим везде, где только можно. Спасибо за звонок. Скоро увидимся. Конец связи.

При слабом свете фонарика Коди и Деннис посмотрели друг другу в глаза, боясь признаться себе, что найти то место, куда мог упасть... или заползти ребенок... почти невозможно.

— Что ты об этом думаешь, дружище? — спросил Деннис.

Долгое время Коди не двигался... и не отвечал. Задумчиво прищурившись, он смотрел куда-то вдаль и лихорадочно искал решение. Но вот Коди медленно повернул голову и посмотрел на Денниса:

— Я думаю, она не ошибается. Погаси этот проклятый свет. Мне надо хоть немного отдохнуть. Завтра будет сумасшедший день.

Положив рацию, Квин включила газ и поставила кипятить воду. Она продрогла насквозь. Возможно, если она выпьет кофе, то хоть немного согреется...

Она выключила газ и ринулась к выходу. Слезы градом катились у нее из глаз, и она с трудом нашла дверь.

Внезапно ее осенило, что промерзла не она... а Уилл! Ей не могло быть тепло, когда ему так холодно и одиноко.

Вернувшись в гостиную, она потеплее закутала спящих мальчиков, затем подошла к камину и подбросила в него дров.

Спустя минуту, опустившись в кресло, она слушала, как ветер стучит в окна дома, и смотрела, как разгорается затухшее было пламя в камине и огонь обретает новую жизнь, взбираясь вверх по поленьям.

Квин не заметила, как заснула, а когда проснулась, уже наступило утро.

Глава 20

К утру завывавший всю ночь и наносивший удары по палатке ветер стих. С рассветом лагерь опустел. Поиски начали, как только на небе из-за туч появились первые лучи солнца. Мужчины подкрепились сухим пайком и согрелись горячим кофе.

К чести поисковиков, ни один из них и словом не обмолвился о ночном разговоре Коди с Квин. Боннер сказал им о том, что, возможно, Уилл находится под землей или в пещере и не может передвигаться.

Деннис сразу понял, что вся поисковая партия слышала прозвучавшее по радио безумное предположение Квин. Какого бы мнения ребята ни придерживались по этому поводу, потерялся сын Коди, и ему решать, где его искать. К чему задавать лишние вопросы?

Вытянувшись в шеренгу интервалом в пятьдесят ярдов и с рациями в руках, мужчины стали прочесывать поверхность горы. На сей раз они останавливались по условному сигналу, дружно выкрикивали имя мальчика и затихали, прислушиваясь.

Коди хотелось кричать от отчаяния, видя, что люди продвигаются черепашьим шагом, однако, ускорь они шаг, пропустят Уилла и не услышат его криков. Коди нисколько не сомневался, что Уилл еще жив, к тому же Квин подтвердила это. Оставалось только надеяться и искать.

Прошло два часа с начала поиска со всеми его остановками, зовом и прислушиванием.

Беспокойство Коди нарастало, и на лице его каждый раз, когда крики не получали ответа, отражалось разочарование. Коди весь обратился в слух, не замечая окружающих. Чем ниже с горы они спускались, тем сильнее становилась его уверенность в том, что Квин права. Если бы Уилл лежал на поверхности земли, они бы давно его нашли. Вот в очередной раз настало время звать Уилла. Команда остановилась, по цепочке передали сигнал.

— Уилл... Уилл... Уилл... Уилл...

В воцарившейся затем жуткой тишине каждый спасатель старался затаить дыхание, в душе надеясь на чудо.

У Коди болели и душа, и тело. Упасть бы сейчас на землю и завыть! Каждый раз, когда казалось, что он не в силах сдвинуться с места, перед его мысленным взором проплывали большие голубые глаза Уилла и его сияющая улыбка, и Коди делал следующий шаг. Он просто обязан. А что, если Уилл тоже сдался? Наступила очередь Коди звать Уилла.

И тут он услышал ответный крик. Нет, это ему показалось, поскольку слишком велико было желание услышать его. Однако крик повторился снова... тревожный... чуть различимый, и сердце Коди подпрыгнуло в груди. Он крикнул спасателям, чтобы те остановились. Он услышал голос Уилла!

— Паа... ааа! Кто... помогите!

Крик Уилла был слабым и доносился словно из-под земли. Коди даже вздрогнул от ужаса, на минуту представив себе, что случилось с сыном.

Глотая слезы, Уилл крикнул снова. Кричал он еле-еле, так как к утру у него разболелось горло. Судорожно сглотнув, мальчик открыл было рот, чтобы снова закричать, но передумал и, задрав голову и затаив дыхание, стал прислушиваться.

Кто-то выкрикнул его имя! Он слышал целый хор голосов. А что, если его не найдут?

Он снова начал кричать... вопить... боясь прерваться и прислушаться, но когда все-таки замолчал, то оказалось, что голоса удаляются, спасатели прошли мимо, он снова остался в темноте и холоде в полном одиночестве.

Посмотрев наверх, Уилл увидел кусочек голубого неба... такого манящего, и вспомнил, что прежде не отдавал себе отчета, как это здорово — видеть небо над головой.

Коди между тем встал на четвереньки и пополз по земле, стараясь определить, откуда доносился голос Уилла. Прибежавшие на его зов спасатели тоже поползли по земле, прислушиваясь.

— Здесь... Здесь! — закричал наконец молодой лейтенант, первым заметивший узкую расщелину. Действительно, вокруг валялись сломанные ветки кустов, видны были камешки, сдвинутые с места.

Спасатели расступились, уступая место Коди. Он лег на живот, склонил голову вниз, стараясь рассмотреть в темноте сына.

Небо над головой Уилла неожиданно исчезло. Напуганный наступившей тишиной, он перестал кричать и затаился, пока не услышал родной голос:

— Уилл! Сынок! Ты внизу?

— Папа... папа... я провалился! Я не могу выбраться!

— Спасибо тебе, Господи! — услышали стоявшие вокруг Коди тихий шепот.

— Не волнуйся, Уилл, я тебя вытащу. А сейчас скажи мне... ты что-нибудь ушиб?

— Ногу, папа. Я не могу шевельнуть ногой. По-моему, она сломана.

— Дайте мне фонарь! — крикнул Коди, протягивая руку. Включив его, он направил узкий луч в расщелину. — Сынок, это я, твой папа. Я тебя вижу. Не бойся. — Повернув голову, Боннер посмотрел на Денниса и тихо, так чтобы Уилл не услышал, сказал: — Снаряжение не понадобится, со сломанной ногой он не сможет закрепиться. С другой стороны, я не могу к нему спуститься: отверстие слишком узкое.

— Проклятие, — выругался Деннис, исследуя узкую расщелину. Да сюда не пролезет ни один взрослый мужчина!

— Подожди минуточку, Уилл! — закричал Коди. — И ничего не бойся. Я скоро вернусь. Здесь шериф Миллер, он поговорит с тобой, пока мы придумаем, как действовать. Договорились?

— Ладно, — спокойным голосом ответил Уилл.

Коди поднялся с земли и отошел в сторону.

Мужчины, столпившиеся над расщелиной, тем временем стали разговаривать с Уиллом, подбадривая его.

— Если мы не спустимся вниз, то как поднимем его? — спросил Деннис.

Коди задумался. Все зависит от того, сможет ли Уилл помочь им. Боннер снова вернулся к расщелине.

— Уилл! У тебя болит только нога?

— Нет...

— Вот черт... — пробормотал Коди. — Скажи мне, сынок, чем еще ты не можешь пошевелить?

— Ах это! Только ногой. Просто болит горло... и ребра. Но я могу шевелить губами и животом.

Широкая улыбка осветила угрюмое лицо Коди. Перевернувшись на спину, он рассмеялся.

— Задай ребенку конкретный вопрос, и ты получишь такой же конкретный ответ. — Он перевернулся на живот и закричал Уиллу: — Сейчас сбросим тебе веревочный лифт, сынок. Все, что тебе нужно будет сделать, — это просунуть в него голову и закрепить веревки под мышками. А потом крепко-крепко держись за него руками, пока мы будем поднимать тебя. Подумай, ты это сможешь?

Уилл радостно воскликнул:

— Это вроде того, что применяется в морской авиации для спасения людей из воды? Такая же штука?

— Настоящий сын военного, — рассмеялся Деннис.

— Да, — ответил Коди. — Именно такая «штука». — Сумеешь ли ты за нее держаться так, чтобы не упасть?

— Конечно, папа. Давай бросай.

Коди встал на ноги и подозвал к себе ответственного за спасательное оборудование.

— Бедный ребенок! «Конечно, папа. Давай бросай». — Коди дрожащей рукой провел по лицу.

В это время к нему подошел Абел Миллер и дружески похлопал по спине.

— Слава Богу, что у детей быстро восстанавливаются физические и душевные силы, — сказал Коди.

Через несколько минут все приготовления были закончены. Сбросив лифт в расщелину, мужчины растянулись в цепочку. Каждый хотел принять участие в спасении Уилла Боннера.

— Поймал! — закричал Уилл, хватаясь за грубый бесформенный хомут, упавший ему на колени. В считанные секунды он просунул в него голову и продел под мышки. Крепко ухватившись за веревку, мальчик дернул ее, желая убедиться, что закрепился, и тотчас крикнул: — Тащите! Я готов!

Коди лег на живот и, осветив расщелину фонариком, свесил голову вниз, чтобы следить за сыном. Прошептав молитву, он глубоко вздохнул и повернул голову к спасателям.

— Тащите. — Он махнул рукой.

Уилл застонал, когда лифт пришел в движение, — у него болело все тело.

— Ты в порядке? — закричал Коди, делая команде знак остановиться.

— Все хорошо, папа. Тащите меня скорее.

Коди снова просигналил, и мужчины возобновили работу.

Уилл весь сжался, крепче ухватился за веревку и почувствовал, что его ноги отрываются от земли. Дважды он ударился о стенки мини-пещеры, и дважды с его губ срывался невольный стон. Если он ударится еще хоть раз, то наверняка не выдержит боли и снова упадет. Но подбадривающий голос отца и дневной свет, который становился все ярче, не давали ему выпустить веревку из рук и потерять сознание.

Вскоре Коди коснулся черноволосой головы сына и увидел его ярко-красную куртку. Так, еще один маневр спасателей и...

В расщелине показалось лицо сына. Вскочив на ноги и наклонившись, Коди почувствовал прилив сил, подхватил парнишку на руки и вытащил его.

Многие спасатели не могли сдержать слез. Все радостными криками приветствовали Уилла. Все хорошо, что хорошо кончается.

Сердце Коди перевернулось в груди, когда он увидел безжизненно висевшую тоненькую ножку Уилла, прикрытую грязной штаниной.

— Скорее носилки! — крикнул Боннер, и через секунду мальчик лежал на них. Теперь надо его доставить в больницу.

— Папа... как там Квин? Я видел, что она упала.

— Она прекрасно себя чувствует, сынок. — Коди склонился над носилками. — Она ждет тебя дома. Тебя там все ждут.

Улыбка исчезла с лица Уилла.

— Все?

— Не расстраивайся, Уилл. Бабушка очень сожалеет о случившемся. Пожалуй, она расстроена больше всех. Она не хотела пугать тебя. Понимаешь?

— Понимаю, — ответил Уилл и отвернулся, чтобы отец не видел, как он нахмурился. Опять встречаться с этой женщиной, из-за которой он убежал!

— Подождите, — вдруг остановил Коди спасателей, которые уже взялись за носилки. — Пусть его голос услышит еще один человек.

Коди достал из кармана рацию.

— Коди — Квин... Коди — Квин... Ты меня слышишь?

— Квин слушает. Прием.

Судя по испуганному голосу и учащенному дыханию, она провела ужасную ночь.

Коди прижал рацию к уху Уилла и нажал кнопку, сделав ему знак говорить.

— Квини... это Уилл. Как ты себя чувствуешь? — спросил он и, подражая отцу, добавил: — Прием.

Квин заплакала. После всего того ужаса, который парнишка перенес, он еще справляется о ее здоровье?!

— Я чувствую себя прекрасно, Уилл. Скорее возвращайся домой, мое сердечко, а то Донни съест все печенье. Прием окончен.

— Нам надо спешить, — улыбаясь, бросил Уилл мужчинам, — а то Донни там все слопает. Мне Квини так сказала.

С легким сердцем Коди спустился с горы. Через час показалась крыша его дома. А когда они вышли из леса, он сразу увидел Квин, стоявшую на веранде, несмотря на утренний холод. С развевающимися на ветру сказочными волосами и сияющей улыбкой она была похожа на маяк, зовущий домой.

Завидев спасателей, Квин сбежала вниз по ступенькам и ринулась к ним навстречу. Коди на лету подхватил ее на руки, сжал в своих объятиях и зашептал на ухо слова, которые предназначались только ей одной.

— На этой стороне надо повесить побольше сосулек. — Уилл показал на голое пятно на стене.

Джей-Джей кивнул, собираясь выполнить указания брата. Хотя Уилл был дома и в полной безопасности, но гипсовая повязка на ноге приковала его к дивану. Его участие в украшении рождественской елки состояло в том, что он, приняв удобную позу, руководил всеми.

Донни считал, что Уилл слишком раскомандовался, однако радость оттого, что вся семья в сборе, примирила его с поведением брата. Джей-Джей ни на шаг не отходил от брата и с удовольствием выполнял все его приказы.

Уилл вздохнул, увидев, как Джей-Джей бросил на елку блестящую гирлянду, и досадовал, что не может встать и помочь ему. Впервые за долгое время у них дома елка, а он не может встать и ее украсить!

Пока они жили у дедушки с бабушкой, им тоже устраивали елку, но ее наряжали специальные декораторы. Ленора Уиттьерс не разрешала детям делать это самим, и потому там не было такого веселья, как сейчас. Розовые бархатные банты и белые шелковые шары на той елке не шли ни в какое сравнение с мигающими огнями и четырьмя комплектами разноцветных шаров на этой, но самым главным был сюрприз, который им подготовила Квин: имбирное печенье в виде маленьких человечков, на каждом из которых красными буквами было выведено имя одного из мальчиков. Короче говоря, Уилл считал, что у них просто необыкновенная елка.

— Звонили дедушка с бабушкой, — сказала Квин. — Они желают вам веселого Рождества.

— Здорово! — закричал Джей-Джей, а Донни в знак одобрения выставил большой палец и посмотрел под елку, где лежали подарки, прибывшие от них несколько дней назад.

Правда, Уилл отнесся к поздравлению без видимого энтузиазма. Да, ему понадобится еще немало времени, чтобы простить свою бабушку. Он единственный из мальчиков принял ее угрозы близко к сердцу... и поплатился за это.

Уиттьерсы, так же как и Коди, буквально не отходили от постели мальчика, когда ему загипсовали ногу. Уилл поначалу никак не мог понять, что случилось с его бабушкой: она снова и снова просила у него прощения и все время плакала. Парнишка просто не узнавал ее и только потом понял, что на лице у Леноры не было макияжа. Она как-то сразу постарела... и теперь выглядела не такой страшной.

Переместившись на стул, Уилл с радостной улыбкой встретил Квин. Она пришла с печеньем и горячим шоколадом.

— Мне первому! — закричал он.

— Это что еще за новости? — буркнул Донни, но тут же осекся, так как Квин неодобрительно посмотрела на него.

— Уилл, когда мы закончим наряжать елку, хочешь прикрепить звезду? — спросила Квин, поставив на стол сладости.

Уилл так и просиял от радости.

— Да, конечно... но ты же не сможешь поднять меня на такую высоту, — вздохнув, ответил Уилл, снова откидываясь на стуле.

— Я подниму, — в гостиную, наполнив ее морозным воздухом, вошел Коди.

Квин улыбнулась. Ее сердце забилось чаще от одного лишь появления Коди. А еще задрожали колени...

Коди улыбнулся и подмигнул ей, встретившись с ее многозначительным взглядом, в котором был намек на предстоящую ночь.

Квин смотрела на него и невольно восхищалась любимым. Коди предстал перед ней во всем своем великолепии: его черные волосы блестели от снега, падавшего за окном, голубые глаза сияли от переполнявшего его счастья и жажды жизни.

Боннер поставил на стол маленькую коробочку, сбросил пальто и, схватив Квин в охапку, стал покрывать страстными поцелуями, зная, что она не будет возражать просто потому, что не сможет говорить.

— Какие нежности! — хмыкнул Джей-Джей, добавив блесток на пустые ветви на елке.

Уилл улыбнулся и потянулся за печеньем. Донни, стоя рядом с елкой, задумчиво смотрел на парочку и вспоминал то время, когда их мать была еще жива... вспоминал, как пусто стало в их доме после ее смерти... И вот сейчас, с появлением Квини, жизнь снова наполнилась смыслом и счастьем.

Он вздохнул и улыбнулся. Не всякий находит свою спасительницу на автобусной остановке, а вот ему повезло.

— Квини, расскажи мне еще раз о твоем сне. — Уилл снова и снова обращался к Квин с такой вот просьбой.

Она улыбнулась и взъерошила ему волосы.

— Ты слышал это уже сотни раз.

— Но я хочу послушать еще раз. Ты действительно видела меня в этой дыре?

— Конечно, — ответила Квин. — Иначе как бы я могла сказать твоему папе, где ты находишься?

Джей-Джей тоже с удовольствием слушал эту историю.

— И ты действительно слышала, что я плачу? Слышала, как я звал тебя? — продолжал расспрашивать Уилл.

В вопросах Уилла чувствовалось не просто желание слушать эту историю, и Коди отлично понимал это. Мальчику хотелось ощутить себя связанным узами родства с другим человеком. Боннер не находил в этом ничего странного, потому что испытывал по отношению к Квин то же самое.

— Да, милый, — ответила Квин, опускаясь на колени рядом с Уиллом. Улыбнувшись, она погладила его по щеке. Она любила его голубые глаза, его черные волосы и лицо, так похожее на другое... на лицо человека, которого она любила всем сердцем. — Я слышала, что ты меня звал, но слышала не ушами... а сердцем.

Уилл вздохнул. Именно это он и хотел знать.

— А мое сердце чует, что кто-то меня сейчас поцелует! — выпалил Коди, пытаясь за шуткой скрыть переполнявшие его эмоции. — У меня совсем замерзли губы.

— Коди... — Квин рассмеялась и отступила назад. И тут ее взгляд упал на коробку, стоявшую на столе.

— Уже подарки? — спросила она.

Голубой свитер, тот, что Квин вязала тайком, цвет которого был под цвет глаз Коди, она уже упаковала в праздничную бумагу и теперь ждала, когда наступит рождественское утро.

Глаза Коди вспыхнули радостным огнем.

— Совсем забыл! Я решил обновить наши елочные игрушки в связи с увеличением семьи. Что вы думаете по этому поводу, парни?

Ему не было нужды спрашивать об этом. Сыновья признали Квин своей задолго до того, как он влюбился в нее.

Коди передал коробку Уиллу:

— Открывай, сынок. Там украшение для верхушки. Помнится, наша старая звезда изрядно облезла.

— Здорово! — восхитился Донни. — Я обещал Уиллу оказать честь украсить верхушку. Хорошо, что ты приехал, его гипс весит почти столько же, сколько и он сам.

Квин не отрываясь смотрела, как Уилл, развязав ленточку, открыл коробку и стал разворачивать папиросную бумагу.

— Смотрите! Это ангел! — закричал мальчик. — Вынув игрушку из коробки, он стал вертеть ее из стороны в сторону, с восхищением рассматривая белое платье и хрупкие крылья, обшитые по краям золотой нитью. — У ангела рыжие волосы... такие же, как у Квини!

Квин смотрела на куклу, с трудом сдерживая слезы, которые жгли глаза.

Коди поднял сына вверх.

— Давай закрепи его на верхушке, да покрепче, так, чтобы не упал, — попросил он Уилла.

— Готово. — Уилл прекрасно справился с заданием.

Посадив сына на диван, Коди отступил назад и, прищурившись, стал любоваться ангелом, парившим в вышине.

Квин, приблизившись, положила ему голову на грудь.

— Потрясающе! — сказала она. — Спасибо тебе, Коди. Спасибо за то, что подарил мне свою любовь... и сделал такой нужной.

— Посмотри на ангела, мам. Он весь светится!

Слово «мам», вырвавшееся из уст Джей-Джея, ошеломило абсолютно всех. А парнишка тем временем, даже не осознав того, что сказал, приплясывал, кружил вокруг елки, с восхищением глядя на подсвеченные огнями крылья и рыжие волосы ангела.

Квин застыла на месте, боясь выказать радость... боясь, что два других брата обидятся на нее за то, что Джей-Джей ее так назвал. Но она беспокоилась напрасно. Донни только часто заморгал и, отвернувшись, принялся за печенье, стараясь проглотить ком, подступивший к горлу. Уилл принял слова Джей-Джея к сведению и, взяв руку Квин, пожал ее. Ей было этого вполне достаточно.

На улице по-прежнему падал снег, укрывая деревья и землю тяжелым белым одеялом холодной красоты. В камине ярко горел огонь, любовь и смех наполняли комнаты, согревая сердца живущих здесь так, как огонь согревал их тела.

Коди обнял Квин и прижался щекой к ее теплой щеке.

— Добро пожаловать в нашу семью, любимая! Добро пожаловать в наш дом!

Эпилог

Звяканье крышек сливалось со стуком ветра в окна. Квин мерила кухню шагами, помешивая еду. Главное, успеть к ужину.

Ей с трудом верилось, что это уже ее второе Рождество в семье Боннер, а через несколько дней годовщина их брака.

Год пролетел незаметно.

И тут слабо пискнула, а затем громко заплакала Аманда Боннер. Впервые за свою короткую жизнь она не увидела над собой лица матери. Завопив от возмущения, она еще раз напомнила о своем существовании.

Сопровождаемый тремя сыновьями, Коди молнией влетел на кухню и подхватил Аманду на руки, оборвав ее крик. Квин улыбнулась и покачала головой: ребенка балуют абсолютно все: и Коди, и Донни, и Уилл, и Джей-Джей. Девочке нисколько не грозит одиночество, зато она точно будет знать, что значит быть всеми любимой.

— Может, она проголодалась? — спросил Коди. — Я могу подменить тебя у плиты, если тебе надо покормить е

Он прижал к себе крошечного человечка, которого породили они с Квин, не в силах отвести взгляд от прекрасного лица жены.

— У нее твои волосы, — заметила Квин, удивляясь, с какой осторожностью этот сильный высокий мужчина держит маленькое существо.

— Но у нее будут твои глаза, — отозвался Коди. Он давно заметил, что голубые глаза, с которыми родилась Аманда, меняют цвет и становятся все более зелеными. Этот цвет был таким же восхитительным, как и вся их жизнь.

— А характер у нее Джей-Джея, — дополнил Донни. — Такой же отвратительный.

— А вот и нет!

— А вот и да!

Коди закатил глаза.

— Парни... ради всего святого, прекратите немедленно!

Квин улыбнулась. Ей нравилось, когда мужчины спорили, каждый проявляя свой характер, и она часто задумывалась над тем, какое место ей и Аманде уготовано в их жизни. Зная Боннеров, она могла не сомневаться, что они будут боготворить их.

Из-за штормовой погоды радиоприемник на полке над столом работал нестабильно. Коди попытался поймать что-нибудь интересное, но передавали только тихую и приятную музыку.

Квин, рассеянно прислушиваясь, ненадолго задумалась. Внезапно до ее сознания дошло, что идет прямая трансляция концерта исполнителей, работающих в стиле кантри, из Гранд-Оле в Нашвилле.

— О Боже! — пошептала она, внезапно ощутив тоску по своей семье.

Она вздохнула, вспомнив, как долго и безуспешно пыталась разыскать Даймонд через музыкальное агентство Джесса Игла. Сестры разлетелись в разные стороны и, похоже, навсегда потеряли друг друга.

Странная тоска охватила Квин, и, когда диктор начал говорить, она отвернулась, чтобы никто не увидел ее слез.

Впрочем, Коди заметил, как помрачнела Квин. Прошло уже много месяцев с тех пор, когда он впервые увидел этот ее горящий взгляд. Он молча передал Аманду Донни и подошел к Квин, собираясь ее обнять, но она, уклонившись, усилила звук радиоприемника.

Боннеры весьма удивились ее странному поведению, а на лице Квин тем временем расцвела улыбка.

«...Идет трансляция из Гранд-Оле, Нашвилл, Теннесси».

В комнате зазвучал удивительно знакомый женский голос. У Коди даже мурашки по спине побежали.

Все Боннеры слушали затаив дыхание. Голос певицы завораживал их, убаюкивал, вызывал совершенно неожиданные для них самих эмоции. И все это время Квин смеялась и плакала, кружилась в диком танце на пятачке рядом с полкой.

— О Боже! О Боже! Это она! Она своего добилась! Добилась того, что хотела!

Квин повторяла эти слова снова и снова, и Коди постепенно стал понимать, о ком идет речь.

— Милая?..

Песня закончилась, и в зале раздался взрыв аплодисментов, прерываемый голосом диктора, который, перекрывая гул голосов, объявил:

— Леди и джентльмены, перед вами выступала певица Даймонд Хьюстон из Нашвилла со своей новой песней!

Лицо Коди озарилось лучезарной улыбкой, когда он увидел радостный блеск глаз Квин.

— Это моя сестра! — закричала она, указывая на радио.

— Потрясающе! — закричал Донни, сраженный наповал. — Ты хочешь сказать, что у тебя знаменитая сестра?

— Похоже на то, — ответила Квин и, все еще пританцовывая, упала в объятия Коди.

— В таком случае, — начал Коди, крепко прижимая к себе взволнованную Квин, — мне кажется, нам надо еще раз подумать, где мы проведем Рождество. А что, если заказать билеты в Нашвилл? Допустим, Квин свяжется с сестрой и получит ее согласие. Думаю, она вправе провести Рождество рядом со своей Даймонд. Что вы думаете по этому поводу?

Мальчики долго молчали, наконец Уилл, набравшись храбрости, выпалил:

— Я считаю, что было бы чудесно поехать всем вместе. Иначе кто будет охранять ее, если она поедет одна?

— Боже! — воскликнула Квин, рассмеявшись. — И он туда же!

Коди сразу понял, что она хочет этим сказать. Присущее ему чувство брать ее под свою защиту определенно передавалось всем мужчинам семьи Боннер генетически.

— Я никуда без вас не поеду, — сказала Квин. — Разве вы забыли, что мы теперь одна семья? Думаю, что Даймонд будет очень рада. Но, Коди... как я с ней свяжусь? Я потеряла адрес Джесса Игла. Я даже не знаю, вместе ли они сейчас.

— Если она стала такой знаменитостью, то нам не составит большого труда найти ее, — ответил Коди. — Просто дай мне номер телефона и пару дней.

Квин рассмеялась и, приняв Аманду из рук Донни, с радостью наблюдала за всеобщим возбуждением. Внезапно перед ее мысленным взором предстал образ той женщины, какой была она сама, когда покидала Кредл-Крик. Этой женщины уже не существовало.

Несмотря на то что она не одобряла образ жизни Джонни, у нее самой была душа игрока. Она решилась на рискованный шаг и нашла свое счастье. Счастье, на которое имеет право каждая женщина. Что ни говори, но тогда, сойдя с автобуса, она сыграла с судьбой блиц и нашла свое счастье.

«Кто бы мог подумать, что удача поджидает меня именно здесь?» — думала Квин, улыбаясь.

И только сейчас она поняла, почему отец переезжал с места на место в поисках удачи. Правда, он гонялся за радугой, а она искала гавань, где можно было бы бросить якорь. И такую вот гавань она нашла в лице Коди.

Квин весело рассмеялась от пришедшей ей в голову мысли: какое же счастье, после того как дети улягутся спать, заполучить его... в свои объятия.

Литературно-художественное издание

Сэйл Шарон

Королева

Редактор Л.Г. Гагарина
Художественный редактор О.Н. Адаскина
Компьютерный дизайн: Ю.Ю. Миронова
Технический редактор О.В. Панкрашина
Младший редактор Н.К. Чернова

Подписано в печать 21.06.2000.
Формат 84×108 1/32. Бумага газетная. Печать высокая.
Усл. печ. л. 18,48. Тираж 11 000 экз. Заказ № 1192.

Налоговая льгота — общероссийский классификатор продукции ОК-00-93, том 2; 953000 — книги, брошюры

ООО «Издательство АСТ»
Лицензия ИД № 00017 от 16 августа 1999 г.
366720, Республика Ингушетия,
г. Назрань, ул. Кирова, д. 13
Наши электронные адреса:
WWW.AST.RU
E-mail: astpub@aha.ru

Отпечатано с готовых диапозитивов
в ордена Трудового Красного Знамени
ГУПП «Детская книга» Роскомпечати.
127018, Москва, Сущевский вал, 49.